Y0-AFT-351

ЮРИЙ
ПОЛЯКОВ

Редакционно-издательская группа
«Жанровая литература»

Представляет книги **Юрия Полякова**

Апофегей
Бахрома жизни
Возвращение блудного мужа
Время прибытия
Гипсовый трубач
Государственная недостаточность
Грибной царь
Демгородок
Замыслил я побег
Как боги
Козленок в молоке
Лезгинка на Лобном месте
Любовь в эпоху перемен
Небо падших
Одноклассники
По ту сторону вдохновения
Созидательный реванш
Сто дней до приказа
Убегающий от любви
ЧП районного масштаба

ЮРИЙ

ПОЛЯКОВ

ПО ТУ СТОРОНУ ВДОХНОВЕНИЯ

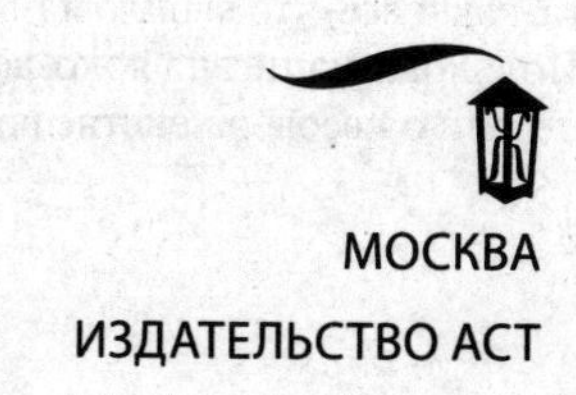

МОСКВА
ИЗДАТЕЛЬСТВО АСТ

УДК 821.161.1
ББК 84(2Рос=Рус)6-44
П54

Художественное оформление — Екатерины Ферез

Поляков, Юрий Михайлович.

П54 По ту сторону вдохновения: [сборник] / Юрий Поляков. — Москва : Издательство АСТ, 2017. — 480 с. — (Любовь в эпоху перемен).

ISBN 978-5-17-102842-8

Новая книга известного писателя Юрия Полякова «По ту сторону вдохновения» — издание уникальное. Автор не только впускает читателя в свою творческую лабораторию, но и открывает такие секреты, какими обычно художники слова с посторонними не делятся. Перед нами не просто увлекательные истории и картины литературных нравов, но и своеобразный дневник творческого самонаблюдения, который знаменитый прозаик и драматург ведет всю жизнь. Мы получаем редкую возможность проследить, как из жизненных утрат и обретений, любовного опыта, политической и литературной борьбы выкристаллизовывались произведения, ставшие бестселлерами, любимым чтением миллионов людей. Эта книга, как и все, что вышло из-под пера «гротескного реалиста» Полякова, написана ярко, афористично, весело, хотя и не без печали о несовершенстве нашего мира.

УДК 821.161.1
ББК 84(2Рос=Рус)6-44

ISBN 978-5-17-102842-8

Жизнь как повод

Вместо предисловия

Когда писатель сочиняет прозу, он невольно рассказывает свою жизнь. Когда писатель рассказывает свою жизнь, он невольно сочиняет прозу.

А жизнь литератора, понятно, не ограничивается сидением за рабочим столом, точно так же, как дни и ночи врача не исчерпываются выписыванием рецептов и осмотром больных организмов — в зависимости от специализации.

В своей «базовой» жизни будущий мастер или подмастерье слова сначала, как и все, благополучно или не очень растет в семье, ходит в детский сад, потом в школу. Учится, хорошо или плохо, что на писательской судьбе обычно не сказывается. Далее потенциальный литератор выбирает профессию (часто далекую от творчества), влюбляется (иногда многократно), женится (тоже порой не один раз), растит детей и даже внуков. Попутно он читает книги, смотрит фильмы, спектакли, посещает выставки, путешествует, бывает, и за казенный счет. Являясь гражданином и патриотом, писатель живет заботами своей страны, посещает выборы и митинги. А будучи космополитом, он может эмигрировать или не любить Отечество, не покидая родины. Труженик пера участвует в литературной и политической борьбе, заканчивающейся иногда плачевно, страдает от цензуры, бьется с критикой, с идейно-эстетическими врагами, радеет друзьям и соратникам, отвоевывает себе место на Парнасе, тесном, точно в час пик вагон метро, куда иной раз и не впихнешься...

Все эти события так или иначе находят отражение в его книгах, иногда напрямую, как у Лимонова, который даже не меняет имен и фамилий прототипов. Однажды меня попросили передать ему в Париже впервые выпущенный в СССР роман «Это я, Эдичка». Издатель честно предупредил:

— Эдуард обязательно поведет тебя обмывать книжку, будь осторожен!

— Почему?

— Сболтнешь лишнего, он выведет тебя в новом романе под твоей же фамилией полным идиотом.

— Зачем?

— Творческий метод у него такой. По-другому не умеет.

Кстати, этот эпизод я щедро подарил Геннадию Скорятину, герою моего романа «Любовь в эпоху перемен». Не читали? Напрасно. А вы знаете, что я никогда не придумываю фамилии героев, а беру их у реальных людей, живых или умерших. Фамилию Скорятин я позаимствовал у одной давней сослуживицы, а потом у Даля прочел: старинный глагол «скорятиться» означает среднее между «покориться» и «смириться». Но ведь именно такова судьба моего героя! Что это — мистика или особо устроенный слух литератора? Многие имена для персонажей позаимствованы мной с надгробных плит. Да-да! Например, Труд Валентинович из романа «Замыслил я побег...» или Суперштейн из комедии «Чемоданчик». Фамилия реального человека, пусть и ушедшего, сообщает вымышленному образу необъяснимый витальный импульс, приближает художника к тому, что я называю «выдуманной правдой». И наоборот: искусственная фамилия делает героя подобным муляжу. Вот вам лишь один из секретов моей надомной творческой лаборатории. Есть и другие...

Иногда жизненный опыт автора присутствует на страницах произведения в прихотливо измененном, даже фантастическом виде, как у Булгакова или Владимира Орлова, автора незабвенного «Альтиста Данилова». В таких случаях по книгам реконструировать подлинную судьбу создателя текста довольно трудно. Не уверен, что экскременты в быту Владимира Сорокина и галлюциногенные грибы в интернет-бдениях Виктора Пелевина играют такую же важную роль, как в их сочинениях. Впрочем, авторы вольны в полетах своих фантазий и грез, если, конечно, их не заносит в сферу психопатологии. Тогда лучше — к врачу. «В ваших стихах мне не хватает сумасшедшинки!» — любил повторять Вадим Сикорский, чей семинар я посещал, будучи начинающим поэтом. Но когда к нам на обсуждение забрел реально ненормальный пиит, Вадим Витальевич пришел в ужас и не знал, как от него отделаться.

Одни писатели рассказывают о годах, проведенных на грешной земле, до такой степени прямо и откровенно, что порой совестно читать. Давний мой литературный знакомец подарил мне как-то свою исповедальную повесть и, позвонив через неделю, спросил:

— Почитал?

— Прочитал.

— Ну, понял теперь, каков я подлец?

— Теперь понял, — подтвердил я, хотя о низких моральных качествах этого сочинителя весь литературный мир был давно осведомлен.

Другие, наоборот, шифруются или выбирают из своего опыта лишь благородные и драгоценные эпизоды. Читая такие книги, чувствуешь себя, будто переночевал в кондитерской. Подобная самоочистка была характерна для советской эпохи. Ну в самом деле, мог ли лауреат Ленинской премии, видный литературовед И. А. (не путать с осликом, другом Винни-Пуха) признаться в своих мемуарах, что писал доносы на коллег? А ведь будучи опытным поисковиком, открывшим в архивах множество тайн, он явно догадывался, что когда-нибудь исследователи докопаются до этих мрачных эпизодов, ведь доносы, как и рукописи, не горят. Интересно, как ему спалось? Не заходили к нему в сны несчастные «в широких шляпах, в длинных сюртуках»?

Зато теперь у нас «в тренде и бренде» саморазоблачения, выпячивание внутренних мерзостей и концентрация негатива, столь ценимая экспертами премиальных ареопагов, особенно если все это касается страны проживания — России. На иных почетных дипломах я бы так и писал: «Каков подлец!» Причем это относилось бы и к лауреату, и к председателю жюри.

А вот другой случай. Один известный писатель был женат на очень строгой и бдительной даме, поэтому в своих толстых романах он обходился вообще без эротических сцен, к которым и жена, и советская власть относились резко отрицательно. Когда же автор умер, в его рукописях нашли десятки глав, не включенных в опубликованные версии. Все они живописали постельные эпизоды с такой профессиональной разнузданностью, что вдова, она же председатель комиссии по наследию покойного, упала в обморок. Специалисты же ахнули и заявили: если бы он в свое время не побоялся вынести эти главы на суд читателей, хотя бы в рукописи, пущенной по рукам, то прославился бы среди современников. Но теперь, как говорится, поезд ушел, рельсы убрали, а эротикой современного читателя поразить так же трудно, как танк резиновой пулей.

Меня нередко спрашивают, как соотносятся в текстах вымысел и реальный жизненный опыт? Рискну предложить такую вот аллегорию. Жизненный опыт — это как бы хаотичная россыпь, даже насыпь, самых разных камней и минералов. Тут драгоценные алмазы, изумруды, рубины... Полудрагоценные: аметист, опал, жад, топаз, аквамарин... Есть и камни попроще: сердолик, кремень, авантюрин, гагат, разноцветные галечные окатыши... Ну и, конечно, в изобилии разные окаменевшие фракции предосудительного происхождения. Куда ж без них? Так вот, произведение — это мозаичная картина, и ты складываешь ее, выбирая необходимые или уместные камешки из россыпей пережитого. Разумеется, каждое сравнение хромает, но все-таки...

Однако иногда у писателя возникает желание забросить очередную мозаику и просто, без затей заняться камешками из кучи, брать их в руки, рассматривать, вспоминать, какой откуда, показывать читателям, объяснять их происхождение — драгоценных, полудрагоценных, обычных и даже мусорных. Зачем? А зачем мы рассказываем случайному попутчику то, что скрываем даже от психотерапевта? У каждого человека в судьбе есть события, вроде бы рядовые, но сыгравшие особенную роль. Я, например, понял, что отрочество закончилось не тогда, когда, скажем, впервые проник в тайну женской благосклонности. Нет, случилось иначе.

Мы с друзьями-первокурсниками шумно шли из пивного бара и в Переведеновском переулке, недалеко от моей 348-й школы, повстречали юную женщину с коляской. То была моя одноклассница, с которой мы однажды поцеловались в подъезде, почти невинно. Она меня узнала, покраснела и, холодно кивнув с высот своего раннего материнства, величаво проследовала мимо. Именно в тот момент в моей душе совершилось некое скачкообразное взросление. Почему? Если бы каждый мог ответить на такой вопрос, не нужны были бы ни Достоевский, ни Толстой, ни Флобер, ни Чехов... Со стороны вроде бы заурядная сценка, по нашей классификации — так себе, шпат полевой. А в моей жизни это воспоминание — по меньшей мере топаз, возможно, дымчатый.

Обычно книги, подобные моей, называются литературными мемуарами или мемуарной прозой. Среди них есть выдающиеся сочинения. Например, воспоминания Греча, Фета, Станиславского, Короленко, Пастернака, Белого, Ходасевича, Анастасии Цветаевой, Катаева, Нагибина, Бородина... Это не просто развернутые автобиографии, не рассказы про житье-бытье. Авторы приобщают нас к своей жизненной и творческой философии, спорят с оппонентами, критиками-зоилами, довоевывают с давними литературными недругами, пытаются сами оценить свое творчество в контексте эпохи и вечности. Любому писателю, даже великому, кажется, что современники его не поняли до конца, недооценили. Но лучше, на мой взгляд, быть недооцененным, чем переоцененным. Последнее заканчивается посмертным и даже прижизненным дефолтом.

Однажды на банкете по случаю вручения какой-то литературной премии я обратил внимание на знакомого поэта весьма средней руки, который, опрокидывая рюмки с ритмичностью робота-манипулятора, качал головой и бормотал себе что-то под нос. Заинтересовавшись, я подошел и прислушался. Не сразу, но мне удалось разобрать то, что он бубнил:

– Идиоты! Вот стоит и пьет водку гениальный поэт, а никто даже не догадывается! Козлы!

Гениальный поэт, как вы понимаете, он сам. Что ж, «блажен, кто верует, тепло ему на свете». Но полагаю, Грибоедов ценил в себе дипломата куда выше, чем поэта. Бывает. А почему он так и не написал ничего равноценного «Горю от ума»? Служба заела? Почему же она не заела Тютчева, тоже дипломата? Почему гениальный Артюр Рембо в 20 лет плюнул на стихи и занялся работорговлей? Почему ранний Николай Тихонов содрогает сердце, а поздний оставляет равнодушным, вызывая лишь филологический интерес. А вот с Николаем Заболоцким все с точностью до наоборот. Как в человеке вспыхивает талант и почему потом гаснет? Искра божия – это метафора или реальность? Что происходит по ту сторону вдохновенья? По какую именно? По обе стороны.

В моем поэтическом поколении, стартовавшем в начале 1970-х, сразу выделились несколько молодых поэтов, которым прочили громкое будущее. Но никто из них не стал явным чемпионом эпохи. Одним не хватило таланта, другим жизни, оказавшейся слишком короткой, третьи, традиционалисты, оказались в начале 1990-х искусственно выброшены на обочину процесса, четвертые ушли в эксперимент и затерялись в стеклянном лабиринте пробирок и реторт. Но большинство моих сверстников сошли с дистанции на первом же круге. Их талант рассосался, как ложная беременность. Почему? Не знаю. И что есть талант? Вирус рецидивирующего вдохновения или упорный труд, доводящий до озарения? Почему хорошие поэты пьют, как сукины дети, и уходят раньше срока, а плохие, как правило, умеренны во всем, в творчестве, к сожалению, тоже. Их сочинения напоминают мне гигиенический секс по расписанию, где все оргазмы рассчитаны наперед.

Книга, которую вы держите в руках и, надеюсь, прочтете, как раз об этом. Нет, не о сексе, хотя роль интимного опыта в зарождении и осуществлении художественного замысла я тоже рассматриваю, рискуя вызвать внутрисемейное расследование. Но больше меня волнует другой вопрос, я пытаюсь понять жизнь как повод к вдохновению и сочинительству. Моя книга тоже принадлежит к жанру автобиографической прозы. Но есть одна особенность: почти каждое эссе посвящено истории и судьбе моих сочинений, как-то: «Сто дней до приказа», «Апофегей», «Парижская любовь Кости Гуманкова», «Демгородок», «Козленок в молоке», «Гипсовый трубач». Есть и рассказы о нереализованных замыслах, например о сценарии «Неуправляемая», который я писал в соавторстве с Евгением Габриловичем. «Неуправляемую» (ее должна была играть Ирина Муравьева) запретили в разгар перестройки и гласности по личному указанию члена Политбюро Яковлева.

Будучи по гражданской специальности учителем-словесником и литературоведом, я пытаюсь взглянуть на собственные сочинения как бы со стороны, глазами исследователя, в частности, проследить историю создания от замысла, смутного импульса, невнятного прообраза, сюжетного эмбриона до полноценного воплощения в тексте. Но и о «постпечатной» судьбе моих сочинения, включая экранизации и инсценировки, я тоже рассказываю. Думаю, читателя заинтересует роковой поединок автора с режиссером, в котором гибнет искусство. Поскольку мои ранние повести «Сто дней до приказа» и «ЧП районного масштаба» побывали под запретом цензуры, я делюсь опытом преодоления прежних запретов и свежими навыками борьбы с «либеральной жандармерией». Особое место в книге занимает полемика с критиками. Это племя стойко меня не любит. За что? Об этом я тоже пишу.

Судьба каждого человека вплетена, как нить, в сложную узорную ткань времени, впутана в бытовые, социальные и политические коллизии, драматические, трагические или комические. По складу характера и литературной ориентации мне интереснее вспоминать забавные случаи. Я даже придумал для подобных историй особый жанр «мемуарески». И таких «мемуаресок» в книге немало. Вот одна из них.

Однажды, участвуя в круглом столе «Патриотизм без экстремизма», который проводил в Краснодаре президент Путин, я откровенно заявил, что в культуре и информационной сфере России труднее всего приходится почему-то именно патриотам и государственникам. Более того, искренне любить родину сегодня даже невыгодно: молодой писатель или журналист, объявивший себя патриотом, практически сразу ставит крест на карьере — не видать ему ни премий, ни командировок, ни грантов. Уж либеральные держиморды постараются. Услышав мое утверждение, что деятеля культуры, объявившего себя патриотом, тут же затрут, как «Красина» во льдах, Путин посмотрел на меня долгим грустным и понимающим взглядом:

— Неужели так плохо?

— Хуже, чем вы думаете. Вот «Литературка» — патриотическое издание, а мы можем рассчитывать только на себя. И это в рыночных-то условиях! Зато любое либеральное издание, хамящее Кремлю по всякому поводу, сосет и западных грантодателей, и отечественное вымя.

— Напишите мне письмо! — посоветовал президент.

— Уже написал.

— Отдадите, когда закончим разговор. Ну, коллеги, продолжим. Смелее! Высказывайтесь! Не тридцать седьмой год на дворе...

Актер Василий Лановой, сидевший рядом, поощрительно ткнул меня в бок. Дожидаясь окончания прений, я ловил на себе сочувственные взгляды участников дискуссии и неприязнь разного рода чиновников, но особенно злопамятно поглядывал чиновник, похожий на конферансье Апломбова из образцовского «Необыкновенного концерта». Едва круглый стол завершился, я ринулся к лидеру страны, но был остановлен охраной: «Нельзя!»

— У меня письмо.

— Давайте, я передам, — ласково предложил «Апломбов» и выдернул из моих пальцев конверт.

Вдруг на пороге Путин оглянулся, нашел глазами меня и спросил:

— Письмо-то где?

— У меня его забрали.

— Кто-о?

— Вот... он... — Я кивнул глазами на чиновника.

— Э-э, нет, этот обязательно потеряет. Давайте мне...

Взяв письмо и приложенный к нему свежий номер «ЛГ», президент покинул режимное помещение. А мы двинулись к автобусам. Я прошел мимо группы чиновников, обсуждавших круглый стол. Донеслись слова недовольства, касавшиеся меня, неуправляемого. Они полагали, обсуждение проблем патриотического воспитания должно проходить в тихом благолепии, как именины парализованной бабушки. На подъезде к аэропорту автобус был неожиданно остановлен. Вошли два стриженых крепыша:

— Кто Поляков?

— Я! — откликнулся я.

— И я! — встал политолог Леонид Поляков.

— Юрий Михайлович?

— Я...

— Пойдемте!

— Ну вот, а сказали, не тридцать седьмой! — вдогонку вздохнул Лановой. — Держись, Юра!

На улице мне дали в руки большой телефон с антенной и предупредили:

— Говорите громче. В вертолете плохо слышно.

И действительно, из трубки сквозь стрекот донесся голос Путина:

— Юрий Михайлович, я прочитал и письмо, и газету. Вы все правильно пишете. Жаль, что тем, кто меня поддерживает, живется так непросто. Постараюсь помочь. Я уже дал поручение... — он назвал имя «Апломбова»...

— Спасибо, Владимир Владимирович... — чуть не заплакал я.

— Держитесь!

— Держусь!

Когда я вернулся в автобус, меня спросили, конечно, зачем и куда уводили.

— С Путиным говорил. Он звонил из вертолета...

— Тебе?!

— Мне...

Стало слышно, как тикают дорогие часы на руке у шефа «Роспечати». Пока летели из Краснодара в Москву, я перечокался и переобнимался с руководителями всех уровней. Такого количества добрых слов от чиновников и деятелей культуры я не слышал никогда. Остается добавить, что хитрым аппаратным маневром «Апломбов» свел обещанную первым лицом помощь газете к таким смехотворным результатам, что и вспоминать-то неловко. Да уж, непросто живут в России те, кто поддерживает Путина...

Вот такая «мемуареска»...

Но, возможно, кому-то больше придутся по душе мои размышления о природе, смысле и назначении творчества. Кого-то заинтересует моя версия поздней советской и новейшей истории Отечества. А кто-то воздаст должное ехидным зарисовкам литературных нравов, продолжающим и развивающим темы «Козленка в молоке».

У каждого автора найдутся тексты, которые он мог бы и не писать. У меня, к сожалению, такие тоже имеются. Есть произведения, которые писатель не мог не сочинить. Книга «По ту сторону вдохновения» именно из этого разряда. А то, что автор не мог не написать, нельзя не прочитать. Уж поверьте на слово! Иногда нам, литераторам, можно верить.

Переделкино, февраль 2017 года

Колебатель основ

1. Проснуться знаменитым

В один из январских дней 1985 года (теперь уже не помню, в какой именно) я проснулся, извините за прямоту, знаменитым на всю страну. Уснул среднеизвестным поэтом, а проснулся знаменитым прозаиком. Случилось это в тот день, когда январский номер «Юности» очутился в почтовых ящиках трех миллионов подписчиков. Я тоже достал из железной ячейки долгожданный журнал, предусмотрительно вложенный почтальоном в газету (дефицитную периодику в подъездах тогда уже подворовывали), раскрыл и огорчился: с фотоснимка на меня нагло смотрел длинноносый парень, неумело канающий под задумчивого. По советскому же канону фотопортрет должен был улучшать автора, приближая его к идеалу, когда в человеке все прекрасно — далее по Чехову. За образец брали портреты членов Политбюро, висевшие в присутственных местах. Позже пришла мода на «охаривание» лиц известных людей. Мол, такой же человек, как мы с вами! Вон какая бородавка на носу! О том, что это тенденция, имеющая дальние цели, до меня дошло, когда в телевизоре появились уродливые дикторы, которыми можно на ночь пугать детей. Но я забежал вперед.

А тогда, прижимая к груди журнал, я подхватился и поехал в редакцию «Юности», располагавшуюся на «Маяковке» в многоэтажном доме начала XX века над рестораном «София». На второй этаж вела лестница, достаточно широкая для того, чтобы две даже очень крупные фигуры советской литературы, пребывающие в идейно-эстетической вражде, могли свободно разминуться. Тогда писатели противоположного образа мысли печатались в одном и том же журнале. И это было нормально. Теперь же если почвенник и забредет в «Новый мир», то лишь в состоянии полного самонепонимания, — как мужик, который с пьяных глаз ломится в дамскую комнату. Но я снова забежал вперед.

Главный редактор журнала Андрей Дементьев встретил меня своей знаменитой голливудской улыбкой:

— Поздравляю! Чего грустный?

— Вот фотография плохо вышла...

— Какая фотография, Юра! Ты даже не понимаешь, что теперь начнется!

Он не ошибся. В те годы публикация острого романа, выход на экраны полежавшего на полке фильма или открытое письмо какого-нибудь искателя правды, обиженного режимом еще в утробе матери, — все это вызывало умственное брожение и общественное смущение, которые чрезвычайно беспокоили серьезных людей, облеченных властью. Они спорили, совещались, приглашали вольнодумцев в свои кабинеты, гоняли с ними чаи, обещали льготы в обмен на сдержанность, а если те упорствовали, наказывали страшно: высылали из СССР прямо в гостеприимные объятья западных спецслужб, приготовивших изгнанцам неплохое трудоустройство, скажем, обозревателем радиостанции «Свобода». Удивительные времена! Судьбу какого-нибудь нудного романа решали на заседании Политбюро, коллегиально, взвешивая все за и против. А вот Крым могли отдать Украине просто так, с кондачка, со всей волюнтаристской дури! Странные времена....

Тем, кому сегодня за сорок, не нужно объяснять, что такое «ЧП районного масштаба». Зато продвинутые представители «поколения пепси», читая повесть, могут удивиться: неужели вполне заурядная история личных и служебных неприятностей первого секретаря никогда не существовавшего Краснопролетарского райкома комсомола Николая Шумилина, изложенная начинающим в общем-то прозаиком, могла потрясти воображение современников? Ведь тогда по всей стране, от Бреста до Сахалина, стихийно прошли тысячи читательских конференций, бесчисленные комсомольские собрания, на которых до хрипоты спорили читатели моей повести. Все печатные органы, включая «Правду», откликнулись на «ЧП...» резко критическими, мягко разгромными или сурово поощрительными рецензиями. Началось с Виктора Липатова (не путать с талантливым Вилем Липатовым, автором «Деревенского детектива»), напечатавшего в «Комсомольской правде» статью «Человек со стороны». Статья была явно заказана комсомольским начальством, не ожидавшим такого ажиотажа вокруг повести о райкоме.

Думаю, слаженная критика «ЧП...» была связана и с внешней реакцией чуждых сил. Василий Аксенов, кажется, по «Голосу Америки» рассуждал о повести, видя в ней первую ласточку весны, которая непременно растопит торосы империи зла. А ведь на дворе стоял холодный январь 85-го, в Кремле боролся с предсмертной одышкой генсек Черненко, и о радикальном сломе системы свободно рассуждать можно было только на Канатчиковой даче. Но литература обладает удивительной способностью ранней диагностики будущих социальных потрясений. Конечно, наутро десятки моих друзей, ночами внимавших «вражьим голосам», поздравили меня с признанием на Западе. Впрочем, они очень удивились, что на «ЧП...» никак не отреагировал главный изгнанник — Солженицын. Думаю, ему было не до меня: он уже отошел от идеи сбросить атомную бомбу на СССР, но еще не озаботился тем, как нам обустроить Россию. В ту пору вермонтский отшельник с сизифовым упорством катил вперед свое «Красное колесо», которое дочитать до конца — то же самое, как птице долететь до середины Днепра...

По тогдашним правилам игры раскритиковали меня в прессе, конечно, не за разоблачительный пафос, а за недостаток художественности. Однако любой читатель, владевший основами чтения между строк (этим искусством владели все, кроме моей бабушки, так и не выучившейся грамоте), отлично понимал: начальство в бешенстве, вместо критики отдельных недостатков трехмиллионным тиражом вышло сомнение в базовых ценностях. Кстати, по логике постперестроечного абсурда именно сервильный Виктор Липатов впоследствии сменил либерального Андрея Дементьева на посту главного редактора «Юности» и в конечном счете погубил журнал.

Но я опять поторопился. Все это случилось гораздо позже, а тогда в редакцию шли сотни писем, и мой телефон раскалился от звонков: меня приглашали выступить в библиотеках, институтах, школах, воинских частях, на заводах и даже... в комсомольской организации центрального аппарата КГБ. Меня узнавали, останавливали на улице, чтобы похвалить за смелость и тут же доверительно сообщить, что в одной комсомольской организации было такое ЧП, по сравнению с которым мое «ЧП...» вовсе даже и не ЧП...

Давно замечено, скоропостижная слава обладает уникальным оглупляющим эффектом. Став, по выражению кого-то из журналистов, одним из «буревестников» вскоре начавшейся перестройки, я мог бы до сих пор гордо и гонорарно реять над руинами. Этим, кстати, к своему стыду, я некоторое время и занимался, тем более что следом вышла шумная повесть «Работа над ошибками» (1986), а потом не менее набуревестничавшие «Сто дней до приказа» (1987). Но по мере того, как романтика перемен преобразовывалась в абсурд разрушения, я все чаще задумывался над тем, почему именно мои повести оказались столь востребованы временем и сыграли вопреки желанию автора известную роль в крахе советской цивилизации, к которой я испытывал сложные, но отнюдь не враждебные чувства.

Согласитесь, ажиотажный интерес к моим ранним вещам свидетельствовал о том, что я восполнил некий острый дефицит, удовлетворил спрос общества. На что? На правду, конечно... Тогдашние высшие идеологи никак не могли, то ли по старости, то ли по недообразованности, уяснить, что в плюралистической мешанине мнений правду спрятать гораздо легче, чем на выхолощенных полосах официозной печати, где кривда так же очевидна, как казак, присевший в степи по нужде. Это хорошо поняли и реализовали пиарщики ельцинской эпохи, до одури заморочившие нас единодушной разноголосицей. Но я, кажется, снова забегаю вперед...

2. Суровые нитки

О советском дефиците, ставшем знаковым словом того времени, еще напишут исследования. Странная, если вдуматься, история: полупустые прилавки в магазинах и полные холодильники в квартирах. Однажды я с бутылкой зашел в гости к своему знакомому — молодому директору школы. «Чем бы нам закусить?» — спросил он и в раздумье открыл стенной шкаф. Там с полу до потолка стояли банки консервов, мясных, рыбных, овощных, фруктовых и прочих, не поддающихся идентификации. «Может, икоркой?» — мечтательно предположил я. «Сахалинской или камчатской?» — уточнил он. Ну в самом деле, о чем свидетельствовали многотысячные и многолетние очереди на приобретение автомобиля — о благополучии или неблагополучии советских людей? Решайте сами... Икру нельзя было купить, но можно было достать. Достать и прочитать при желании можно было и запрещенных Солженицына, Максимова, Войновича... Разумеется, строго каралось, если попался, а под одеялом — обчитайся. Я прочел, обомлел, но меня не посадили. А вот Олега Радзинского, сына известного драматурга и популяризатора, посадили: он, будучи, как и я, учителем, принес запретную книгу в школу ученикам. Нельзя!

Впрочем, если ты сегодня в условиях свободы принесешь в класс и попытаешься впарить детям «Майн кампф» или «Протоколы сионских мудрецов», тебя тоже посадят — за разжигание межнациональной розни. Закон есть закон. Юрий Петухов, неудобный, очень талантливый исторический писатель, в начале нулевых годов издал книгу, где предложил неполиткорректную версию древней истории Ближнего Востока. Если грубо, его гипотеза выглядела так: семитские племена долгое время жили под стенами хеттских городов и питались отбросами высокоразвитой арийской цивилизации. Спорно, конечно, но бывают гипотезы и почуднее. Так вот, на Петухова по заявлению бдительных граждан завели дело. Тюрьмы он избежал только благодаря гневному письму ведущих литераторов, опубликованному в «Литературной газете». Узнав, что дело закрыто, несчастный пошел на могилу к матери — поделиться радостью, там, за оградкой, и помер от сердечного приступа, не дожив до пятидесяти...

Но вернемся в мрачное советское прошлое. Борьба с дефицитом заменяла конкуренцию. В обществе провозглашенного и относительного равенства способность человека преодолеть дефицит во многом определяла его положение в социальной иерархии. И не важно, выражалось это в том, что он мог достать импортный мебельный гарнитур, добыть кожаный пиджак а-ля Дом кино или умел пробить сквозь цензуру книгу о том, о чем другим писать не дозволялось. Пробить можно было талантом, родственными связями или дачными знакомствами с партийными иерархами. Чаще — и тем и другим совокупно. Большими мастерами такого «диалога» были шестидесятники, умевшие элегантно дерзить советской власти, не выпуская из губ ее питательных сосцов. Да и Жванецкий был большим любителем почитать свои юморески на номенклатурных фазендах.

Впрочем, наша идеология в ту пору переживала кризис, связанный с медленной сменой поколений во власти. Например, давно стало ясно, что принудительный атеизм ни к чему хорошему не приведет, но терпеливо ждали, пока уйдут на покой (читай — из жизни) несколько кремлевских старцев, в юности подцепивших от Емельки Ярославского неизлечимый вирус безбожия. Или вот еще случа́й, как говаривал дед Щукарь. Году в 1984-м Лариса Васильева пригласила меня принять участие в составлении альманаха «День поэзии». На редколлегии мы решили напечатать большую подборку Николая Гумилева навстречу 100-летию поэта, чьи стихи, кстати, входили в вузовскую программу по истории русской литературы XX века. И про «изысканного жирафа» знал любой мало-мальски начитанный советский человек. Каково же было наше удивление, когда цензор снял всю подборку из верстки. «Как? Почему?» — «Гумилев был расстрелян за участие в контрреволюционном заговоре!» — был ответ. «Но он же входит в вузовский курс!» — «Изучать — да. Пропагандировать — нет!» — отрезал уполномоченный Главлита. «Ах, так! — рассердилась Лариса Николаевна. — Я дойду до Политбюро! Гумилев — великий поэт!» И она, дама очень влиятельная, дочь конструктора танка «Т-34», жена крупного журналиста невидимого фронта, дошла-таки. Но получила тот же ответ: «Не надо раскачивать лодку!» Гумилев — замечательный поэт, но время еще не пришло. В СССР вообще жили спокойно, размеренно и неспешно, как в профсоюзном профилактории. А куда спешить-то? Законы мирового развития работают на нас. И опоздали буквально на несколько лет...

Помню, как-то и меня, молодого редактора многотиражки «Московский литератор», вызвали на Китайский проезд, в Главлит. «Ну и как это понимать? — спросил цензор университетского вида и ткнул ухоженным ногтем в строчку поэта-фронтовика Николая Панченко:

Зашивали суровыми нитками рот.

Я почувствовал, как сердце и партбилет, лежавший в левом боковом кармане, сообща болезненно затрепетали. Надо было что-то отвечать, безмолвствовать в ответ на вопрос начальства — гарантированная гибель, и меня озарило: «Он фронтовик. У него было челюстное ранение...» — «Челюстное ранение? — задумчиво повторил цербер и улыбнулся. — Ну, тогда другое дело!» Вот те на... Советский читатель во всем искал фронду, подобно тому, как эротоман в любом бытовом предмете ищет сексуальную аллюзию. Какая читателю, в сущности, разница — «зашивали рот» лирическому герою в буквальном или переносном смысле? И без того все знали, что в СССР нет свободы слова. Знал это и цензор, тяготился своими обязанностями и, пользуясь формальным поводом, разрешил чуть больше, чем обычно. В конце девяностых я встретил его на книжной ярмарке, он стал издателем и выпускал популярную серию «Улица красных фонарей».

О кризисе советской экономики тоже сказано немало. Но был ли этот кризис таким уж необратимым, если на ресурсах развитого социализма мы продержались целое десятилетие, ушедшее на эксперименты, похмельные чудачества и тотальное воровство? Боже, сколько миллионеров, застроивших полмира своими замками, поднялось только на распродаже советского ВПК и распиле гигантов пятилеток! Да, мы были богатая страна с бедным народом. Теперь мы бедная страна с бедным народом.

Как-то я попал на передачу «Суд истории», разумеется, на стороне громокипящего Сергея Кургиняна. Вокруг Николая Сванидзе, страдающего острым инбридинговым антисоветизмом, сбилась стая «младореформаторов» во главе с рыжим бригадиром Чубайсом. Они шумно хвалились, как в 91-м спасли страну от голода. Рядом со мной сидел бывший главный банкир Геращенко и кипел тихим негодованием: «Я сейчас все про них расскажу! Спасители хреновы!» Наконец, он не выдержал и бросил им что-то невнятное про какой-то мутный подзаконный акт. И горластые «спасители» испуганно затихли, словно им предъявили отпечатки их же пальцев на горле жертвы. «Почему же вы все про них не рассказали?» — спросил я, когда передача кончилась. Геращенко вздохнул: «Все равно никто не поверит, что такое можно вытворять со своей страной!» — и посмотрел на меня грустными глазами человека, причастного к страшным тайнам финансового зазеркалья.

Гуманитарный склад ума натолкнул меня на мысль, что крах советской цивилизации объясняется в основном духовно-нравственными причинами. Однако диссиденты тут ни при чем или почти ни при чем. Узок, как говорится, круг этих революционеров, страшно далеки они от народа и подозрительно близки к зарубежным спецслужбам. Подспудное или явное презрение элиты к собственной стране, к ее историческому выбору ведет к катастрофе. Так и случилось. «Контрэлита» всегда предлагает новый путь национального развития. Наша «контрэлита», приведенная Горбачевым, смогла лишь оформить условия позорной, если не преступной, капитуляции перед геополитическим противником, после чего разбежалась на ПМЖ по теплым странам.

Вот лишь один пример. Я пишу эти строки в Калининграде, куда можно долететь только самолетом. Сухопутного коридора нет. Почему? Я служил в Группе советских войск в Германии. Наша часть стояла прямо на обочине Гамбургского шоссе, по которому транзитом шли вереницы автомобилей из ФРГ в Западный Берлин. А над нами по воздушному коридору челночили натовские самолеты, включая разведывательные «рамы». То есть безоговорочно капитулировавшей Германии позволили иметь сухопутную связь между разорванными частями рейха. А России, добровольно влившейся в общечеловеческое братство, не разрешили? Нет, ситуация еще хуже, позорнее: тогдашние «новомышленцы» даже не догадались поставить этот вопрос. Кто-нибудь ответил за это грандиозное головотяпство? Конечно же, ответил, и по всей строгости. Адмирал Рык, взяв власть в России, приказал ловить «врагоугодников» и «отчизнопродавцев» по всему миру, вытаскивать из приморских вилл и альпийских шато, этапировать на родину, а там сажать в «демгородки», строго охраняемые садово-огородные товарищества. Об этом я написал в 1993 году в повести «Демгородок».

3. Почему все рухнуло?

Почему же тогда рухнула советская власть? Отчасти из-за стабильности. В стабильные времена трудно сделать головокружительную карьеру или внезапно разбогатеть. Слово «застой» не случайно стало впоследствии ключевым. «Застой» заключался не только в том, что страна теряла темпы развития и мешкала с ответом на вызов времени, но и в том еще, что активная часть народа в буквальном смысле — застоялась. Советская власть, как женщина, безоглядно наблудившая в молодости, к старости стала чрезвычайно разборчива в новых знакомствах, инициативах и увлечениях. Кроме того, мы все были заражены верой в необратимость прогресса. Нам казалось, что, скажем, обещанное обеспечение каждой семьи отдельной квартирой осуществляется медленно не по объективным причинам экономического порядка, а из-за субъективной неповоротливости советской власти. Теперь, когда приезжаешь в город, где последняя многоэтажка построена в конце восьмидесятых, начинаешь многое понимать. А еще больше понимаешь, когда видишь, что единственный новый роскошный дом, воздвигнутый на Губернской (в недавнем прошлом Коммунистической улице) — это офис Альфа-банка, в лучшем случае — «Газпрома».

Но тогда всем очень хотелось перемен. Прыгучий певец-композитор и, как выясняется, поэт Газманов, освоив рифму «прилетел-хотел», даже песню сочинил про «ветер перемен». Об урагане-то никто и не помышлял... Мрачный, как ветер в трубе крематория, Виктор Цой тоже хотел перемен. Тогда казалось, будущее не может быть хуже настоящего только потому, что оно — будущее, которое в советской картине мира обязано быть светлым.. Неслучайно одним из первых лозунгов Горбачева стало «ускорение». А ведь, если помните, в замечательном рассказе Г. Уэллса «Новейший ускоритель» на героях от чрезмерно быстрого движения загорелись штаны. Наши штаны просто сгорели. Увы, неодолимое желание перемен овладевает массами, когда основные жизненно важные желания уже удовлетворены. Блокадники и не думали устраивать из-за мизерных пайков новую революцию наподобие той, что грянула в феврале семнадцатого из-за перебоев с завозом хлеба. Никому не приходило в голову попросить фашистов наладить снабжение в осажденном городе. Правда, странноватый поэт-обериут Даниил Хармс ходил по Невскому и высказывал пожелание, чтобы немцы поскорей взяли «колыбель революции». В результате его забрали в сумасшедший дом, где бедняга и умер. Запомним это.

Раздумья над опытом былых революций лично меня привели к переосмыслению известной ленинской формулировки о верхах, которые не могут жить по-старому, и низах, которые не хотят... Ведь «голодные» демонстрации в революционном Петрограде происходили, когда сибирские амбары ломились от хлеба. Формула о верхах и низах более подходит к бракоразводной, нежели революционной ситуации. Революционная ситуация начинается с того, что именно верхи не хотят жить по-старому. Именно верхи свергли последнего российского императора.

Когда я, паренек из заводского общежития, сочинявший стихи, впервые оказался на поэтической пирушке, устроенной в огромной цековской квартире в Сивцевом Вражке, я поразился тому, как ее обитатели, в особенности молодые, ненавидят советскую власть. Стол ломился от невиданной снеди из распределителя, на полках стояли недоступные рядовым гражданам книги, а разговор шел в основном о том, какие «коммуняки» сволочи. Позже я понял смысл этого недовольства. Люди в ондатровых шапках уже не хотели быть номенклатурой, зависящей от колебаний политической конъюнктуры, они хотели быть незыблемым правящим классом — с гарантиями, которые дает только большой счет в банке, желательно — швейцарском. Отцы еще привычно осторожничали в выражениях, а дети с юным задором лепили напропалую. Тот же Егор Гайдар вырос, между прочим, в семье члена редколлегии газеты «Правда», сухопутного адмирала и писателя Тимура Аркадьевича — приемного сына автора «Чука и Гека». Гайдар-средний, кстати, нередко приводил сына в Дом литераторов пообедать. Я как-то оказался за соседним столиком и слышал нервные окрики папаши: «Егор, не чавкай, Егор, не чмокай!» А Егорушке было уже под тридцать...

Это недовольство верхи искусно транслировали вниз по социальной лестнице. С чего бы вдруг один из самых благополучных отрядов советского рабочего класса — шахтеры — начал стучать касками, требуя, вы подумайте, — закрытия шахт! Их убедили, что это им выгодно. Обманули, конечно. Но к тому времени, когда они осознали «разводку», верхи уже были довольны новой жизнью и умело навязывали свое удовлетворение всему обществу. Только этим можно объяснить тот странный на первый взгляд факт, что всеобщее обнищание в начале шоковых реформ не привело к всенародному восстанию. Восстание — это спектакль, историческая постановка, требующая средств и режиссуры. А спонсоры и режиссеры уж почили на ваучерах.

Какое отношение эти пространные рассуждения имеют к моим первым повестям? Самое непосредственное. Сейчас много говорят о виртуальной реальности. Тогда, в начале 80-х, этого слова в нашем языке еще не было, но сама виртуальная реальность, конечно, была. Она была всегда. Римский император, возводя свой род к богам или героям, выстраивал именно виртуальную реальность в умах современников. В чем же особенность виртуального мира, созданного советской властью? Это был чрезвычайно оптимистичный, очищенный от всего недостойного, прекрасный и яростный мир. Если недостатки — то отдельные. Если порыв — то всенародный. Если бой — то последний и решительный. Советская власть слишком много обещала. Готовя собрание сочинений и извлекая из архива газеты с рецензиями на мои первые повести, я снова погружался в тот подзабытый виртуальный мир и вспоминал почему-то знаменитый некогда анекдот про любовника жены парфюмера. Напуганная внезапным возвращением супруга, дама закрыла дружка в сундуке, где хранился мужнин товар. Помните, чего потребовал несчастный ловелас через сутки, когда его наконец выпустили на свежий воздух? Для того чтобы прийти в себя, он потребовал немедленно поднести к его носу тот продукт пищеварительной деятельности, без упоминания о котором нынешние постмодернисты не способны связать и двух слов. Это важно!

Советский человек существовал в двух мирах — в реальном, далеком от идеала, и в идеальном, далеком от реальности. Нельзя сказать, что эти два мира не были связаны — они постепенно, точнее, скачкообразно, сближались. И главную роль в этом сближении тогда играло искусство, прежде всего — литература. Именно в литературных произведениях обкатывались идеи и новации, прежде чем лечь в основу нового идеологического дискурса. Сначала «деревенская проза», потом постановление ЦК о Нечерноземье. Бывало, правда, и наоборот, но про это чуть позже. И все же разрыв между реальностью и идеологическим мифом оставался велик. Когда человеку каждый день объясняют, что он живет если не в раю, то, во всяком случае, в предрайских кущах, столкновение с реальной жизнью ранит его особенно остро. Вы не задумывались, почему информационные блоки нынешнего телевидения перенасыщены негативной информацией? Кого-то взорвали, кто-то замерз или утонул, кого-то расчленили, кто-то проворовался, кого-то противоестественно изнасиловали... По сравнению с таким виртуальным миром сегодняшняя реальная жизнь вроде бы не так уж и страшна.

Русский человек, точнее, человек, воспитанный русской культурой, традиционно верит в целительную силу слова. Ему кажется, что, назвав зло своим именем, он нанесет ему смертельный удар. Вот почему с таким восторгом была встречена гласность. Мало кто задумывался о том, что глас вопиющего в пустыне — тоже разновидность гласности. Советская власть, выстроившая систему табу вокруг многих, как тогда выражались, негативных явлений, забыла, что табу и запреты — методы скорее детской педагогики. Взрослому надо объяснять. Честно или лживо. А народ в результате просветительской деятельности той же самой советской власти повзрослел и поумнел. То, что в двадцатые годы принимал на веру рабфаковец с горящими глазами, позднесоветский «мэнээс» брезгливо отвергал. Ну как же — он читал Сартра и Булгакова! Но он позабыл, что такое братоубийство, разруха и нищета. Не ведал он и что такое откровенное предательство интересов страны властной верхушкой. Шестидесятники убедили его, что Сталин, расправляясь с троцкистами, тешил свою паранойю, а не очищал элиту от реальных и потенциальных изменников. Вместе с явной ложью советской пропаганды мыслящий советский слой отвергал и вещи совершенно очевидные, не хотел верить в навязчиво разоблачаемую советской прессой агрессивность Запада. Ну как же! Страны, где народ не стоит в очереди за пивом, не могут желать человечеству зла! Теперь, после бомбежек Югославии, онкологического разрастания НАТО, после Ирака, Ливии, Сирии, наш человек поверил. Теперь, после превращения Донецка и Луганска в прифронтовые города, он понял, что Запад устроил на Украине. Теперь, когда Россию, как геополитического шалопая, поставили в угол экономических санкций, у него появились сомнения в добрых намерениях «партнеров». А толку? Это называется: быть мудрым на следующее утро.

Русская литература традиционно специализировалась на срывании масок и разрушении табу, нередко путая табу с национальными идеалами, которые лучше не трогать. Я тоже искренне считал здравый смысл и жажду правды выше овеянных веками святынь и возвышающих обманов. Я даже писал в «Огоньке», что не бывает правды очерняющей или мобилизующей — бывает просто правда, факт жизни, без всяких там эпитетов. Я ошибался. Я не понимал, что существует иерархия «правд». Для наглядности возьмите в руки матрешку. Вы никогда не вставите бóльшую матрешку в меньшую. А вот бóльшую правду можно при желании спрятать в меньшую. С этого, собственно, и начинается манипуляция сознанием. Простейший пример — возвращение Крыма. Малая правда очевидна: Крым был украинским, а стал российским. Значит, аншлюс? Позор хищному северному медведю! А вот вам большая правда: Крым всегда был российским, с момента падения тамошнего ханства, подвассального Стамбулу. В 1950-е годы полуостров незаконно даже с точки зрения советской процедуры отдали в административное управление Украинской ССР, входившей в Советский Союз и реальной государственности не имевшей. При развале Союза Крым не был возвращен России, хотя очевидно, что выходить из СССР республики должны были в тех границах, в каких вошли. А принадлежность территорий, «нагулянных» во время пребывания в «Красном Египте», должна решаться с помощью референдума. Такой референдум состоялся в Крыму весной 2014 года и показал, что население единодушно хочет назад, в Россию. Это большая и неоспоримая правда. Интересует она кого-нибудь, кроме нас? Никого. Ее засунули в малую правду и не видят в упор. Точнее, не хотят видеть.

Увы, я тоже не раз принимал малую правду всерьез, верил, горячился. Но если бы я не ошибался, я бы никогда не стал писателем. Писательство — преодоление собственных заблуждений. Кто не заблуждается — тот не творит. Осознанная ошибка — самый прямой путь к истине. Ничто так не обостряет творческие способности, как стыд за свои заблуждения. Но беда в том, что именно ложные истины чаще всего отливаются в бронзе и пишутся на знаменах, ведущих людей на разрушение надоевшего миропорядка. Потом можешь оборaться, объясняя, что ошибался. Твоя ошибка давно уже стала правдой момента. Думаю, если бы Солженицын сжег себя на Красной площади в знак протеста против тиражирования его давнего, опровергнутого наукой утверждения, будто сталинский режим сгноил сто миллионов соотечественников в лагерях, мировое сообщество, погоревав о смерти нобелевского лауреата, продолжало бы ссылаться на полухудожественный «Архипелаг Гулаг» как на документ. Но Александр Исаевич даже не извинился за свою обидную для нашей страны ошибочную гигантоманию.

Да, писатель по своей природе — мифотворец, именно поэтому, особенно смолоду, он жаждет разрушать мифы, которые навязывает ему общество. Мифы и каноны. А советский писатель был опутан канонами с головы до ног. Это не значит, что западный писатель ничем не опутан — просто там другие путы. Писатель с нормально развитым нравственным чувством всегда подсознательно ощущает разрушительную природу своего дарования и потому — в противовес, что ли, — приходит, как правило, к консервативным политическим убеждениям. Но стоит ему начать художественно утверждать существующую систему социальных мифов, как это заканчивается творческой катастрофой. Такой вот грустный парадокс...

Анализируя судьбу моих первых трех повестей, я думаю иногда вот о чем. Повинуясь внутреннему велению, я (как и некоторые другие мои ровесники-писатели) словно достиг края советской литературы и выглянул вовне: дальше начинался уже совсем иной мир, строящийся на других принципах и идеях. В отличие от обитателей литературного андеграунда я оставался по мироощущению и поведению не только советским человеком, но и советским писателем. Однако какая-то неведомая сила все же гнала меня и толкала к зыбкой грани. Мои первые повести — это еще советская литература, но в них уже есть недопустимая для советской литературы концентрация нравственного неприятия существующего порядка вещей. Возможно, именно эта двойственность и нашла такой живой отклик в душах читателей, тоже балансировавших в то время на грани перемен.

Мудрый Сергей Михалков когда-то давно, поддерживая меня в борьбе за публикацию «Ста дней до приказа», сказал в своей обычной насмешливо-серьезной манере кому-то из партийного начальства:

— Вы с Поляковым поаккуратнее. Он последний советский писатель...

4. «Стой, кто идет!»

Особенно пристально власть предержащие надзирали за соблюдением канонов, когда дело касалось опор общества, а к их числу принадлежали, безусловно, сама власть, школа, армия... О них-то я и написал.

В армию я попал осенью 1976 года, после окончания педагогического института, немного поработав в вечерней школе № 27, располагавшейся в дореволюционном здании на Разгуляе. Кажется, раньше там была гимназия... Теперь 27-й вечерней школы нет. Власть больше не борется за то, чтобы каждый гражданин имел как минимум среднее образование. Власть борется за то, чтобы каждый гражданин платил налоги.

Кстати, именно в этой части старой Москвы прошла первая половина моей жизни. Из Лефортова, из роддома, что окнами на Немецкое кладбище, я был привезен в огромную коммунальную квартиру на углу Маросейки и Архипова, недалеко от памятника героям Плевны. В комнатке обитали мои родители, бабушка, тетя, незамужняя сестра отца, и я. Единственное окно было в потолке и выходило на чердак. Младенческая память сохранила цветастую занавеску, отделявшую наш семейный угол, и это запыленное окно, по которому время от времени метались тени. Большая тень — кошка, маленькая — мышка. В схожих условиях тогда жило большинство москвичей. Тех, кто, скитаясь по многокомнатной отдельной квартире, страдал от тоталитарного произвола, было совсем немного. Потом родители получили комнатку в заводском общежитии маргаринового завода в Балакиревском переулке, рядом с товарными путями Казанской железной дороги — Казанки. Очередь в туалет и к умывальнику была обычным делом, а когда нам дали комнату побольше, со своим умывальником, — это казалось головокружительным комфортом вроде президентского номера в отеле. Лишь в 69-м мы переехали в отдельную квартиру в новый дом в трех автобусных остановках от станции Лосиноостровская, окрестности которой в ту пору были еще застроены деревянными теремами — остаток дореволюционного дачного Подмосковья. Учился я в школе № 348 на углу Балакиревского и Переведеновского переулков. Рядом, на Спартаковской площади, располагался Первомайский дом пионеров, где я искал себя в изостудии и кружке струнных инструментов. Там теперь театр «Модерн», где идет моя комедия «Он, она, они».

На другой стороне Бакунинской улицы и сейчас можно видеть старообрядческую церковь — там я занимался боксом в секции «Спартака». Однажды на тренировке я пропустил сильный удар в лоб и неделю не ходил в секцию: жутко болела голова. Когда же я снова появился, тренер строго спросил:

— Почему пропустил тренировки?

— Голова болела.

— Грипп, что ли?

— Нет... Помните, я удар пропустил?

— Помню... — Тренер нахмурился. — От одного удара у тебя неделю болела голова? Вот что, мальчик, бокс не твой спорт. И чтобы я тебя здесь больше никогда не видел!

Возможно, благодаря бдительности опытного тренера я имею сейчас умственную возможность писать эти строки. Кто знает...

Окончив школу, я поступил в пединститут имени Крупской на улице Радио, близ Лефортова, в двадцати минутах ходьбы от родного общежития. Вернувшись посреди учебного года из армии, я попал на работу в Бауманский райком ВЛКСМ на улице Лукьянова в трех минутах ходьбы от 27-й школы. Кстати, имя Александра Лукьянова, летчика, Героя Советского Союза, носила наша пионерская дружина, и я, как отличник и активист, ездил в Волхов, чтобы возложить венок к стеле на месте его гибели. А возле Елоховского собора в классическом особняке помещалась библиотека имени Пушкина, где я пропадал, если выдавалось свободное время.

Весь очерченный кусочек старой Москвы можно за час-полтора обойти прогулочным шагом. Эти места и стали в моих книгах несуществующим Краснопролетарским районом столицы, если хотите, моей Йокнапатофой и Гринландией.

Но вернемся в 1976-й, когда из школьного учителя я превратился в солдата. В Орехове-Борисове собрались проводить меня в армию все тогдашние друзья-товарищи: Мишка Петраков, Петька Коровяковский, поэты Александр Аронов, Игорь Селезнев и Петр Кошель с женой Инессой Слюньковой — дочкой крупного партийного деятеля и будущим известным историком архитектуры. В среде творческой интеллигенции призыв в армию воспринимался тогда как общечеловеческая трагедия, и пили в основном за то, чтобы я не растерял свой талант в марш-бросках и не замотал в портянки. Мрачный по обыкновению Кошель дал совет: «Не лезь куда не надо и не делай то, чего не просят!» Потом Петя, щуплый, как канатоходец, приревновал жену к своему огромному тезке Коровяковскому, и мы долго их мирили.

— Прошу вывести негодяя вон! — кричал Кошель и указывал на дверь жестом римского полководца.

— Вот еще! — ухмылялся в усы второй Петя и наливал себе новую рюмку.

— Он большой поэт! — объяснял я другу детства.

— А я знаю китайский! — отвечал тот и снова выпивал.

Наконец мы остались с Натальей вдвоем. Нам предстояло налюбиться на целый год! Впрочем, не все было так трагично. Еще летом я встретил в коридоре «Московского комсомольца» Лешу Бархатова, одетого в подогнанную «парадку» с ефрейторскими погонами. Я его знал: до призыва он работал в «МК» корреспондентом. У меня к тому времени тоже, кстати, имелось удостоверение внештатного корреспондента этой газеты. Разговорились, и я скорбно сообщил: моя аспирантура накрылась медным тазом и осенью мне идти в армию.

— Гениально! Ты-то мне и нужен!

Оказалось, он два года отслужил в части, расположенной в Москве и приданной столичному пожарному управлению. Леша выполнял функции, как сказали бы сегодня, пресс-секретаря, сочиняя статьи для разных изданий об опасности неосторожно брошенного окурка. Осенью заканчивался срок его службы, и руководство попросило подыскать среди журналистов-призывников замену.

— Да ведь ты писал про пожарных! — воскликнул он. — Сегодня же доложу наверх!

— Еще бы! — солидно кивнул я.

Речь шла о фельетоне «Сигарета, сигарета...», опубликованном в «Московском комсомольце» под моей фамилией. Меня и в самом деле направляли в пожарную часть для сбора материала, но я по неопытности совершенно запутался в фактах безответственного обращения граждан с огнем, и текст мне за бутылку сочинило признанное сатирическое перо «МК» — Володя Альбинин.

— Учись, пока я жив! — сказал он и за полчаса, пока я бегал за бутылкой, накатал «подвал».

Умер Альбинин от цирроза печени.

Бархатов перезвонил мне через несколько дней, я съездил куда надо и был представлен краснолицему майору, он в ходе беседы задавал наводящие вопросы, выясняя, не склонен ли я к спиртному, — проблема, видимо, болезненная для пожарных подразделений. Наконец майор сказал, что я им подхожу.

— А как я попаду к вам с пункта призыва?

— Не волнуйся, наш офицер «купит» тебя на городском призывном пункте.

— Как это «купит»?

— Ну заберет, заберет. Пока карантин и «школа молодого бойца», придется посидеть в казарме, а потом на выходные будешь ездить к жене. Но если в воскресенье в 20.00 в часть не вернулся — дезертир! Понял?

— Так точно, товарищ майор! — расцвел я.

В тот миг у меня во всем свете было два любимых существа — жена Наталья и военизированная пожарная охрана. Однако закончилось все очень плохо. Тщетно я ждал на городском пункте обещанного офицера-покупателя. Он так и не пришел. Бродя в мучительном предчувствии по этажам, я вдруг столкнулся нос к носу с моим недавним учеником Зелепукиным. Остриженный наголо и одетый, как и я сам, в какие-то обноски, он сначала оторопел, а потом заржал: «Юрий Михайлович! А вас-то за что?!»

Уже вернувшись из армии, я узнал, что произошло. Такую же повестку, как и я, получил сотрудник «Комсомольской правды» Александр Шумский, тоже, кстати, поэт. Он-то и занял мое место при пожарном начальстве, которое, забыв про обещания, предпочло известного журналиста из всесоюзного издания какому-то внештатнику городской молодежки. Понять их можно. Шумский, очень талантливый парень и мажор, вскоре после возвращения из армии погиб, разбившись на автомобиле.

А я стал рядовым в/ч пп 47573, заряжающим с грунта батареи самоходных артиллерийских установок, и обменял российскую метель на германскую зимнюю сырость: наш полк стоял в городке Дальгов, неподалеку от Западного Берлина. Теперь это уже Берлин. Узенькое Гамбургское шоссе, плотно обсаженное липами, стало широкой автострадой. На месте военного городка — коттеджный поселок и скидочная деревня. Если внимательно присмотреться к некоторым домам, можно различить в них черты былой казармы, облагороженной экономными немцами. В клубе, стилизованном под замок, сначала сделали музей советской оккупации, а теперь там центр толерантности. Кое-где сохранились ангары и многоэтажные заколоченные казармы — память о несметной советской силе, стоявшей здесь сорок пять лет и ушедшей по своей воле. Американцы, кстати, не закрыли в Германии ни одной базы. За опасным союзником, имеющим такой опыт наступательных войн, надо приглядывать. Между прочим, в ФРГ недавно разрешили переиздать, как исторический памятник, «Майн кампф». И что же? Книга побила все рекорды продаж.

В Олимпийской деревне, где я дослуживал в дивизионной газете «Слава», теперь музей под открытым небом, посвященный берлинским Олимпийским играм 1936 года, в которых СССР, кстати, протестуя против фашистского режима, не участвовал. Зато США, Англия, Франция — все тут как тут. Еще как участвовали, заселив пол-олимпийской деревни. Правда, интересно? Между прочим, там, где жила американская команда, в домиках, выстроившихся каре вокруг плаца, и располагалась наша комендантская рота. Об этом дружном участии в фашистской Олимпиаде будущих членов антигитлеровской коалиции хоть кто-то вспоминает? Никто. Большую правду о причастности Запада к зарождению и усилению фашизма давно спрятали в малую правду о пакте Молотова—Риббентропа. Вот так...

Я служил в мирной армии: полуостров Даманский уже подзабылся, а Афганистан еще не грянул. Сейчас, одолев значительную часть жизни и побывав в различных ситуациях, я понимаю, что служил в общем-то в нормальных условиях, которые, скажем, «срочнику», попавшему в Чечню, показались бы раем. Во всяком случае, мне, как призывникам начала 90-х, не приходилось просить милостыню под магазином, чтобы подкормиться. А нашим офицерам не надо было сторожить автостоянки, чтобы свести концы с концами, ибо на денежное довольствие прожить семье было невозможно. Наоборот, молоденький лейтенант, едва окончивший общевойсковое училище, был вполне обеспеченным человеком в сравнении, к примеру, со мной — выпускником пединститута.

Но, рискуя повториться, напомню: советский юноша шел служить в идеальную армию, а попадал в реальную, где офицеры не были все как один мудрыми наставниками из фильма «Весенний призыв», эдакими Макаренко в фуражках. Нет, то были обычные люди, изнуренные гарнизонной жизнью и семейными проблемами. Впрочем, служба в Группе советских войск в Германии считалась престижной, и какой-нибудь лейтенант в Забайкалье мог только грезить о зарплате в марках и «Мадонне», сервизе на двенадцать персон, без которого не уезжал из ГСВГ ни один офицер. Я тоже получал в валюте — 15 гэдээровских марок в месяц. Бутылка молока в солдатской чайной стоила 20 пфеннигов, «леопардовый» плед — 10 марок.

Я попал в обычный солдатский коллектив, где нормальная мужская дружба уживалась и даже переплеталась с жесткостью так называемых неуставных отношений. Но все это было вполне терпимо — непереносимым лично для меня оказался конфликт между образом идеальной армии, вложенным в мое сознание, и армией реальной. Конечно, это недоумение испытывал каждый юноша, надевавший форму, но я-то был начинающим поэтом, то есть человеком с повышенной чувствительностью. Стоя во время разводов на брусчатке, еще помнившей гулкий шаг солдат эсэсовской дивизии «Мертвая голова», я думал: вот вернусь домой и обязательно напишу об этой, настоящей армии. Как всякий советский человек, я верил в целительную силу правды, особенно в ее художественном варианте. Кроме того, существует особая молодая жажда поведать о том, о чем твои литературные предшественники умалчивали. Я тогда не понимал, что фронтовому поколению писателей, хлебнувшему настоящей окопной войны, — все эти гарнизонные страдания призывника 70-х казались слабачеством, пустяками, не заслуживающими вмешательства такой серьезной инстанции, каковой являлась советская литература.

Дослуживал я, правда, в редакции дивизионной газеты «Слава», куда отправил несколько своих стихотворений. Бойцы меж собой прозвали этот двухполосник — «Стой, кто идет!», считая его совершенно бесполезным листком. Он даже на самокрутки не использовался, как в военные годы, ведь советскому солдату выдавали в месяц 18 пачек сигарет: старослужащим — вполне приличные «Охотничьи» (их даже офицеры покуривали), а салагам — «Гуцульские», от которых комары падали замертво. Некурящим полагался сахар.

Когда в январе 1977-го в журналах «Молодая гвардия» и «Студенческий меридиан» вышли подборки моих стихов, в судьбе «заряжающего с грунта» наметились перемены. А в мае за мной на «козлике» приехали маленький майор Царик, редактор «дивизионки», и рослый прапорщик Гринь, начальник типографии, имевшей в своем распоряжении целых трех наборщиков. Меня посадили в «газик» — и через десять минут мы были в Олимпийской деревне.

Утром, после зарядки, поверки и завтрака, я отправлялся к новому месту службы — в редакцию дивизионной газеты «Слава». Я шел вдоль рычавшего за бетонным забором Гамбургского шоссе, мимо почты и пруда, обросшего ветлами. В купах, склонившихся к воде, стонали, будто изголодавшиеся любовники, немецкие горлицы — каждая размером с хорошего бройлера. Справа у меня оставался олимпийский бассейн, где по ночам, если верить слухам, тренировались наши подводники-диверсанты, готовые при необходимости, пробравшись по дну Шпрее, вынырнуть в центре Западного Берлина. Вдалеке виднелось главное подковообразное здание Олимпийской деревни. Там были и столовая, и клуб с кинозалом, и роскошная библиотека, и дивизионные службы. Иногда я видел, как подъезжал на «Волге» командир дивизии. По благоговейной суете оказавшихся рядом офицеров это напоминало возвращение Юлия Цезаря с очередной победной войны. Много лет спустя автор «ЛГ» генерал Владимиров рассказал мне, как, будучи назначенным в конце 1980-х командиром нашей дивизии и представляясь командующему ГСВГ, он получил такое напутствие: «Хозяйство у вас сложное. Рядом Берлин. И, кстати, именно в 20-й служил этот самый писателишко. Ну, вы поняли, “Сто дней до приказа”... Поаккуратней!»

Редакция газеты «Слава» располагалась на первом этаже административного корпуса, построенного в виде русской буквы «П». А кругом теснились коттеджи под черепицей, оборудованные по последнему слову довоенной жилищно-бытовой мысли. Когда-то в них жили спортмены-олимпийцы, тренеры, врачи и обслуживающий персонал. Однако за сорок лет дома сильно обветшали. Большинство строений использовалось как семейные общежития. Отдельные квартиры имели только старшие офицеры. По городку бегали огромные, совсем не пугливые крысы, к ним относились почти как к кошкам, правда, желание погладить шерстку завершалось укусом и уколами от бешенства.

В редакции меня приняли хорошо, даже с пиететом, какой только возможен к солдату срочной службы со стороны военных журналистов, ведь никто из них в общесоюзных изданиях не печатался, а лишь в армейских. Малюсенькая заметка в «Красной звезде» была для них грандиозным событием. Часто можно было услышать такой ревнивый разговор:

— Видел, Макакин в «Звездочке» прорезался?

— Видел. А с виду дурак дураком...

Редактор газеты майор Царик (родом, кажется, из Молдавии) был человеком живым, творческим и по складу характера совсем не военным. Каждый раз, вернувшись из политотдела, он жаловался: «Опять сделали замечание, что у меня короткие брюки. Разве?» Мы внимательно смотрели на него и хором уверяли, что брюки исключительно уставной длины, хотя на самом деле они сильно смахивали на куцые клоунские штаны, открывавшие взору невыразимые носки.

Царик писал большой роман, семейно-любовную сагу, то, что мы теперь называем «мылом». Текст по мере сочинения перепечатывала редакционная машинистка, а мы — ответсекретарь газеты капитан Щепетков, корреспондент лейтенант Черномыс, прапорщик Гринь и я — читали и высказывали мнение, разумеется, бурно положительное. Однажды машинистка перестала печатать и заплакала, а мы, узнав, в чем дело, возмутились: главную героиню, юную красавицу, едва окончившую школу, автор ни с того ни с сего лишил невинности с помощью траченного молью офицера-прохиндея. На все наши просьбы вернуть девственность героине и покарать мошенника в погонах Валентин Иванович отвечал отказом и вздыхал, мол, в жизни чаще бывает именно так. Вероятно, за этим скрывался какой-то грустный личный опыт...

Конечно, мне, воспитанному на Солоухине, Катаеве, Трифонове, Распутине, Леонове, эта проза казалась всего лишь «имеющей право на существование» — так мой друг Игорь Селезнев именовал совсем уж слабые стихи. Однако я, лукавя, хвалил очередную главу — так же, как и остальные. Но вот теперь, листая сочинения иных лауреатов «Большой книги» или нынешних коммерческих авторов, чьи глупейшие романы расходятся благодаря рекламе большими тиражами, я вспоминаю майора Царика, его короткие брюки, его длинную эпопею, неизвестно куда канувшую, и думаю: вполне возможно, он просто опередил свое время...

Я стал военкором и получил удостоверение, с которым ходил по всей дивизии и организовывал материалы о боевой и политической подготовке нашего мотострелкового соединения. Иногда, не поверив «корочкам», изготовленным прапорщиком Гринем, меня забирали в комендатуру и сажали на гауптвахту, где томились бойцы, пойманные в «самоволке». В основном бегали они или за шнапсом, или на свидания к немкам, ценившим голодную стойкость советских солдат. Но сидел я там недолго, вскоре прибывал майор Царик и вызволял своего «военкора».

Пару раз я ездил с начальством на рыбалку: местность вокруг была изрезана каналами и серебрилась рукотворными озерами. Офицеры, восторженно крича, таскали лещей размером с саперную лопатку, хвалились, мерились хвостами, а потом отпускали добычу. Рыба была поголовно заражена солитером. Сделали это якобы по приказу Гитлера, когда Красная армия взяла в кольцо Берлин...

5. Письма без марок

Из армии я написал только жене Наталье более ста писем. А сколько было еще писем друзьям, учителям, собратьям по поэтическому поприщу, редакторам! Такой эпистолярной насыщенности у меня никогда больше не случалось. Зато я понял, почему у классиков, живших в дотелефонную эпоху, две трети собрания сочинений занимают письма. Но времена меняются стремительно, и я с ужасом думаю о наследии будущих классиков, если они додумаются включать в собрания сочинений свой интернет-треп. Когда-нибудь я издам свои армейские письма, которые нашел случайно, разбирая короба с черновиками. А пока приведу некоторые отрывки из них, чтобы нынешний читатель имел представление, о чем мог писать из Германии в Москву советский солдат-срочник в середине 1970-х.

«Наташа!

Я на карантине в части около метро “Беговая”. За мной никто не пришел! Позвони Бархатову или в редакцию Ригину. Может, меня еще вытянут. Куда пошлют дальше, не знаю. На “Беговой” мы пробудем до 18 ноября. Все это гораздо хуже, чем я думал. О том, что впереди год, стараюсь не вспоминать. Целую, люблю, скучаю.

Юра. 05.11.76».

«Наташенька, здравствуй!

Пишу тебе второе письмо. Теперь буду их нумеровать, чтобы в случае чего все было понятно. Твое письмо мне ждать еще дней десять. Постепенно приживаюсь.

Сегодня мой новый праздник. Сегодня — 19 ноября. Две недели, как мы приехали на стадион и нас увезли в закрытой машине. Если в году 52 недели, то 26-ю часть срока я уже отбыл. Примерно об этом думаю все время. <...>*

В конечном итоге страшного во всем ничего нет. Если можно было бы с тобой видеться, все было бы гораздо лучше. Иногда берет такое зло, что не удалось остаться в Москве! Время тянется очень медленно, просто не представляю, что год может когда-нибудь кончиться. <...>

На случай, если первое письмо не дошло, повторяю некоторые просьбы: не забудь прислать мне фотокарточку (в очках). Ту, которую я взял с собой, кто-то позаимствовал...

Что ты без меня поделываешь? Куда ходишь? Не домогается ли кто-нибудь благосклонности моей солдатки? Я очень скучаю. Повторяю, если бы можно было изредка видеться, было б намного легче. На такой срок мы с тобой еще никогда не расставались и вряд ли еще когда-нибудь (тьфу x 3) расстанемся. Напиши, как скучаешь без меня. Пиши чаще! <...>

Я здорово простужен: сильно кашляю, а нос — не продохнешь. Но насколько я понял, это наиболее характерное состояние носоглотки для воина родной армии...

Ты, наверное, заметила, что письмо сумбурное, но я уже вышел из того возраста, когда пишут складные письма.

Целую. Жду письма.

Юра. 19.11.76».

---

* Так я шифровал род войск, в который попал: 19 ноября — День ракетных войск и артиллерии.

«...Скоро уже месяц, как я стал солдатом. Кажется, будто я всю жизнь носил гимнастерку и короткие волосы. Уже стал немного осваиваться. По утрам мы делаем зарядку и бегаем так, что в первый раз я чуть было не вступил в СУП — Союз усопших писателей. Теперь как-то пообвыкся. Вернусь домой очень сильным. Только когда это будет!

Дни уже примелькались. Тем более что меня теперь постоянно привлекают к "интеллигентной" работе. Ты никогда не догадаешься, что именно оказалось здесь полезным! Не стихи, не грамотность, не умение рисовать. Нет! Отвечаю: умение кое-как печатать на машинке. Всю прошедшую неделю я печатал по 10–12 часов в день, до ломоты в плечах. Не раз с уважением вспоминал твою маму.

<...> Целую. Жду письма.

Твой муж,
временно исполняющий обязанности рядового.
28.11.76».

«...С сегодняшнего дня в армии начинается учебный год, и мне, имея на руках диплом, приходится сидеть на политзанятиях, записывать азбучные истины и зевать до боли в затылке. Не знаю, может, удача мне окончательно изменила, но результатом всех моих надежд явилась должность, которая сводится к подтаскиванию боеприпасов весом 50–60 килограммов каждый. К сожалению, в моем распоряжении нет пушки, бьющей на две тысячи километров, а то бы я удружил МОПИ, организовавшему мне эту миленькую последипломную практику. Офицеры, которые ко мне

относятся неплохо, уверяют, дыша немецким пивом, что тот не мужчина, кто не служил в армии. Я гляжу на их погоны и говорю: “Так точно!”

Снега тут еще нет. Иной раз бывает чуть ли не плюсовая температура, а сегодня, например, сильнейший ветер с брызгами того, что в тихую погоду называлось бы дождем.

...А тут еще нет писем ни от тебя, ни от родителей. Я единственный в карантине, кому еще не пришло ни одного письма. Письма здесь вроде зарплаты, а письма от девушек и жен — премия. Сержанты, которым девушки пишут постоянно, добрые и снисходительные. Если кто-то вдруг становится раздражительным, значит, давно нет письма. А если ему написали, что видели его зазнобу с другим, — конец: загоняет. На меня уже даже стали иронически поглядывать: женатый, а писем нет!

Пиши чаще, не бойся перетрудиться! Пиши по 2–3 письма в неделю, тем более что часто письма, идущие сюда, теряются.

Юра. 1.12.76».

«...Только опустил в ящик письмо № 4 и решил зайти узнать про почту на старое место (меня перевели в другой дивизион — “3”) — и мне отдали ребята письмо. Рад был до слез! Теперь по порядку описываю мое житье-бытье, ибо в прошлых письмах было, наверное, больше горечи и раздражения, чем информации.

...Встаем мы в 6.00! Ложимся в 10. Между этими двумя точками шагаем по плацу, чистим автоматы, изучаем уставы. Сегодня начался новый учебный год,

занятия, на которых, помимо разной политической тягомотины, будем изучать оружие. Все это настолько странно, что мне иногда кажется, будто кто-то меня разыгрывает. Кормят неплохо. В подразделении, где я был раньше, ел всласть, ибо были отличные отношения с сержантами и солдатами. Они меня все время просили что-нибудь рассказать, объяснить и очень жалели, что меня переводят в другую батарею. Ко мне также обращались, когда хотели послушать речь, свободную от мата. Я принципиально не ругаюсь.

Каждый день делаем зарядку, много бегаем. Сначала было очень тяжело, сейчас пообвык. Наверное, приду домой очень сильным. Часто бросают на разную работу: мытье полов, переборку моркови и т. д. На старом месте нас, ребят с высшим образованием, этого делать не заставляли. Как будет теперь — не знаю. Судя по всему, мне придется тянуть лямку без скидок на возраст и образование.

На территории части есть магазины, в которых продают чудесные вещи. В ларьке стоят никому не нужные "Декамерон", Фолкнер и т. д. Однако на 15 марок, которые мы будем получать, едва ли что-нибудь купишь.

Юра. 02.12.76».

Думаю, достаточно для того, чтобы понять содержание писем из казармы. А за неделю до дембеля я отправил домой в Москву по адресу: Шипиловский проезд, д. 61, корп. 2, кв. 148, — последнюю открытку. В ней было написано:

«Дорогой Юра, поздравляю тебя, абсолютно гражданского человека, с возвращением домой, желаю успехов в семейной жизни и творчестве. Не поминай лихом! Гвардии рядовой Ю. Поляков».

6. Не грусти, салага!

В Москву я привез из армии почти сто новых стихотворений. Таких, например:

Пора тревог полночных —
Армейские года.
И как-то жаль «так точно»,
Смененное на «да».

Мои сочинения вызвали интерес у литературных изданий, и меня стали охотно печатать. Поэтов, сочиняющих искренние стихи об армии, в ту пору было уже мало, не больше, чем нынче патриотов на «Эхе Москвы». Кроме того, я вернулся из армии с намерением писать прозу. Мотив — страстное желание рассказать «правду» о том, что я увидел в армии. Повесть «Сто дней до приказа» была начата в 1979 году, а закончена в 1980-м. Свою первую прозу я писал карандашом, положив лист на жирно расчерченную картонку. Линии просвечивали сквозь бумагу, и строчки выходили ровными, а не загибались вниз или вверх — в зависимости от настроения. Первое время приходилось часто пользоваться ластиком. Сначала вещь называлась «Не грусти, салага! Армейская повесть». На пересыльном пункте во Франкфурте-на-Одере по радио без конца крутили жалобную, в духе еще не родившегося «Ласкового мая» песенку:

Не грусти, салага!
Срок отслужишь свой,
Так же, как и я,
Поедешь ты домой.
В дальние края, в дальние края
Едут, едут парни-дембеля...

Начиналась будущая повесть вполне документально: «...У нашего замполита — литературная фамилия. Булгаков...» И это была чистая правда. Следы неумелой «всамделишности» сохранились и в окончательном варианте. Реальный майор Гудов превратился в Дугова, а подлинный взводный лейтенант Оленич — в очкарика Косулича. Прапорщик Высовень в полку тоже имелся, но рука моя не поднялась перекорежить такую замечательную фамилию! Позже главпуровские блюстители обвиняли меня, мол, я, чтобы унизить советских офицеров, надавал им смешных фамилий. Вот уж чепуха!

Но по мере работы над повестью бес художественности все более овладевал мной. Прототипы, сгущаясь, становились образами, воспоминания о собственных армейских мытарствах обрастали чужими судьбами и подсмотренными подробностями, превращались в историю старослужащего Кормашова. Я не оговорился: главному герою я дал имя студента, ходившего в литобъединение, которое я вел в пединституте, и очень гордился, что в этой фамилии брезжит купринский Ромашов. По ходу работы выяснилось, что в «Юности» уже выходила повесть о моряках «Не грусти, салага!», и я недолго думая назвал свое почти законченное детище «Сто дней до приказа», со значением присовокупив — «Солдатская повесть». Мол, раньше люди, читая «Красную звезду», смотрели на армию глазами политработников, а вот я даю вам честную картину, увиденную со второго яруса казарменной койки!

Надо ли объяснять, что моя солдатская повесть не укладывалась в тогдашний канон «воениздатовской» прозы. Возможно, если бы я вырос в среде московской научно-чиновной интеллигенции с ее пижонским фрондерством и диссидентскими симпатиями, я бы отдал эту явно «чуждую» вещь на Запад. Тогда моя жизнь сложилась бы совсем по-другому. Но я, повторюсь, был настоящим советским человеком, верящим в конечную справедливость системы, а потому простодушно принялся носить повесть по нашим журналам — «Юность», «Знамя», «Дружба народов», «Новый мир», «Наш современник»... Сотрудники этих изданий, люди чрезвычайно инакомыслящие, смотрели на меня как на придурка, нарушившего всеобщее благочиние неприличной выходкой. То, о чем они шептались на кухнях, я не только написал, но еще вдобавок вместо того, чтобы ограничиться тихими «самиздатовскими» радостями, приволок в советский журнал. Ну не идиот! Помню, заведующая отделом журнала «Знамя» Наталья Иванова (ныне она критик истошно либерального тренда) затащила меня в редакционный закоулок и негодовала свистящим шепотом, в том смысле, что, принеся эту провокационную антисоветчину, я хотел бросить тень на главного редактора Героя Социалистического Труда Вадима Кожевникова, автора бессмертного романа «Щит и меч». В другом издании заведующая прозой дама с кинжальным маникюром и декольте, доходящим до венерина бугорка, утверждала, что прекрасно знает жизнь современной армии: никакой дедовщины там нет в помине.

Понятно, рукопись довольно быстро была переправлена куда следует, и оттуда сразу наябедничали в Союз писателей, членом которого я уже стал, выпустив две книги стихов. Оттуда, откуда следует, позвонили секретарю по прозе Ивану Фотиевичу Стадню-ку, автору знаменитого «Максима Перепелицы».

— Иван Фотиевич, — спросили оттуда, — что это у тебя там за диссидент такой завелся, армию очерняет?

— Какой еще диссидент?

— Поляков...

— Юра?

— Юрий Михайлович, русский, 1954 года рождения, член КПСС, как ни странно...

— Ну какой он диссидент! — засмеялся Фотиевич. — Он секретарь нашей комсомольской организации. Хороший парень. О фронтовой поэзии пишет...

Действительно, в те годы я занимался исследованиями фронтовой поэзии, особенно — творчества Георгия Суворова, погибшего в 1944-м при прорыве ленинградской блокады около города Нарвы. В 1981-м я защитил кандидатскую диссертацию на эту тему, а в 1983-м выпустил книжку «Между двумя морями» — о стихах и судьбе Суворова. В отличие от иных моих коллег по литературному цеху я совершенно не стыжусь того, что сочинял при советской власти. Фронтовую поэзию я горячо любил и писал о ней от всего сердца. Полагаю, многие советские литераторы, спешно перепрофилировавшиеся в антисоветских, не любят прежние времена прежде всего за свою былую неискренность.

Недавно я подсчитал: у меня дюжина стихотворений о 1941 годе. Впрочем, что тут удивляться: тема Великой войны была для моих сверстников-поэтов, если хотите, «поколениеобразующей». Мы выросли, оформились под могучим влиянием «стихотворцев обоймы военной», а шире — под впечатлением громадного народного подвига, еще живого и близкого, как дыхание недавней очистительной грозы. Не зря же лучший поэт моего поколения Николай Дмитриев писал:

В пятидесятых рождены,
Войны не знали мы, и все же
В какой-то мере все мы тоже
Вернувшиеся с той войны...

Он за книгу, где были напечатаны эти строки, получил премию Ленинского комсомола, а я за цикл стихов о войне «Непережитое» в 1980 году — премию имени Владимира Маяковского. Но уже тогда нас укоряли, мол, зачем вы касаетесь того, чего не видели? Зачем пишете о том, чего не пережили? Оставьте это фронтовикам! Один из сверстников даже в рифму попрекнул:

Катись проторенной дорогой,
О чем угодно воду лей,
Но меру знай — войну не трогай,
Отца родного пожалей!

Пришлось выступать в 1984-м со статьей «Право на боль», где я написал: «Есть боль участника, но есть боль и соотечественника. Человеку, чье Отечество перенесло то, что выпало на долю нашей страны, нет нужды заимствовать чужую боль, потому что она принадлежит всем и передается от поколения к поколению, равно как и гордость за одержанную Победу... Мирные поколения должны знать о войне все, кроме самой войны. Откройте сборник любого поэта, рожденного, как принято говорить, „под чистым небом", и вы непременно найдете стихи о войне... Откуда она, эта „фронтовая" лирика 70–80-х годов, написанная людьми, не знающими, что такое передовая (линия, а не статья), не ходившими в атаку (разве только учебную)? ...Дело, видимо, в том, что исторический и нравственный опыт Великой войны вошел в генетическую память народа, стал свойством, чуть ли не передающимся по наследству в числе других родовых черт...»

Вот на эту-то генетическую память и повели охоту уже тогда, в 1980-е. Сначала осторожно: «Ну что с того, что я там был? Я все забыл, я все избыл...» — писал Юрий Левитанский о своем фронтовом опыте. Он-то имел в виду другое, пытался объяснить, как сложно трансформируется в человеческой памяти прошлое. Но кто-то понимал эти слова буквально. И Левитанский дожил до того времени, когда участие в войне перестало быть доблестью. В начале 1990-х я стал свидетелем омерзительного происшествия. В дубовом зале ЦДЛ до неприличия шумно гуляла компания новых русских «кавказского разлива». Обедавший рядом Левитанский сделал им замечание, мол, здесь так орать не принято. «А ты-то кто такой?» — «Я поэт!» — «Вот и сиди, поэт, пока цел!» — «Как вы смеете со мной так разговаривать. Я фронтовик!» — «Фронтовики в могиле, а ты, тыловая крыса, заткнись!» — и плеснули ему в лицо водкой. Левитанскому стало плохо, его увели под руки и отпаивали валерьянкой. Милицию никто вызывать не стал, да она бы не приехала. В стране царила анархия. И вряд ли в ту минуту поэт думал о том, что и его когда-то сказанные неосторожные слова о войне тоже способствовали сходу лавины исторического цинизма, из-под которой мы начали выкарабкиваться только в нулевые годы.

В 1990-е развернулась настоящая битва за память. Войну пытались выставить кровавой разборкой двух диктаторов, стоившей миру миллионов жизней. Хатынь в нашей исторической памяти пытались заменить на Катынь, и не без успеха. Когда я стоял возле Василия Блаженного, а на меня, обтекая храм, двигался полумиллионный «Бессмертный полк», я думал о том, что в битве за память наметился перелом в нашу пользу. Теперь главное, чтобы в Ставке не оказалось предателей. Такое мы проходили, и не раз.

7. Муки согласования

А «Сто дней до приказа» тем временем попали на столы больших начальников. В том числе и тех, что запретили печатать в «Дне поэзии» Гумилева. Вскоре меня начали приглашать в инстанции. На беседы. В ГлавПУР, ЦК ВЛКСМ, ЦК КПСС, КГБ...

Со мной общались неглупые люди, разбиравшиеся в проблемах тогдашней армии гораздо лучше, чем я. Никто, представьте, на меня не кричал, не угрожал, не выпытывал, на кого я работаю и сколько серебреников получил за предательство. Мне спокойно объясняли, что публикация повести в таком виде может принести Отечеству вред, и рекомендовали, используя отпущенные мне природой способности, написать об армии иначе, что будет, конечно, отмечено премией и благотворно отразится на моей литературной карьере.

Кстати, многие из моих чиновных собеседников, вздыхая, говорили: будь их воля, они напечатали бы повесть, но военная цензура не пропустит. Тогда ходил характерный анекдот: на цензуру упала атомная бомба — не пропустили... Был и такой забавный случай. Один главпуровский генерал сказал мне, что не все Поляковы так безответственно относятся к армии. Есть еще один Юрий Поляков, написавший очень добрую и романтичную книгу о фронтовике Георгии Суворове.

— Вам бы с ним познакомиться и поучиться у него! — посоветовал генерал.

Узнав, что с тем, «хорошим», Поляковым я знаком, можно сказать, с рождения, он был поражен, хотя удивляться тут было нечему. Сочетание критичности с искренним романтизмом и доверчивостью было как раз типичной особенностью человека, вскормленного советской цивилизацией. Именно эта особенность воспитания и определила потом удивительное обстоятельство: миллионы умных, образованных людей безоглядно поверили опереточному Горбачеву и стенобитному Ельцину. Так было. Однако надо знать позднюю советскую систему, ныне окарикатуренную не без моего участия. Сурова, даже беспощадна она была к тем, кто, отвергнув правила игры и отеческую заботу, боролся с ней, вливаясь в ряды диссидентов, немногочисленные, как кружок любителей эсперанто, тоже, кстати, пострадавших в 1930-е, когда запахло войной. А бес их знает, что они там пишут на своем буржуазном искусственном языке?

А вот с искренне заблуждавшимися (к таковым причислили и меня) советская власть работала, убеждала, заинтересовывала. Тем более что проблема неуставных отношений волновала и начальство, ей, болезной, посвящались секретные совещания и закрытые приказы министра обороны, с ней боролись. Читатели, понимавшие иносказательный язык тогдашней прессы, легко могли найти отзвуки этой борьбы с «дедовщиной» в военной печати. Она неутомимо и тщетно призывала армейский комсомол «активнее участвовать в процессе воспитания в воинах чувства товарищеского локтя, советской морали и ответственности за порученное дело». Между прочим, за неделю до увольнения в запас майор Царик дал мне дембельское задание — написать для «дивизионки» статью о вреде «неуставняка». «Ты можешь, но слова подбирай, понял!» Ох, и попотел я, сочиняя против «дедовщины» инвективу, даже не упоминая о наличии неуставных отношений в армии. Мордобой, унижения, издевательства в моей версии именовались «действиями, досадно противоречащими армейскому коллективизму и взаимовыручке». Но я был советским литератором и справился.

Тем временем повесть довольно успешно обсудили в Союзе писателей, ЦК ВЛКСМ обратился в ГлавПУР с просьбой рассмотреть возможность ее публикации. В писательской многотиражке «Московский литератор», где я в ту пору работал редактором, под заголовком «Призыв» был опубликован фрагмент. Нельзя сказать, что я остался один на один с государственной машиной. Мне помогали. Первый секретарь СП РСФСР С.В. Михалков писал письма военному начальству. Обсуждая повесть на заседании Комиссии по военно-художественной литературе МО СП РСФСР, старшие товарищи поддержали. Передо мной пожелтевшие странички протокола этого заседания от 21 ноября 1983 года:

«*Я. Мустафин, старший редактор издательства "Советский писатель"*. Явления неуставных отношений, так называемой годковщины, к сожалению, еще распространены у нас в армии. И очень хорошо, что Поляков написал об этом страстно, по-партийному остро.

Н. Черкашин, лауреат премии Ленинского комсомола. Повесть чрезвычайно актуальна, а ее острота как раз той направленности, к которой нас призывает сегодня партия. Ее необходимо напечатать, потому что она поможет в работе офицерам, заставит о многом задуматься тех, кто носит или готовится надеть военную форму.

В. Мирнев, заведующий отделом прозы журнала "Москва". Здесь больше говорили о социальной значимости повести Ю. Полякова, я же хочу подчеркнуть ее хороший художественный уровень, она интересно выстроена, ярко прорисованы образы, автор умело работает со словом. Короче говоря, это — проза!

Ю. Поляков. Армейская тема, кто читал мои вещи — знает, всегда волновала меня. И я убежден, что здоровые силы в солдатском коллективе всегда сильнее, не надо только замалчивать, уходить от реальности. Современный молодой читатель не Станиславский, он не будет кричать “не верю!”, — а просто отложит неправдивую книгу в сторону. Я сознательно повел рассказ от имени старослужащего, чтобы показать: борьба с “годковщиной” идет не только извне, со стороны командиров и политработников, но и изнутри, в самом солдатском коллективе. Но я старался показать этот процесс во всей его диалектичности, а значит — и во всей его неоднозначности. И если моя повесть хоть немного поможет искоренению неуставных отношений, я буду считать свою задачу писателя и коммуниста выполненной».

В итоге, посовещавшись, высокое начальство решилось опубликовать «Сто дней...» в журнале «Советский воин», который был в ту пору одним из заметных литературно-художественных изданий. Такие мэтры, как Бондарев, Стаднюк, Алексеев, Бакланов, Исаев, Дудин и многие другие, охотно печатались на его страницах. Потом планировалось под руководством политработников обсудить мое сочинение в каждой воинской части, хорошенько наподдать автору за сгущение красок и неуместную иронию над ратными буднями, однако с поставленной проблемой согласиться и отмобилизовать личный состав на борьбу с неуставными отношениями... Решение было уже почти принято, но тут категори-

3 - 2579

чески выступил против один из заместителей начальника ГлавПУРа. Он заявил на коллегии, что публикация повести нанесет урон боевой мощи СССР и что он немедленно обратится с особым мнением в военный отдел ЦК КПСС.

В те годы ценилось единодушие при принятии ответственных решений, ибо в случае ошибки наказать всех ответственных сразу было довольно трудно. Нет ничего удивительного в том, что кто-то выступил против публикации. Удивительно другое — кто выступил! Это был генерал Д. Волкогонов, который через несколько лет обернулся пламенным демократом, обличителем советской эпохи и сокрушителем идейного наследия коммунистической эры. Поговаривали, он мстил за раскулаченного деда. Деталь, согласитесь, знаменательная и заставляющая задуматься о человеческом факторе, который сыграл не последнюю роль в том, что вместо трансформации и планового демонтажа устаревшей общественно-политической структуры мы получили мстительный разгром, переходящий в торжествующий хаос... Вообще, чем дольше я живу, тем больше убеждаюсь, что именно семейные фобии и предрассудки определяют отношение человека к миру, людям, стране. Школа может только слегка подправить искажения личности, заложенные в семье. Так что повышенный интерес советских кадровиков к предкам и социальному происхождению гражданина, претендующего на должность, не такая уж глупость. Впрочем, как видим, и это не помогло...

Итак, в 1984-м повесть была окончательно запрещена. Точнее, не разрешена, что, в сущности, было одно и то же. Получив сочувственный отказ и выйдя из высокого генеральского кабинета, я шел по широкому, как улица, коридору, украшенному золоченой гербовой лепниной. На душе была тоска от тяжкого осознания непрошибаемости стены, заслонившей моей солдатской повести путь к читателям. И вдруг мне дорогу лениво перебежала откормленная мышь. Как? Здесь — в самом сердце обороноспособности державы? Да, здесь — в ГлавПУРе. Мышь. И мое сердце сжалось в предчувствии близких перемен...

8. Спасибо, герр Руст!

Я смирился и, как принято теперь выражаться, переключился на другие литературные проекты. Вышла моя повесть «ЧП районного масштаба», ее стали обсуждать, экранизировать, инсценировать, а меня причислили к «прорабам перестройки», правда, ненадолго. Я довольно быстро сообразил, что улучшить жизнь с помощью разрушения нельзя. Однажды после встречи с читателями, где я с молодой горячностью волновался о судьбах Отечества и протестовал против тотального отрицания советского прошлого, интеллигентная библиотекарша с потомственно грустными глазами тихо заметила: «А на фотографии в "Юности" вы такой милый...»

Следующую серьезную попытку легализовать «Сто дней до приказа» я предпринял лишь в начале 1987-го, будучи уже автором нашумевших повестей «ЧП районного масштаба» и «Работа над ошибками», о которой спорили похлеще, чем нынче о сериале

«Школа», снятом юной режиссершей со смешной самодельной фамилией. Вообще, замечу между прочим, придуманный, ненатуральный псевдоним каким-то таинственным образом искажает развитие творческой личности, направляя в ложное, надуманное, ненастоящее русло. Это сознавал, кстати, чуткий к слову Борис Пастернак, отлично понимавший, что Господь не одарил его роскошным именем, как собратьев по перу Есенина и Маяковского, но при всей своей горней выспренности он остался верен родовой фамилии. А ведь Борис Пастернак — это примерно то же самое, что Борис Репа. А поди ж ты!

Но вернемся к судьбе «Ста дней...». Будучи делегатом XX съезда ВЛКСМ и выступая с высокой трибуны, я открыл форуму глаза на проблему «дедовщины» (о которой был прекрасно осведомлен каждый прошедший армию делегат) и поведал о горькой судьбе моего произведения. С ответным словом выступил Герой Советского Союза афганец Игорь Чмуров и темпераментно обвинил меня в клевете на армию. Многотысячный зал аплодировал ему стоя. Я сначала пытался демонстративно сидеть, но, поймав укоризненный взгляд руководителя нашей московской делегации, тоже встал и, чуть не плача, стал аплодировать человеку, обвинившему меня во лжи. А ведь на дворе был не 37-й, а 87-й — и никто за отказ аплодировать вместе с залом меня бы не расстрелял... Что бы сделал, скажем, в таком случае Солженицын? Вышел бы шагами командора из зала и тут же дал гневное интервью Би-би-си. Что бы сделал, например, Евтушенко? Не выходя из зала, он бы написал возмущенные стихи, которые прочитал бы на ближайшем вечере поэзии в Лужниках: «Когда румяный комсомольский бог...» и так далее. Но я так не мог, я чувствовал ответственность перед людьми, меня поддержавшими, не хотел подвести тех, кто мне помогал, предоставляя трибуну съезда. Я знал правила игры и следовал им. Для яркой писательской биографии это, наверное, плохо, но есть еще и человеческие отношения, которые для меня важнее.

Однако события развивались стремительно. Вскоре немец Руст посадил на Красной площади свой самолетик, спокойно миновав все пояса противовоздушной обороны. Воспользовавшись этим неофициальным визитом, а может, и организовав его, Горбачев разогнал военную верхушку, недовольную генсеком и справедливо усматривавшую в его дилетантском миротворчестве угрозу безопасности страны. Армия была парализована. И Дементьев, даже не поставив никого в известность, кроме надзиравшего за свободной прессой Яковлева, запланировал повесть в очередной номер «Юности». Ему позвонили из недавно еще всесильной военной цензуры и предупредили: «Снимайте “Сто дней...”! Мы все равно не пропустим!» — «Вы бы лучше Руста не пропустили!» — ответил Дементьев. И я надолго стал врагом армии № 1. До сих пор многие офицеры, заслышав мое имя, начинают играть желваками, хотя потом, выпив и разговорившись, обязательно сообщают, что все, мной описанное, еще цветочки, а мне следует знать и про ягодки, которые полными горстями они трескали в своей командирской жизни...

Был и такой случай. Газета «Мир новостей» проводила какое-то мероприятие, и я оказался рядом с маршалом Дмитрием Язовым, бывшим министром обороны. Мы разговорились о фронтовой поэзии, и он очень порадовался, что есть, оказывается, в молодом поколении люди, разделяющие его любовь к ней. Мы наперебой читали друг другу наизусть — Майорова, Гудзенко, Луконина...

Когда на смерть идут — поют,
А перед этим можно плакать...

Начался фуршет, мы с бывшим министром не раз и не два чокнулись, продолжая наперебой цитировать любимых «стихотворцев обоймы военной».

Был бой коротким. А потом
Глушили водку ледяную.
И выковыривал ножом
Из-под ногтей я кровь чужую...

Язов подозвал кого-то из газетчиков, видимо, желая уточнить мое имя, но, услышав, что это «тот самый Поляков», помертвел лицом, а потом процедил сквозь зубы: «Из-за таких, как вы, развалился великий Советский Союз!» Кровь, основательно напоенная алкоголем, бросилась мне в голову: «А по-моему, СССР погиб из-за вас!» — «Что-о!» — «Да, из-за вас! Я всего лишь рассказал правду о той армии, которой, кстати, командовали вы. Я выполнил свой профессиональный долг! А вы вот не выполнили!» — «Как так? Почему?» — грозно спросил он и отвел взгляд. «А потому что в августе 91-го вы должны были поднять армию, раздавить предателей и разрушителей страны. Арестовать и Горбачева, и Ельцина. Вы же фронтовик. Чего вы испугались? Тюрьмы? Вас все равно посадили. А так вы бы вошли в историю как спаситель СССР! Или хотя бы как маршал, пытавшийся спасти великую державу!» — «Пролилась бы кровь...» — глухо возразил Язов. «Она все равно пролилась в 93-м...» — «А вы бы смогли дать приказ стрелять на поражение?» — спросил он. «Ради сохранения страны? Без колебания!» — ответил я с решимостью человека, привыкшего смело работать со словом. Язов глянул на меня с тоскливым недоверием и уехал. Видимо, я неосторожно коснулся незаживающей раны его сердца. Наверное, не первый год бессонными старческими ночами он перебирает в памяти события того гибельного лета и мучается выбором, который мог изменить ход истории. Но не изменил...

О том, что было бы, если бы военные не дали либералам развалить страну, я попытался нагрезить в повести «Демгородок». И картина, доложу, вышла не радостная. Может быть, это и имел в виду старый маршал?

9. Мы с Александром Ивановичем

Кстати, тех, кого обидела моя повесть, я понимаю. Говорящих правду не любят. Лгущих презирают. Выбор невелик... Драма в том, что наша писательская честность была востребована ходом истории не для созидания, а для разрушения — армии в том числе. Почему? И могло ли быть иначе? Не знаю... Увы, снежная лавина иной раз сходит из-за неосторожно громкого слова альпиниста и от этого не перестает быть природным катаклизмом, в сущности, от человека не зависящим.

Но за мной как-то закрепилась репутация «антиармейского» писателя. Где-то году в девяностом мне вдруг позвонил председатель оборонного комитета тогдашнего Верховного Совета СССР и сказал, что есть мнение назначить меня главным редактором газеты «Красная звезда». Я насторожился: накануне мы выпивали в веселой компании, и мне подумалось, что вчерашние собутыльники, продолжая веселье, решили надо мной подшутить. Да и голос показался знакомым, напоминал писателя Сегеня — большого любителя телефонных розыгрышей.

— Это же генеральская должность, а я всего-навсего рядовой запаса... — попытался отшутиться я.

— О звании не беспокойтесь. Генерала не обещаем, но полковника гарантируем. Вы нам нужны, чтобы разогнать этих ретроградов. Мы знаем, как вы относитесь к армии...

— Откуда? — спросил я, понимая, что со мной говорят всерьез люди, облеченные реальной властью.

— Мы читали ваши «Сто дней...».

Мне стало не по себе. Наступала эпоха либерального необольшевизма. Я, конечно, отказался. Но судя по всему, и прочие назначения в ту пору проходили по тому же самому принципу. «Любишь деревню?» — «Ненавижу!» — «Будешь министром сельского хозяйства». Вспомните физиономии членов гайдаровского правительства, и причины нашего самопогрома начала 90-х станут понятны...

«Сто дней...» до сих пор вызывают в армии неоднозначную реакцию, хотя с момента написания прошло почти сорок лет. Повесть вошла в школьную и вузовскую программы. Но вот, кажется, в 2008 году я стал заместителем Никиты Михалкова, который возглавил Общественный совет при министре обороне С.Б. Иванове. Вскоре на этом посту его сменил Сердюков, странный, дорого одетый персонаж с застойным недовольством на лице. Он приезжал на заседания совета с неохотой, будто на осмотр к проктологу, садился и клал перед собой листок бумаги, на котором здоровенными буквами, как для условно зрячего, было напечатано: «Дорогие члены Общественного совета, разрешите начать наше очередное заседание...» и т. д. Далее министр, никогда не глядя никому в глаза, торопливо вручал памятные часы или благодарственный сувенир некоторым членам совета и, объявив, что его ждут в Кремле, убывал, поручив провести заседание Никите Сергеевичу.

Проводив начальство бархатным взором, Михалков улыбался в усы и с державной загадочностью вспоминал слова своей мамы, считавшей: ребенка нужно начинать воспитывать, пока он лежит поперек колыбели, а когда — вдоль, уже поздно. Выдержав суперкачаловскую паузу, чтобы публика могла осмыслить глубину сказанного, режиссер сообщал, что на съемочной площадке его заждались загримированные, вспотевшие под юпитерами актеры, и поручал дальнейшее ведение своему заместителю, то есть мне. И вот я оставался наедине с бывшими командующими округов и родов войск, воротилами ВПК, крупнейшими военными теоретиками, руководителями патриотических и материнских организаций. Все они готовились несколько месяцев, собирая и обобщая материалы, чтобы донести до министра тревогу о неладах в армии. А перед ними сидел литератор Поляков, в прошлом заряжающий с грунта, а ныне рядовой запаса...

Из Общественного совета меня выставили так же неожиданно, как и позвали туда. Как-то на вопрос телекорреспондента о военной реформе я со всей эфирной прямотой ответил, что лично мне смысл нововведений непонятен. Но это еще полбеды. Главная беда в том, что цель пертурбаций в войсках, кажется, неведома и министру обороны. Во всяком случае, ничего членораздельного по этому поводу он нигде не произнес. Через неделю я включил телевизор и выяснил: наш совет провел выездное заседание на Дальнем Востоке. Чтобы узнать, почему про меня забыли, я связался с министерским полковником, который в течение нескольких лет звонил мне и голосом, сладким, словно воздух в кондитерской, заранее предупреждал о готовящихся мероприятиях. На этот раз он был холоден, как кондиционер: «Вы больше не член нашего совета...» — «Не член так не член...» Впрочем, недавно меня снова призвали в Общественный совет при Министерстве обороны, и я с удовольствием туда вернулся, чтобы послужить боевой мощи Отечества. Говорю это без иронии. Не знаю, как другие, а я ратные заботы страны ощущаю как собственные. Наверное, работают гены рязанских пахарей, которые одновременно были и пограничниками, готовыми взять оружие при набегах кочующих супостатов.

Правда, одно хорошее дело еще при министре Иванове нам в совете совершить удалось. На заседании, когда говорили о воспитании и просвещении личного состава, я вспомнил о том, какая замечательная библиотека была в полку, где я служил. А теперь? Донцову, что ли, ребятам читать? Или Улицкую — тогда они все после дембеля эмигрируют. И мы приняли мудрое решение — составить список под условным названием «Сто книг для гарнизонной библиотеки», напечатать тираж и разослать в части. И вот через пару месяцев мы снова собрались, чтобы утвердить список. Как автор идеи, я с особым трепетом начал просматривать странички, обнаружил там роман «Ночевала тучка золотая...» Приставкина, незабвенный «Кортик» Рыбакова. Минуточку, а где же мои «Сто дней до приказа»? «Ну, вы Юрий Михайлович, спросили! — улыбнулся генерал, тогдашний начальник управления. — К вашей повести в армии до сих пор отношение оч-чень неоднозначное...» — «Но ведь столько лет прошло!» В ответ генерал пожал погонами с двумя большими звездами. Увы, борясь с неуставными отношениями, я невольно задел корпоративную честь офицерства. А такое помнится десятилетиями, если не веками...

Кстати, в подобной ситуации оказывался не один я. Моему любимому писателю Александру Ивановичу Куприну армейские тоже долго не прощали «Поединок». Недавно я разговаривал с одним просвещенным офицером, и он едко заметил: «Если царская армия состояла исключительно из уродов, описанных Куприным и Замятиным, то кто же тогда совершал подвиги в германскую войну, кто участвовал в Брусиловском прорыве?» Возразить мне было нечего. Кстати, сам Куприн, став фронтовым корреспондентом, поразился, встретив в окопах людей мужественных и красивых, вовсе не похожих на героев его знаменитой повести. В чем тут дело? Война оздоровляет армию? Или у писателя, переживающего естественный в годы войны патриотический подъем, меняется, как принято теперь говорить, оптика? Думаю, происходит и то, и другое. Кстати, к моменту выхода «Ста дней...» Александр Кормашов пробился в печать, получил некоторую известность, и я с неохотой дал герою повести новую фамилию — Купряшин. Так звали лучшего горниста пионерского лагеря «Дружба», где я провел летние месяцы своего детства.

Несмотря на то что гласность уже сняла запрет с многих табуированных тем, появление в «Юности» повести о «дедовщине» было подобно взрыву. Но моя вещь сняла не только запрет на правду о реальной армии, но и какой-то предохранитель, необходимый обществу, если речь идет об обороноспособности страны. Понял я это довольно скоро. Меня пригласили на первое советское ток-шоу, которое вел Владимир Познер, сиявший всеми оттенками лощеного космополитизма. В какой-то момент он элегантно повернулся ко мне и возвестил: «А вот сейчас автор нашумевшей повести «Сто дней до приказа» объяснит, почему нам теперь не нужна армия!» — «Как это не нужна? — удивился я. — Очень даже нужна!» Познер как-то странно хохотнул и передал слово майору-расстриге, который тут же стал каяться за Афганистан. Когда передача закончилась, мы покидали «Останкино» вместе с писателем-фронтовиком Вячеславом Кондратьевым, тоже принимавшим участие в шоу. «Вот вы, значит, как?!» — спросил он, недоверчиво глядя на меня. «А как же иначе?» — резко ответил я, имея в виду его довольно вялое, исполненное мутного пацифизма выступление. «Возможно, вы правы... — вздохнул он. — Но тогда опять война!» — «Не хотелось бы...» — согласился я. В 1993-м, глядя на дымящийся Белый дом, Кондратьев застрелился. Еще ранее, в 1991-м, не перенеся развала страны, покончила с собой знаменитая поэтесса Юлия Друнина:

Я только раз видала рукопашный.
Раз наяву и тысячу во сне.
Кто говорит, что на войне не страшно,
Тот ничего не знает о войне...

10. Хорошее дело экранизацией не назовут

А вот с экранизацией повести «Сто дней до приказа» вышел конфуз. На Киностудии им. М. Горького в то время подвизался «молодой гений» Хусейн Эркенов. Он вызвался снимать картину, мотивируя свое желание тем, что у него в мирное время погиб на срочной службе родственник. Сам Эркенов никогда не служил, зато точно знал, как разоблачить армейские порядки. Когда мне показали черновой монтаж, я был ошеломлен: то, что я увидел, никакого отношения к моей повести не имело. Совпадали лишь название, фамилии героев и место действия — современная армия. Постановщики часто отходят от первоисточника, но Эркенов совершенно потерял из виду мою повесть. Например, робкая симпатия героя, рядового Купряшина, к библиотекарше, несчастной в браке со старшим лейтенантом Уваровым, в фильме трансформировалась в долгое плавание в бассейне и крупные планы гениталий радикально обнаженной актрисы Кондулайнен, ставшей после этого признанной секс-бомбой советского и постсоветского кино.

— Ты понял, кто она? — таинственно спросил меня Хусейн, кивая на мятущиеся в хлорированной воде груди Елены.

(Мы сидели в просмотровом зале.)

— Нет.

— Она — смерть!

— Неужели?

— А с бассейном тебе все понятно?

— Не все...

— Плитка на дне выложена крестом. Понял?

— Не совсем...

(Далее шла такая сцена: в ярко освещенном дверном проеме появляется актер Заманский и молча смотрит с экрана своими знаменитыми голубыми глазами.)

— Ты понял, кто это? — тихо спросил Хусейн.

— Не понял...

— Георгий Победоносец, — был ответ.

Непонятные символы и болезненные аллюзии мне категорически не понравились, я без обиняков сообщил об этом руководству киностудии. Директором был тогда Александр Рыбин, в прошлом оператор, а главным редактором — мой коллега-писатель Владимир Портнов, по совместительству еще и секретарь парткома. Я объявил, что не допущу выхода фильма на экраны, поскольку отснятый материал никакого отношения к повести не имеет. Нынче автору надо долго судиться, доказывая, что его замысел подвергся намеренному искажению режиссера. В советские времена достаточно было написать заявление, и, если художественный совет находил претензии автора справедливыми, картину клали на полку, а то и просто смывали: серебро, необходимое для производства пленки, было в дефиците. Так, сверхтребовательный к себе и другим Владимир Богомолов отправил на полку сериал, снятый по его замечательному роману «Момент истины» на прибалтийской киностудии. Ему не понравилось, как авторы без особой любви изобразили смершевцев, видимо, пытаясь подспудно высказать свое отношение к советским офицерам как к «оккупантам». Богомолов, сам служивший в СМЕРШе, это почувствовал и наложил вето. Да, некоторые фильмы не выпускались в прокат из-за обнаруженной бдительным начальством антисоветчины, но таких было немного, в основном на полку попадали ленты, наглядно свидетельствовавшие о режиссерской неудаче.

Руководство студии запаниковало. Я, уже известный писатель, кандидат в члены ЦК ВЛКСМ, секретарь Союза писателей, собирался писать заявление с требованием «закрыть фильм», а между тем на него израсходованы немалые деньги. Есть даже перерасход, ибо «молодой гений» фонтанировал идеями. К тому же я сам изначально предлагал другого режиссера, но студия настояла на своем кандидате, убеждая, что Эркенов — будущая мировая звезда вроде Пазолини или Антониони и я стану потом гордиться, что в фильмографии титана нового кинематографа будет значиться экранизация моей повести. Рыбин и Портнов принялись убеждать меня, но я стоял на своем: если молодой режиссер хочет самоутверждаться и самовыражаться, почему он это делает за счет писателя и широко известной повести? Пускай снимает кино по собственному оригинальному сценарию. Ответ на риторический вопрос был очевиден: по заявке никому не известного режиссера ни позиции в плане киностудии, ни денег никто бы не выделил. Наконец Портнов отозвал меня в сторонку и зашептал: «Юра, если ты это сделаешь, меня просто снимут с работы. А у меня большая семья!» Это был аргумент. И я пожалел собрата по перу.

...Через несколько лет, когда «Сто дней до приказа» показывали в уже объединенной Германии, после демонстрации фильма кто-то спросил: «Мы правильно поняли, это фильм о гомосексуализме в Советской армии?» Действительно, там был эпизод, где боец оказывается в одной постели с голым мальчиком. «Ты понял, кто этот мальчик?» — шепотом спросил Хусейн. «Ну и кто?» — «Ангел!» — «Ах, вот оно в чем дело...» И я снова, в который раз, пожалел о том, что заявление тогда так и не написал...

11. Не расстанусь с комсомолом

Но я забежал вперед. А тогда, в начале 1980-х, поняв, что «Сто дней до приказа» еще долго будут лежать в моем столе или бродить по инстанциям, я сел за новую повесть — «ЧП районного масштаба». О комсомоле. А точнее — о власти, ведь ВЛКСМ, называясь общественной организацией, на самом деле был важным звеном государственной структуры — министерством по делам молодежи, кузницей кадров.

При этом комсомол болел всеми недугами советской власти, именно в нем происходило становление нового типа чиновника, способного ради карьеры на все. Даже на государственную измену. Там же формировались будущие предприниматели, готовые ради прибыли перешагнуть через закон, друзей, мораль. Ходорковский работал в том же Бауманском РК ВЛКСМ, что и я, но несколькими годами позже. Кстати, многие политики, ныне определяющие нашу жизнь, вышли из ВЛКСМ, просто немногие об этом любят вспоминать. Немало «комсомолят» и в политической обслуге. Когда я баллотировался в Московскую городскую думу, а потом в Государственную (оба раза, к счастью, неудачно), среди политтехнологов и пиарщиков встречались сплошь мои комсомольские знакомцы, начиная с легендарного Кошмарова, носящего теперь какую-то княжескую фамилию.

Впрочем, все было гораздо сложней и противоречивей. Одновременно именно в комсомоле сохранились отблески героической эпохи становления советской цивилизации, остаточная энергия того мощного пассионарного взрыва, который после революции бросил миллионы молодых людей на строительство нового мира, а потом и на его защиту. Заметьте: над Павкой Корчагиным стали смеяться гораздо позже, чем над Ильичем или Чапаевым. Но стали же! На каком-то капустнике актер Ясулович изобразил глумливую пантомиму: Корчагин сам себя закапывает в землю, сохраняя на лице улыбку идиотического оптимиста. Я заметил миму: Корчагин строил узкоколейку, чтобы привезти дрова в замерзающий город, и смеяться вроде как не над чем. Он посмотрел на меня с недоумением энтомолога, встретившего говорящего кузнечика, и пискнул что-то про кошмары совдепии. Моя воля, я бы вообще под страхом порки запретил актерам открывать рот в общественных местах. Шутка, конечно...

Между тем журнал «В мире книг», печатая интервью со мной, самочинно — к моему искреннему огорчению — поставил заголовок «Нужен новый Корчагин!». Ко мне подходили знакомые литераторы и, посмеиваясь, спрашивали:

— Юр, тебе и в самом деле нужен новый Корчагин? На фига?

Я отшучивался. Я еще не умел внятно объяснить им, что, открещиваясь от героя, способного ради идеи на подвиг, мы лишаем искусство слова важнейшего его свойства и назначения. Ведь подвиг, начиная с Гильгамеша или Гектора, всегда был главной темой литературы. Восхищение и омерзение — вот два полюса, рождающих энергию искусства.

Но вернемся к комсомолу. Неправда, что с помощью комсомола советская власть приспосабливала к себе молодежь. Точнее, это не вся правда. С помощью комсомола молодежь приспосабливала к себе советскую власть. Кроме того, ВЛКСМ в ту пору предлагал реальную возможность, как выражаются специалисты, канализации молодежной энергии. Конечно, в русле существовавшей социально-политической модели. А какой же еще? Впрочем, уже тогда немало юных людей вливались в ряды так называемых неформалов. Нерасторопная советская власть запаздывала с реакцией на стремительно менявшуюся жизнь. Кто ж знал, что буквально через десять лет немногие сохранившие верность полуподпольному комсомолу сами станут неформалами?

Почему контраст между мечтой и реальностью именно в комсомоле воспринимался наиболее остро? Думаю, из-за того, что эта организация работала с самой доверчивой и в то же время самой обидчивой и требовательной частью населения, не прощавшей обмана. С молодежью. Сейчас совершенно надуманным может показаться и сам конфликт в повести «ЧП районного масштаба». Злоумышленник Семенов, разгромивший райком и укравший знамя, оказывается, обиделся, что его за год до того по глупому формальному поводу не приняли в комсомол. Подумаешь, делов куча! — хмыкнет нынешний юноша. Что, там, в комсомоле, выпивка бесплатная? Но проблема совсем в другом: Семенов обиделся на то, что от него отмахнулись, как от мухи, даже не попытавшись разобраться, отчего он замялся с ответом на вопрос, почему решил вступить в комсомол... А ведь вопрос-то на самом деле непростой. В те годы ВЛКСМ уже многим казался молодежной секцией бюро ритуально-идеологических услуг.

Я и сам из-за похожей обиды чуть не ушел из института. Дело было так.

В начале осени 1974-го на факультете состоялось отчетно-выборное комсомольское собрание. Вдруг встал студент по фамилии Немцов и заявил: «Вот вы здесь все за Полякова, мол, хороший и замечательный. А я его знаю с другой стороны. Я с ним ездил в Чехословакию, и там он проявил себя как отъявленный антисоветчик!» Сказать, что все удивились, — ничего не сказать. Просто оторопели. И я сам, и те, кто был вместе со мной в той злосчастной поездке, буквально утратили дар речи. Пыталась что-то возразить моя однокурсница Светлана Бабакина, но растерялась из-за бессмысленности обвинения и расплакалась. После такого заявления мою кандидатуру в новый состав комитета ВЛКСМ факультета на всякий случай с голосования сняли. Для меня это было нравственным потрясением. Нет, не потому, что я уж так хотел стать членом выборного органа. В сущности, это ничего не давало, кроме обязанностей и упреков: «А еще член комитета!» Я впервые в жизни столкнулся с огульной клеветой, к тому же достигшей цели.

Назавтра меня вызвали к секретарю партбюро факультета Майе Федоровне Тузовой. Там уже сидел ставший знаменитым Немцов. Я с порога заявил: после случившегося намерен забрать документы из института. К такому решению я пришел после бессонной ночи. Больше всего оскорбило даже не облыжное обвинение, а то, что никто из друзей толком за меня не заступился. Но Тузова меня остановила:

— Остынь. Давай разберемся, — и, обращаясь к Немцову, спросила: — Что ты имел в виду, когда сказал, что Поляков — антисоветчик?

— Ну как что? Он говорил, что ихний театр лучше нашей «Таганки»!

— А еще что?

— А больше ничего.

— Ты вообще нормальный?

— Да вроде...

— Непохоже.

Опытная Майя Федоровна стала разбираться, всплыла история с пьяной дракой в поезде по пути из Праги в Москву, и стало ясно: опасаясь, что я на них «стукну», драчуны сработали на опережение. Кстати, этот прием не так уж редко использовался в нашей недавней истории: например, комиссия по реабилитации жертв репрессий 1930-х годов, вызывая на беседу авторов «сигналов», погубивших невинных людей, получала стандартное объяснение: донес, чтобы опередить донос. Как это ни удивительно, если в те времена доносчиков уличали в клевете, они получали серьезные сроки, сами становясь жертвами ГУЛАГа. И их тоже потом реабилитировали как невиновных.

В общем, Тузова срочно собрала партбюро, Немцова заслушали, отругали и велели оповестить всех о своей неправоте. Картина была уморительная. Комсомольская активистка, худенькая, как спица, Валя Паршина водила здоровенного Немцова по аудиториям, где он голосом вагонного инвалида, к тому же по обыкновению заикаясь (странное качество для будущего учителя), дудел: «Поляков, которого я назвал антисоветчиком, на самом деле не антисоветчик, а просто он мне не нравится как человек». Тем все и кончилось. Немцов после окончания института стал почему-то не педагогом, а инспектором ОБХСС. Много лет спустя я встретил одного из участников той злополучной поездки в Прагу. Мы выпили, вспомнили молодость и ту давнюю историю. Он хитро посмотрел на меня и сказал: «Пил бы в коллективе — ничего бы с тобой не случилось!» Как ни странно, пустяковое, по сути, происшествие оставило на моем сердце памятный рубец, который побаливает до сих пор.

В юности всякую несправедливость воспринимаешь очень остро. А на фоне остаточной романтики и провозглашенного бескорыстия еще заметнее несовершенство реальной жизни. Обиду моего Семенова понять можно, ведь черствость и моральный упадок начинающих аппаратных чиновников тогда еще были в диковину. Сейчас это, увы, почти норма. Привыкли.

Я неслучайно так подробно останавливаюсь на этой «ушедшей исторической натуре». Понять причину краха великого социалистического проекта можно только изнутри, помня, как это было на самом деле. Ведь за гибнущую советскую власть не стали заступаться не только рабочие и крестьяне, потерявшие вместе с ней свои социальные завоевания, но даже сама партноменклатура. Впрочем, царей и свергают обычно царедворцы, а не пугачевцы. В свое время я назвал перестройку «мятежом партноменклатуры против партмаксимума». Так оно и было.

12. «Подснежник»

Вернувшись из армии посреди учебного года, я оказался без работы. В аспирантуру меня не взяли, несмотря на рекомендации ученого совета. Проректор Лекант клятвенно обещал, что после службы я стану аспирантом. И наверное, он сдержал бы слово, но позвонили сверху и попросили пристроить на кафедру чью-то дочку. Кстати, кастовость, с которой Сталин боролся с помощью репрессий, стала в позднем СССР настоящей болезнью. Тысячи отпрысков заслуженных советских родов сидели на хороших должностях, почти ничего не делая, мечтая о горном отпуске и рассуждая о сравнительных достоинствах авторучек «Паркер» и «Монблан». Пробиться сквозь эту вязкую поросль молодому человеку из незаслуженной семьи было непросто. Комсомольская карьера являлась одним из способов преодолеть сословный барьер, чем-то вроде личного дворянства при царе-батюшке.

Кто-то пользовался другим, старым как мир способом — прицельно женился. Но, во-первых, не все способны подчинить половой инстинкт честолюбию, да и результат часто оказывался противоположным. Историю Петра Кошеля я уже рассказал. Но мало кто знает, что актер и режиссер Иван Дыховичный в смазливой молодости был женат на дочке члена Политбюро. Лет десять назад мы с ним сошлись в каком-то телевизионном ток-шоу. Разные мнения мне доводилось слышать о советской власти, но такой брызжущей ненависти прежде встречать не приходилось.

Выслушав оппонента, я сказал примерно следующее: «Вам, Иван, конечно, виднее, ведь вы наблюдали заоблачную жизнь членов Политбюро изнутри, а я, так сказать, из рабоче-крестьянской низины...» После передачи он набросился на меня с упреками, мол, это неинтеллигентно — выдавать в эфире чужие семейные тайны. «Неприлично ругать тех, кто когда-то вас принял в свою среду, в семью и, видимо, неплохо окормлял. Если вы этого не понимаете, то и говорить нам не о чем...» Кстати, от актера Михаила Державина, в прошлом зятя Буденного, я ни разу не слыхал ни одного дурного слова о командарме Первой конной. Почувствуйте разницу...

Но продолжим мою историю. Вернувшись из армии в разгар учебного года, я обнаружил, что мое место в школе рабочей молодежи занято. Совершенно случайно мне встретилась на улице давняя знакомая Галина Никонорова, знавшая меня еще активистом школьного комсомола. Теперь она работала третьим секретарем Бауманского РК ВЛКСМ и предложила:

— А иди ты к нам «подснежником»!

— Кем? — удивился я.

— «Подснежником»...

Штат райкома был строго ограничен, утверждался в вышестоящей организации, но всякая бюрократическая структура, как известно, стремится к саморасширению: кадров всегда не хватает. Как быть? Ловкие «комсомолята» нашли выход: стали оформлять нужного работника в дружественной организации на свободную ставку, хотя трудился он в райкоме. Я, к примеру, числился младшим редактором журнала «Наша жизнь» Всероссийского общества слепых. Недавно, оформляя пенсию, я так и не смог разыскать архив этого журнала, чтобы получить подтверждение о работе в нем. В результате этот год в мой трудовой стаж не включили.

В райкоме меня «бросили» на учительские комсомольские организации, и, таким образом, я занимался почти своим — учительским делом. Впечатление от аппаратной жизни было странное. С одной стороны, деловой энтузиазм и множество хороших дел не только для галочки, но и для души. Сегодня Гребенщиков или Макаревич будут лепить вам о своей неравной борьбе с «империей зла», а тогда они доили комсомольскую волчицу с таким азартом, что у той сосцы отваливались. Я состоял членом совета творческой молодежи при ЦК ВЛКСМ и наблюдал, как паразитировали на богатом комсомоле многие нынешние «жертвы застоя».

Недавно мне пришлось участвовать вместе с Макаревичем в одной эфирной дискуссии. Он, конечно, начал клеймить «Красный Египет»: мол, «Машину времени» травили, вынуждали выступать на унизительных площадках — в подмосковных клубах... «А что, — уточнил я, — разве сегодня начинающим музыкантам сразу дают Кремлевский дворец съездов?» — «Н-нет, — удивился такой постановке вопроса он. — Не дают. Но нас не пускали на телевидение!» — «Неужели? Я своими глазами в начале 80-х видел по телевизору художественный фильм «Душа», где вы играли главную роль и пели!» — «Да... Х-м...» — смутилась жертва советской власти и посмотрела на меня с недоумением, вероятно, изумляясь моей памяти. Большинство «жертв застоя» уверены, что их компатриоты страдают прогрессирующим склерозом и совсем не помнят недавнее прошлое.

Но было в комсомольской жизни и другое: ежедневная изнуряющая аппаратная борьба, интриги, а главной ценностью считалось преодоление следующей ступени на карьерной лестнице. Но в газетах об этом не писали, да и литература такие сюжеты обходила стороной. Только Виль Липатов опубликовал и экранизировал повесть «И это все о нем» — романтическую сказку о комсомольском вожаке (его сыграл молодой И. Костолевский), пытающемся возродить былой бескорыстный энтузиазм. Кстати, герой Липатова погиб вовсе не случайно. Думаю, автор просто не знал, что с ним делать в предлагаемых временем обстоятельствах.

Сейчас, много лет спустя, перечитывая «ЧП районного масштаба», я испытываю странные чувства. В повести изначально, на языковом уровне заложено противоречие между высокой романтикой комсомольского мифа и ехидной сатирой на реальность в ее аппаратной ипостаси. Противоречие базовое, в сущности, стоившее жизни советской цивилизации. Это ехидство, кстати, заметили и дружно осудили почти все рецензенты. Мой иронизм больше всего раздражал облеченных властью читателей и в «Ста днях...», и в «ЧП...». Почему? Ведь им явно нравились сатиры, например, Григория Горина или философические хохмы Михаила Жванецкого. Думаю, в отличие от названных авторов, мастеров общечеловеческого юмора с легким оттенком небрежения к основному населению страны проживания, мои сарказмы сочетались с социальным анализом и искренним беспокойством о будущем Отечества. Это была, так сказать, патриотическая сатира. А ее побаиваются издавна. Ни цари, ни генсеки так и не смогли приручить русский патриотизм, обращаясь к нему за помощью, лишь когда враг стоял у ворот...

Год я проработал в райкоме, а перейдя в писательскую многотиражку «Московский литератор», сел за повесть. Неудача со «Ста днями...» ничему меня не научила. С упорством самоеда я снова принялся петь о том, что видел вокруг. Кстати, как комсомольский секретарь Московской писательской организации я стал членом бюро Краснопресненского райкома комсомола. Первым секретарем там работал в ту пору будущий главный редактор знаменитой газеты «Московский комсомолец» Павел Гусев, увлеченный литературой: он заочно окончил Литературный институт и написал диплом по дневникам Михаила Пришвина. Страстный охотник, Гусев много лет спустя посвящал меня в тонкости африканского сафари, когда я писал пьесу «Халам-бунду». Во многом Шумилин — это Павел Гусев с его личными и аппаратными проблемами, но немало я взял и от первого секретаря Бауманского райкома Валерия Бударина. Между прочим, именно Павел Гусев подсказал мне сюжет с погромом в райкоме. Такое ЧП действительно произошло в те годы в одном из районов Москвы. В позднейшей экранизации Снежкин усилил мотив украденного знамени, что выглядело весьма символично. Кто-то из критиков восхищался: «Искать знамя, когда потерян смысл жизни, — вот главный идиотизм случившегося!» Тогда я был с ним согласен. Теперь же мне кажется, что смысл жизни — по крайней мере в его социально-нравственном аспекте — и начинается именно с поиска знамени...

Заканчивал я повесть в Переделкине, в Доме творчества, в те годы многолюдном. Можно было оказаться за одним обеденным столом с немногословным Айтматовым или брызжущим остротами поэтом-песенником Доризо. Каждую ночь в номер стучался алтаец Борис Укачин и жалобно спрашивал: нет ли чего выпить? Коллеги много спорили, но больше всего говорили о том, как мучительно трудно писать. Я их тогда не понимал: моя повесть летела вперед, точно экспресс с отказавшими тормозами. Называлась она «Райком» — в лучших традициях Артура Хейли, которым тогда зачитывалась советская интеллигенция. Поставив точку, я позвонил Павлу Гусеву. Он тут же приехал, и я всю ночь читал ему неостывшие главы.

— Здорово! — сказал он под утро. — Просто гениально! Точно не напечатают.

Став в 1983 году главным редактором «Московского комсомольца», он напечатал главу про собрание на майонезном заводе, за что и получил свой первый строгий выговор от старших товарищей.

13. Муки согласования-2

Далее с рукописью начало происходить то же самое, что и со «Ста днями...»: меня вызывали в высокие кабинеты, сердечно со мной беседовали, рассказывали смешные и опасные случаи из собственной комсомольской практики, но в конце констатировали: публикация повести нанесет ущерб основам.

— Ты прямо каким-то колебателем основ заделался! — с предостерегающим смешком упрекнул меня один комсомольский начальник.

— Но ведь это же есть в жизни!

— А зачем всю грязь из жизни тащить в литературу? Понимаешь, мы же ее, грязь, таким образом легализуем!.. Вот у тебя в повести первый секретарь завел любовницу. Да и пьет он многовато. Разве так можно?

Я пожимал плечами, ибо доподлинно знал, что совсем недавно мой высокий собеседник сам чуть не вылетел из кресла из-за шумного адюльтерного скандала. А вскоре после нашей беседы его все-таки сняли с должности в связи с международным скандалом. Будучи в ГДР во главе молодежной делегации, он перебрал пива со шнапсом, и когда в зале появился долгожданный Хонеккер, ринулся к нему в интернациональном восторге, снес лбом стеклянную перегородку и, обливаясь кровью, упал к ногам лидера Восточной Германии.

Тогда эти возражения казались мне жуткой ретроградской чушью. Теперь, понаблюдав результаты сотрясания основ, я пришел к мысли, что и мои собеседники были по-своему правы. Литература имеет множество функций и мотиваций; одна из них, кстати, немаловажная, — заранее оповещать общество о неблагополучии, еще не ставшем бедствием. Это ее долг. Долг власти улавливать эти сигналы и менять что-то в политике, экономике, социальной мифологии и т. д. Власть, реагирующая на любую критику как на клевету, обречена: она утратила энергию внутреннего развития и скоро рухнет, но не от колебания основ, а от своей исчерпанности. Но еще скорее упадет режим, даже не пытающийся бороться с клеветой и напраслиной, мол, мели, Емеля, — твоя неделя...

Прочитав главу в «Московском комсомольце», мне позвонил Андрей Дементьев и попросил принести рукопись в «Юность». Два года она лежала в редакции набранной, ее ставили и снимали, ставили и снимали. Я приходил, просовывал голову в кабинет, Дементьев одаривал меня виноватой улыбкой и разводил руками:

— Боремся!

Не знаю, сколько еще времени заняла бы эта борьба, но тут вышло постановление ЦК КПСС о совершенствовании партийного руководства комсомолом. О проблемах младших соратников по борьбе за бесклассовое общество партия, старавшаяся быть направляющей силой, конечно, знала. Я бы даже сказал: знала она о неблагополучии прежде всего в собственных рядах, но, по сложившимся правилам, искала недостатки у других. Партия ведь не ошибалась, она только исправляла допущенные ошибки. Полагаю, это особенность любой власти: авторы «шоковых реформ», горячо обличающие жестокость Сталина, сами до сих пор не извинились за содеянное. Исключение — Чубайс. Он все-таки попросил прощения за несусветный гонорар, полученный за какую-то брошюрку.

По давней традиции, приняв постановление, стали интересоваться, а нет ли у чутких советских писателей чего-нибудь, так сказать, художественно иллюстрирующего озабоченность партии делами комсомола. Спросили у первого секретаря СП СССР Георгия Маркова. Он ответил, что, кроме «ЧП...», мертво лежащего в редакционном портфеле «Юности», наша соцреалистическая литература ничего такого не породила. Связались с Дементьевым, мол, а что там у вас с повестью Полякова?

— Так вы же сами запретили... — удивился он.

— Выбирайте выражения! Мы вам не рекомендовали. А ну-ка пришлите повесть нам! Мы еще разок посмотрим...

Через некоторое время перезвонили.

— Хорошая вещь. С перехлестами, но по сути правильная. Зря вы ее маринуете.

— Но ведь вы же сами...

— Да, сами... Вот и спорили бы с нами. Вы же коммунист! Надо было брать ответственность на себя!

— Значит, можно?

— Попробуйте. Только вот название.... «Райком». Слишком обобщенно. Ну, не в каждом же райкоме знамена крадут...

Несколько дней я промучился, выдумывая новое название. В голову лезла и казалась очень удачной разная чепуха вроде «Иного не дано» или «Время — решать», но поскольку меня просили предложить три варианта, я добавил на отсев, до кучи — «ЧП районного масштаба». Выбрали именно его. Более того, именно это название, как идиома, прочно вошло в русский язык. Я пишу эти строки в Светлогорске. Накануне, прогуливаясь по балтийской набережной, увидел в киоске «Калининградскую правду» с огненной «шапкой»: «ЧП районного масштаба. На Куршской косе сгорело 15 гектаров леса!» Вот вам и до кучи...

Еще жив был Черненко, с мучительной одышкой поднимавшийся на трибуну, еще никому в голову не приходило бросать клич о перестройке, а тут вдруг вышла повесть. Кстати, сегодня даже в учебниках литературы допускают ошибку, относя «ЧП...» к перестроечной литературе. Нет, в январе 85-го, когда первый номер журнала поступил к подписчикам, о «новом мышлении» не помышлял и Горбачев. Бурный отклик в обществе, дискуссия в комсомоле, восторг забугорных радиоголосов — все это, конечно, насторожило власть. Меня, как я сказал выше, крепко критиковали и в печати, поругивали и во время многочисленных встреч с активистами.

Был и такой забавный случай. В конце 1990-х писательница Марина Юденич, с которой мне прежде встречаться не доводилось, вдруг позвонила и как давнего знакомца позвала на презентацию своего нового романа. Недоумевая, я пошел. Марина, похожая на литературную львицу Серебряного века наподобие Зинаиды Гиппиус, сидела в глубоком кресле. Вся в черном, она «рукою, полною перстней», держала на отлете серебряный мундштук с длинной дымящейся сигаретой. Гости стояли в очереди, чтобы подойти и выразить свой восторг по поводу ее новой книги. Писательница в ту пору работала в администрации президента Ельцина. Она принимала похвалы с тонкой усталой полуулыбкой. Дошло до меня. Я книгу не читал, но высказал удовлетворение от знакомства и пробормотал что-то отвлеченно поощрительное.

— А ведь мы с вами, Юра, знакомы...

— Неужели?

— Да, представьте, мы встречались в той, прежней жизни. Неужели не помните?

— Нет, простите...

— Я вам напомню. 1985 год. Обсуждение вашего «ЧП...» в горкоме комсомола. Сообразили?

— Нет.

— А кто ругал вас сильнее всех? Ну!

И тут перед моим мысленным взором возникла трибуна, а на ней молодая комсомольская активистка в люрексовом костюме и чуть ли не в красной косынке по моде 1920-х. Рубя рукой воздух, она обвиняла меня в поклепе на советскую молодежь.

— Вспомнили? — догадавшись по моему лицу, усмехнулась она. — Это была я, секретарь Железнодорожного райкома Марина Некрасова...

— А теперь вы, стало быть, Юденич?

— Да, Николай Николаевич — мой родственник... Решила взять родовую фамилию.

«М-да, — подумал я. — При советской власти Некрасова, при антисоветской — Юденич. Удачно...»

Теперь Марина больше занимается помощью людям, попавшим в беду. Я по ее просьбе даже обращался на одной из встреч к президенту Путину, чтобы разобрались, наконец, в судьбе молодого офицера, героя чеченской войны, обвиненного в убийстве и получившего огромный срок. Проверка на полиграфе, между прочим, подтвердила его невиновность, а он как сидел, так и сидит.

...Меня массированно критиковали год, а осенью 1986-го дали за «ЧП...» премию Ленинского комсомола и ввели во все мыслимые и немыслимые выборные органы. Я стал даже членом президиума Фонда культуры, который возглавляла Раиса Горбачева, а вокруг нее интеллигентно извивался академик Лихачев. Как раз в октябре я затворился в Доме творчества в Гульрипши, но меня с радостной вестью нашли там ребята из Сухумского горкома, повезли в ресторан, а едва выпив, стали жаловаться на нестерпимые утеснения со стороны Тбилиси. По окраинам советской империи начинались межнациональные «терки».

Набирала обороты перестройка. Страна менялась, люди смелели, власть хотела соответствовать этим переменам. В основном на словах... В Театре-студии Табакова с большим успехом шел спектакль «Кресло» — инсценировка «ЧП...». В 1988-м прогремела экранизация Снежкина, который на следующий день после премьеры тоже проснулся знаменитым, так как ленту запретили для широкого показа.

А в 1991 году комсомол исчез вместе с «советской Атлантидой». Как и не было. В новой литературе герой прямо из роддома, минуя гнусные совковые учреждения: ясли, детский сад, школу, октябрятство, пионерию, комсомол, сразу попадал в диссидентское подполье. Но я продолжал писать о комсомоле и в романах, и в статьях, и в эфирных выступлениях. А к 80-летию ВЛКСМ написал нашумевшую статью «Поставим памятник комсомолу!», опубликованную в еженедельнике «Собеседник». Сейчас, когда идет подготовка к 100-летию ВЛКСМ, я вошел в центральный оргкомитет. Юбилей этой огромной и некогда могучей организации нужно отметить с размахом, хотя бы не слабее, чем 50-летие «Бульдозерной выставки»...

Меня иногда упрекают чуткие друзья: «Ну что тебя заклинило на комсомоле! Это теперь, понимаешь, не комильфо... Забудь ты о нем!» Я понимаю. Но понимаю я и другое: когда схлынет нетерпимость эпохи разрушения, вдумчивые люди захотят всерьез разобраться в том, чем была для России советская эра. Без гнева и пристрастия. Захотят взвесить грехи и добродетели ушедшей цивилизации на весах истории. Возможно, мои мысли о комсомоле, мое «ЧП районного масштаба» пригодятся и им. Пусть даже не как литературное произведение, а хотя бы как документ времени. Ведь понять, почему именно суетливый инструктор райкома комсомола с ленинским профилем на лацкане стал первым миллиардером в постсоветской России, значит понять очень многое...

Не так давно в Московском доме книги я подписывал читателям новый роман «Любовь в эпоху перемен». И вдруг паренек лет восемнадцати кладет передо мной для автографа свежее переиздание «ЧП районного масштаба».

— Молодой человек, вы, вероятно, ошиблись, — говорю я. — Это давняя моя повесть, про комсомол... Вам будет неинтересно...

— Нет, я не ошибся. Мне как раз интересно понять, что такое был комсомол. Да и вообще, что это было за время...

14. Молоденький учитель

«ЧП...» шумело по стране. Я мотался по городам и весям, рассказывая взволнованным читателям о том, как мне пришло в голову разоблачить комсомол. Кое-кто, выражаясь по-нынешнему, продвинутый осторожно интересовался на встречах: «А что там с запрещенными “Ста днями...”?» Я мученически возводил очи горе и жаловался на портупейное тупоумие военных. Потом, после окончания разговора с читателями, организаторы мероприятия, принадлежавшие, так сказать, к местной головке, вели меня ужинать и там, расслабившись, тоже начинали жаловаться. На жизнь. Я объехал множество областей и довольных своей жизнью почти не видел. Нет, это была не злость голодных людей, это больше напоминало глухое раздражение посетителей заводской столовой, которым надоели комплексные обеды. Хотелось иного...

Один умный старый писатель, следивший за моими успехами, как-то остановил меня в ЦДЛ, взял за пуговицу и сказал:

— Юра, поверь мне, старому литературному сычу, чем раньше ты забудешь о своем первом успехе, тем больше вероятность второго, третьего, четвертого успеха...

Потом мне не раз случалось наблюдать, как многолетнее упоение первичной славой губило таланты, что называется, на корню. И я сел за повесть «Работа над ошибками». Будучи уже профессиональным литератором, я даже провел несколько уроков в школе, чтобы вернуться в подзабытое учительское состояние духа. Учительство сильно влияет на человека, через несколько лет ты вдруг, не замечая того, даже с продавцом в гастрономе начинаешь разговаривать так, словно, положив на весы не тот кусок колбасы, он злостно нарушил дисциплину в классе или не выполнил домашнее задание. Любопытно, что на эту строгую учительскую интонацию продавцы, обычно нетерпимые к любому недовольству покупателей, не обижаются. Они ведь тоже в школе учились.

Как и всякому начинающему прозаику, мне хотелось прежде всего рассказать о том, что я знал, как теперь принято выражаться, «по жизни». Возможно, закончи я технический вуз и поработай, скажем, в НИИ, — я бы и написал о НИИ. Но я был, пусть недолго, учителем и написал о школе — третьей важнейшей основе советской цивилизации. Так случилось. Впрочем, в писательской судьбе случайностей не бывает.

Образование — основа основ любой социальной системы. И базовый советский миф закладывался в головы юных граждан именно в школе. Впрочем, при любом строе, за исключением дурацкого, царившего у нас в 1990-е, учитель, в особенности преподаватель словесности или истории, волей-неволей становится бойцом идеологического фронта. И хорошо, если он сидит в наших окопах. В 1990-е даже иные высшие чины Минобра воевали порой на той стороне. Я в какой-то статье даже дал обобщающую кличку этому явлению — «асмоловщина», по фамилии одного из членов гайдаровской команды, тогдашнего заместителя министра образования Асмолова, который настаивал на том, что школа вообще не должна воспитывать, а только давать сумму знаний, необходимых для практической жизни. Воспитывать и формировать должна семья. Вероятно, по этой причине его собственный сын, пока папа рулил российским просвещением, служил в офицером в чужеземной армии, о чем радостно сообщало НТВ, принадлежавшее в те годы Гусинскому. Я, как вы понимаете, не имею ничего против свободного выбора места проживания. Но мне почему-то кажется, что российская школа должна помогать семье воспитывать мужчину, который потом будет служить в российской армии. Или я неправ?

Но тогда, в 1980-е, проблема заключалась в том, что в своем большинстве бойцы идеологического фронта давно уже сами не верили в советский миф. Фронт держали, но не верили. Уточню: на протяжении всех этих заметок я употребляю слово «миф» не в осудительном смысле, но обозначаю им совокупность идеальных представлений общества о себе. Миф всегда далек от реальности. Например, американцы всегда считали себя самой свободной страной, даже когда у них было махровое плантаторское рабство. Миф необходим человеку и обществу, но миф, которому перестали верить, а точнее — доверять, это уже предрассудок. Парадокс, а может, и закономерность увядания советского мифа, заключался в том, что люди начинали ненавидеть его совсем не за то, что он звал к братству, равенству и социальной справедливости (как это пытаются представить ныне), а как раз наоборот — за то, что братства, равенства и справедливости в жизни становилось все меньше. Именно потому разрушение советской цивилизации началось под лозунгом «Больше социализма!».

И громче всех требовал социальной справедливости именно тот, кто уже нацелился на куски общенародной собственности и, едва выпал шанс, отхватил без колебаний. «Демократ» первой волны, возмущавшийся тем, что в багажнике черной райкомовской «Волги» нашли пять батонов колбасы, потом тихо за бесценок купил флагман советской металлургии, так же тихо продал его в миллион раз дороже и отбыл на ПМЖ в Ниццу. Жаль, что его тогда не заставили сожрать все пять батонов. Может, подавился бы...

Заметьте, никто из экономистов, манивших нас в обильный рынок, никто из политиков, звавших в демократию и цивилизованный мир, потом, когда надежды и ожидания большинства не сбылись, даже не подумали повиниться. Почему бы это? Ведь явно ошиблись. Нет, как раз не ошиблись: их личные надежды и ожидания исполнились с лихвой. А народ... Ну, знаете ли, все до одного богатыми стать не могут. Такова простая арифметика жизни. А равенство в бедности вам самим не нравилось. Вы же не хотите назад, в социализм? Да как сказать... В советскую школу, например, хочу.

Тут я должен сделать небольшое отступление. В моей жизни школа сыграла огромную роль. Собственно, благодаря ей я, мальчик из заводского общежития, из семьи, где поначалу имелась одна-единственная книга «О вкусной и здоровой пище», смог развиться в мыслящего человека и подготовиться к поступлению на литфак пединститута, став первым в нашем роду человеком с высшим образованием. Обе мои бабушки, рязанские крестьянки, были неграмотными. И я, пионер, организовал на дому ликбез, учил их по букварю читать и писать. Не очень, правда, успешно.

Вспоминая учителей моей 348-й школы, я могу сказать: у этих очень разных педагогов было одно общее качество — бескорыстие. Во всяком случае, мне они помогали совершенно бескорыстно, то есть даром. Покойная ныне директор нашей школы Анна Марковна Ноткина даже ходила со мной на вступительные экзамены, чтобы никто не обидел ее выпускника. Удивительная женщина! Но сначала немного о том, как я сам стал работать учителем.

В 27-й школе я получил девятый класс, где после трудового дня «догоняли» полное среднее образование люди разных возрастов и судеб. Были почти сорокалетние работяги, которым аттестат требовался, чтобы, скажем, получить должность мастера. Они относились к учению серьезно, слушали внимательно, занятия пропускали только по уважительной причине, перебрав в дни аванса и получки. Были юные шалопаи, их родители загнали в «вечерку», потому что в дневной школе они всех достали. Были и жертвы плана по повышению образовательного уровня рабочего класса, который спускали в предприятия из райкома. Эти прогуливали при каждом удобном случае, частенько приходили выпившими и дерзили. С ними я не связывался. Большинство учеников мало что помнили из курса восьмилетки, мы занимались в основном повторением и ликбезом, поэтому к урокам я особенно не готовился. Главное — «борьба за контингент». В случае злостных прогулов надо звонить начальнику нерадивого ученика, а то и в профком или даже в партком. Не помогает — ловить по месту жительства и взывать к совести. Каждый урок начинался допросом прогульщиков: почему пропустили уроки? Была у меня одна семейная пара лет тридцати.

— Иванов, — строго спрашиваю. — Где ваша супруга?

— Отсутствует.

— Вижу, что отсутствует. Не слепой. Почему?

— По уважительной причине. Можно, потом скажу?

— Нет уж... Говорите, чтобы все слышали!

— Аборт сделала...

Общий хохот, а я не знаю, куда глаза девать.

— Ну ладно... Бывает... А где Зелепукин? Где этот прогульщик?

— Перед армией все никак не нагуляется, стервец! — наябедничал кто-то.

— Сегодня же иду к нему на завод! Я ему покажу дорогу в страну знаний!

В общем, очень похоже на популярный в ту пору сериал «Большая перемена». С одной только разницей: ни в кого из учениц я, как герой ленты, тоже молодой педагог, не влюбился, хотя и видел, какой интерес питают к моей персоне молоденькие ткачихи и поварихи. Одна постоянно после уроков оставалась, чтобы задать мне вопросы по пройденному материалу, причем с каждым разом юбка становилась все короче, а вырез блузки — обширнее. Однажды утром, придя в учительскую, я услышал: сегодня ко мне на урок собирается директор школы Файнлейб, маленькая дама предпенсионного возраста — очень строгая. А у меня даже плана урока нет — собирался подбить какие-то хвосты. И вот я вхожу в класс, понимая, что впереди у меня серьезные неприятности. Класс притих, даже ученики, хватившие пивка перед уроком, стараются дышать куда-нибудь под парту. В заднем ряду сидит директриса, похожая на состарившуюся травести, всю жизнь игравшую строгих отличниц. Я беру мел, пишу на доске «На фронт ушедшие из школ...» и говорю:

— У нас сегодня свободный урок, а тема: «Подвиг советского народа в творчестве поэта-фронтовика Александра Межирова».

Класс облегченно вздыхает, я тоже — позориться перед начальством не придется. И тут же шпарю наизусть:

Повсеместно, где скрещены трассы свинца.
Где труда благородного невпроворот.
Навсегда, на века, навсегда, до конца:
«Коммунисты, вперед, коммунисты вперед!»

Мой урок был признан образцовым, и я стал любимцем суровой директрисы. Она даже порывалась выйти на военное начальство, чтобы мне дали доработать до лета, но я умолил этого не делать: Владимир Вишневский, ушедший в армию, написал мне, что витают слухи, будто с весны ребят с высшим образованием начнут призывать не на год, а на полтора. Полтора года мне, женатому и обуреваемому литературными мечтаниями, казались катастрофой. Я проработал в школе совсем недолго, получив под личную роспись повестку, в которой говорилось, что 25 октября 1976 года в 8.00 мне надлежит явиться на призывной пункт на стадион «Москворечье». А 23-го в Красной Пахре начинался семинар творческой молодежи, и я попал в список участников. Участие в семинаре — необыкновенная удача, важная веха в жизни и творчестве, переход в новую категорию — из начинающих в молодые поэты. Об участии в таких семинарах непременно упоминали в предисловиях к стихам, то был знак отличия, как у спортсменов поездка на международные соревнования. Я попытался получить недельную отсрочку, но в военкомате отмахнулись: закон для всех один, для поэтов тоже!

Сонно-сердитый майор посмотрел на меня с недоумением:

— Какая еще Пахра? Лишь бы в армию не идти, защитнички... До тебя тут скрипач приходил. В Вену собрался, а мы его — в Вытегру!

Я побежал в Бауманский райком, где меня помнили по комсомольской работе, но там ответили:

— Старик, с армией не договоришься. Сами же про них сочинили: «Как надену портупею, так тупею и тупею!»

Спасла Анна Марковна. Я пришел в школу, чтобы помочь с концертом к ноябрьским праздникам, и она заметила мою кислую физиономию:

— В чем дело? Жена бросила?

— Хуже... — скуксился я и поведал о своем горе.

— Мне бы твои проблемы! — воскликнула Ноткина, у которой накануне залило школьный подвал. Она сняла трубку: — Вася? Узнал? Как дети?.. Старший в школу пойдет?.. Летят годы! Ну приводи! Да, слушай, тут вот какое дело...

Через час тот же майор, но теперь оживленно-милый, исправил 25 октября на 4 ноября и вернул мне повестку.

— Теперь успеешь?

— Конечно!

— Что ж ты сразу не сказал, что от Анны Марковны...

Семинар творческой молодежи в Пахре превзошел все мои ожидания. Это была неделя воодушевляющего общения со знаменитыми сверстниками: Николаем Еременко, сыгравшим советского супермена в ленте «Пираты XX века», Натальей Белохвостиковой, прославившейся еще девочкой в герасимовском фильме «У озера», композитором Владимиром Мигулей, чьи песни каждый день звучали по радио, балериной Павловой, юной звездой Большого театра... Вернувшись из Пахры, я буквально через день оказался на призывном пункте и встретил там... Ну, вы помните! Зелепукина.

15. Учительница главная моя

Но особенно и прежде всего я хочу вспомнить добрым словом мою любимую учительницу литературы Ирину Анатольевну Осокину. Умная, образованная, тонкая и остроумная женщина, она происходила из семьи дореволюционных интеллигентов, принявших советскую власть, работавших на нее и, как водится, пострадавших от нее в 1930-е годы. Ее отец служил в Генштабе, и, насколько я понял из рассказов учительницы, был «вычищен» оттуда, когда Ягода и Гамарник затеяли операцию «Весна», чтобы избавить Рабоче-крестьянскую Красную армию от офицеров с царским опытом, так называемых военспецов. Дело в том, что они в своей массе поддерживали Сталина, видя в нем хоть жесткого, но государственника. А шеф НКВД и начальник политуправления РККА делали ставку на «красного Бонапарта» маршала Тухачевского. Осокина от обиды хватил удар, и остаток жизни он провел в параличе.

Ко всему происходившему в стране Ирина Анатольевна относилась с иронией, даже с сарказмом, правда, никогда не переходившим в презрение. Я бы назвал ее взгляды ироническим патриотизмом. Это вообще особенность русской интеллигенции — посмеиваться над государством, критиковать и даже недолюбливать и в то же время честно ему служить. В нижних слоях общества, в той же рабочей среде, где я рос, отношение к государству было совершенно иное. Нет, не раболепие, о котором любят, сидя на собранных для эмиграции пожитках, порассуждать кочующие интеллектуалы. Это отношение я сравнил бы с восприятием родной природы — иногда благосклонной и щедрой, иногда жестокой и разрушительной, но неизбежной и неизбывной. Два чувства, одно из которых привито в семье, а другое получено от любимой учительницы, как-то странно переплелись в моей душе.

Семья у Ирины Анатольевны не сложилась, детей не было. В молодости она вышла замуж за военного, но тот, как многие фронтовики, пристрастившись к «наркомовским ста граммам», которые после жестокого боя для уцелевших превращались иногда в литры, не смог остановиться. Далеко не всем удалось вылечить искореженную войной психику. Очень точно этот послевоенный «всемирный запой» описан в книге Даниила Гранина «Мой лейтенант». В общем, брак распался. Вспоминая свою семейную драму, Ирина Анатольевна признавалась: самым унизительным во всем этом было обязательное сообщение о предстоящем разводе в «Вечерней Москве», когда твоя личная беда выставлялась на всеобщий позор. Знакомые бросались с вопросами: «Что случилось, Ирочка? Вы же такая пара! Он изменил, да? С кем?» Таким жестоким способом власть боролась с разводами, и порой не без успеха.

Ирина Анатольевна жила сначала с мамой, а потом, после ее смерти, которую очень тяжело перенесла, в одиночестве. Вся жизнь ее заключалась в книгах и учениках. Мне повезло: я стал ее любимым учеником. Ко мне она относилась так, как, наверное, относилась бы к собственному сыну: заботливо, требовательно, с верой в мое особое предназначение. Я рос под сильнейшим ее влиянием. Она не только учила меня литературе, но и жизни. Причем учила особыми, своими методами.

— Значит, встречаться она с тобой не хочет?

— Нет, — вздыхал я, почти сломленный первой сердечной неудачей.

— Ясно. Рекомендую Голсуорси. «Конец главы». Читать перед сном.

К выбору моей будущей профессии учительница отнеслась со всей серьезностью. Поначалу, занимаясь в изостудии, я мечтал стать художником. Разбираясь в искусстве, Ирина Анатольевна понимала: выбрать творческую профессию, не имея настоящего таланта, значит сломать себе жизнь. Втайне от меня она поговорила с руководителем изостудии Олегом Осиным, а потом решила перепроверить его точку зрения и попросила посмотреть мои работы опытного художника-педагога Николая Ивановича Лошакова, отца русского живописца Олега Лошакова. Я отправился на судьбоносную встречу с папкой акварелей и рисунков под мышкой. Как водится, разложил все на полу и сразу почувствовал: художник не знает, что мне сказать.

— Ну что ж. Хорошо! Вот только тяжеловат гипс у тебя. Ну... акварельки получше... Но переходы пока не получаются... Акварель — не рисунок... Ну ничего, через годик приходи, посмотрим, что и как...

Я, конечно, сразу ринулся к Ирине Анатольевне.

— Да, я с ним говорила. Надо уметь себе признаться: таланта художника у тебя нет. Давай думать, что еще тебе могло бы подойти.

Сначала собрались в архитектурный институт, потом в МГУ, на филфак. Я даже съездил в день открытых дверей на Ленинские горы, где заблудился в коридорах циклопического здания со скоростными лифтами. На этажах можно было увидеть иностранцев: индусов, китайцев, арабов, негров... А сверху открывалась вся Москва, до самых окраин. Какое счастье — учиться в таком замечательном вузе! Но Ирина Анатольевна отговорила:

— Юра, туда сложно поступить... Конкурс очень большой. Запасного года у тебя нет. Ошибиться нельзя — уже осенью в армию...

Слово «армия» она, в прошлом жена боевого офицера, с которым живала в гарнизонах, произносила с отчетливым ужасом. Ирина Анатольевна была уверена, что солдатская служба несовместима с моей тонкой душевной организацией, и очень удивилась бы, узнав, что опыту, полученному в армии, ее любимый ученик будет обязан своими успехами в поэзии, а потом в прозе. В общем, она вела себя как большинство интеллигентных мамаш, имеющих сыновей призывного возраста. Ее опасения передались мне, их отголоски читатель, наверное, уловил, знакомясь с приведенными выше моими солдатскими письмами. Да еще знакомые парни-дембеля на вопрос: «Ну как там?» — отвечали с нехорошими усмешками: «Лучше вешайся!» Я, дело прошлое, панически боялся провалить вступительные экзамены и загреметь в армию.

Надо признать, в главный вуз страны, как, впрочем, и в другие престижные высшие учебные заведения, уже в те годы поступали порой не столько по знаниям и способностям, сколько по связям и деньгам. Ходило даже словечко «позвоночник», обозначавшее абитуриента, принятого по звонку. Были и анекдоты: «У армянского радио спросили, почему прекращены вступительные экзамены в Ереванский университет. Армянское радио ответило: потому что все билеты проданы...» Из-за такого «позвоночника» или «позвоночницы» я пролетел мимо аспирантуры. Уже складывалась система, расцветшая после 1991-го, — когда за приличное вознаграждение детей готовили к экзаменам преподаватели, принимавшие потом вступительные экзамены. Ирина Анатольевна не стала посвящать меня в эти тонкости, но порекомендовала поступать на факультет русского языка и литературы в Московский областной педагогический институт им. Н. К. Крупской. Он располагался неподалеку, на улице Радио, и школа № 348 была базовой: в ней проходили педагогическую практику студенты, в их числе позже оказался и я сам.

В моей подготовке принимал участие без преувеличения весь педагогический коллектив. Ирина Анатольевна старалась довести написание сочинения и разбор сложного предложения до автоматизма, гоняла меня по экзаменационным билетам прошлых лет, которые добыла для нее знакомая преподавательница высшей школы. Иностранным языком со мной занимались обе школьные «немки» — Нонна Вильгельмовна Федорова и Людмила Борисовна Лохтюкова. Наша квартира была обвешана листками с немецкими временами, склонениями, исключениями, и младший брат Саша ныл, мол, некуда налепить график чемпионата по футболу.

Преподавателя истории (тогда хорошего историка в коллективе не было) нашла Анна Марковна. Это был профессиональный и очень дорогой репетитор, готовивший для поступления на истфак МГУ. Но и он занимался со мной безвозмездно, включив в группу, куда еще входили сестры-близняшки из состоятельной семьи. Преподаватель объяснил родителям, что это очень действенный педагогический прием: «Ваши девочки будут тянуться за мальчиком и добьются гораздо больших успехов». На вступительных экзаменах мне попался вопрос об Октябрьской революции, и я принялся рассказывать про переворот буквально по минутам, горячась, словно сам и свергал Временное правительство. «Такое впечатление, что вы там были!» — улыбнулся преподаватель, ставя «отлично». Все экзамены я сдал на пятерки и с учетом среднего балла аттестата набрал 24,7 балла. Обнаружив себя в списках, я вернулся домой, выпил целую бутылку сидра «Яблочко», изготовленного совхозом имени Ленина, и проспал сутки. Впереди было счастье.

Не зря же в июне 1976 года на выпускном вечере, в переполненном актовом зале я прочел специально сочиненные к такому случаю стихи:

Сегодня мы зрелы! У нас аттестаты!
Мы рады, мы даже как будто крылаты.
И словно огромные сильные крылья
Нам в жизни просторы дорогу открыли.

Через 40 лет я вложил эти строчки в пьяные уста поэта-бомжа Феди Строчкова из моей мелодрамы «Одноклассница».

С Ириной Анатольевной мы продолжали тесно общаться и после школы, но потом я совершил роковую ошибку, не познакомил ее с моей избранницей, не посоветовался, не рассказал о намерении жениться, не спросил ее мнения, которое, конечно, было бы одобрительным. Я по глупости нарушил особые наши отношения, ведь с отрочества она была в курсе самых моих первых «кружений сердца». Нет, я, юный осел, сразу пригласил на свадьбу. Ее это сильно задело. Она ограничилась телефонным поздравлением. А я обиделся и не являлся к ней год, а должен был примчаться и упасть в ноги. На человека, который столько для тебя сделал, вообще нельзя надолго обижаться. Когда, наконец, я появился в школе, Ирина Анатольевна была со мной благожелательно холодна и отстраненно доброжелательна. В ее манере поведения это означало: «Все кончено, меж нами связи нет...» — «Ну и пожалуйста!» Когда, повзрослев, я решил исправить ошибку, выяснилось, что после выхода на пенсию, в одиночестве, ее настиг недуг, из-за которого она когда-то разошлась с мужем. В квартиру она вообще никого не пускала, кроме одной подруги. О смерти моей учительницы я узнал много лет спустя. В общем, стыдно теперь даже вспоминать.

16. Человек хочет верить!

По окончании института придя в школу, я попал в ситуацию, характерную для позднесоветского педагога. Представьте, молодой учитель, иронически, как и большая часть тогдашней интеллигенции, относящийся к тогдашним идеалам, встает у доски. Он призван отвечать на жгучие вопросы о правде, социальной справедливости, смысле жизни. Но на некоторые из них он и сам не знает ответа. На другие знает, но поделиться своими сомнениями не может. Нельзя — он боец идеологического фронта! Много позже я прочитал у Ренана, что население делает нацией общее славное прошлое и общие высокие планы на будущее. С планами на будущее было уже сложно. Анекдоты про коммунизм как воображаемую и недостижимую линию горизонта рассказывали друг другу даже пятиклассники.

Герой моей повести, журналист Петрушов, по стечению обстоятельств пришедший ненадолго поработать в школу, чувствует этот разлад и пытается объединить учеников хотя бы героическим прошлым — поисками утраченной рукописи гениального писателя Пустырева, погибшего на фронте. Тут я воспользовался своим филологическим опытом — разысканиями во время работы над книгой о Георгии Суворове. К тому же в ту пору я хотел найти рукописи Николая Майорова, самого мощного поэта из тех, кто не вернулся с войны.

Мы были высоки, русоволосы.
Вы в книгах прочитаете, как миф,
О людях, что ушли, недолюбив,
Не докурив последней папиросы...

По воспоминаниям, перед отправкой на фронт он завез своей сестре два чемодана черновиков. Но мои поиски ни к чему не привели: архив так и канул бесследно — в отличие от рукописи первой части «Тихого Дона», которую Шолохов перед войной оставил на хранение своему московскому другу, а нашлась она только в XXI веке, поставив точку в спорах о том, кто написал великий роман. Впрочем, и с самого начала спорить было не о чем. При своем мнении остался лишь неистовый ревнивец Солженицын.

Мой Петрушов понимает, что этого объединения героическим прошлым уже недостаточно. Одного минувшего мало. Тем более что рукописи все-таки горят, хотя в конце я оставляю призрачную надежду на то, что великий роман Пустырева, возможно, уцелел... Между прочим, пермский прозаик Алексей Иванов в романе «Географ глобус пропил», написанном два десятилетия спустя после «Работы над ошибками», использовал этот мой сюжет, включая подробности личной жизни героя. В общем-то для литературы дело обычное: прочитал где-то, забыл, а потом словно озарило. Бывает... Но тут есть одна любопытная деталь: пьющий географ Иванова пытается увлечь детей не высокой духовно-нравственной целью, как мой Петрушов, вдохновивший подростков поиском утраченного шедевра. Нет, он просто обещает ученикам в случае консенсуса интересный поход — вниз по реке Чусовой, кажется, на плотах. Тоже дело хорошее, но разницу, надеюсь, читателям разъяснять не надо. Ну, и с ученицами у моего персонажа никаких заморочек не было и быть не могло. Я писал героя с себя.

Честно говоря, во время работы над повестью обо всех этих проклятых вопросах кризиса национальной идеологии я еще не задумывался — просто вспоминал свой учительский опыт, впечатления, коллег, подруг, учеников... Наверное, это даже хорошо: меня вела жизненная и художественная логика, а не вычитанная концепция. Критика прежде всего оценила в «Работе над ошибками» тщательно выписанную «анатомию и физиологию» поздней советской школы. Но ощущение надвигающегося катастрофического неблагополучия, взаимного отчуждения поколений, разрыва связи времен, необходимой каждому обществу, она тоже уловила. А главное — это почувствовал читатель. Споров вокруг «Работы над ошибками» было много. Как обычно, меня корили за ехидность и за то, что в описанном мной педагогическом коллективе слишком много недостатков. Математик Котик соблазняет практиканток, классная руководительница Гиря берет у родителей подношения, директор Фоменко ради карьеры предает друга, а субтильный педагог Максим Эдуардович и вообще с учеником подрался... Кстати, этот эпизод я позаимствовал из своего педагогического опыта: лично останавливал коллеге кровь из носа, разбитого учеником. О, это был скандал на весь район! А вот в «Гипсовом трубаче», законченном в 2012 году, мой герой Кокотов, тоже поработавший в школе, повествует о подобных побоищах как о почти рядовых эпизодах.

Вывод напрашивался сам собой — советское учительство в упадке. А ведь сколько говорено-переговорено: нельзя на основе художественного произведения давать системную оценку обществу. Ну разве, к примеру, «Горе от ума» рисует объективную картину тогдашней России? Кто ж в таком случае победил Наполеона — Скалозуб, что ли? Если все члены тайных обществ были балбесами вроде Репетилова, то с чего так испугался Николай Первый, почти изгнавший родовитое русское дворянство из власти, заменив его остзейскими немцами? Кстати, «немецкий» вопрос в начале XX века волновал русское общество не меньше, а то и больше, чем еврейский. Просто про это теперь забыли.

Литература чем-то похожа на кошку, норовящую всегда лечь на больное место хозяина. И в 90-е годы, когда страна буквально билась в эпилептическом припадке духовного и материального саморазрушения, именно учителя, такие негероические герои моей «Работы над ошибками», спасли Отечество. Да — спасли! Не получая порой даже своей мизерной зарплаты, они вставали у доски и учили детей, упорно отвергали дурацкие нововведения «асмоловых» из Министерства образования, потихоньку в чуланчики со швабрами складывали навязываемые «соросовские» учебники, учившие прежде всего нелюбви к своей родине... Они тихо объясняли, что Бродский никогда не заменит Пушкина, а Гроссман — Шолохова. Они начали упорную борьбу с ЕГЭ, закончившуюся возвращением экзаменационных сочинений. Кстати, по долгу редакторской службы я заметил, что тексты писателей, учившихся в школе в пору господства ЕГЭ, отличаются редкой беспомощностью, даже явному таланту трудно преодолеть косноязычие, ставшее результатом учения без сочинений... Они, российские учителя, не побоюсь громких слов, спасли и продолжают спасать страну!

У повести «Работа над ошибками» оказалась счастливая судьба. На сегодняшний день она выдержала дюжину переизданий. В 1988-м на киевской Киностудии им. А. Довженко Андреем Бенкендорфом (дальним потомком того самого шефа жандармов) был снят одноименный фильм. На главную роль режиссер пригласил дебютанта Евгения Князева, ныне народного артиста России. В целом фильм передает проблематику и настроение повести, но все-таки далек от оригинала. К тому же герой получился у режиссера и актера вялым и неубедительным, аморфным; он ни разу в фильме не ведет урок в прямом смысле этого слова: не говорит о своем предмете — русской литературе, а потому совершенно непонятно, как ему удается держать внимание класса и быть интересным для своих учеников. Зато с прилежанием снята сцена мытья старшеклассниц в душе. Голизна хлынула на истомившийся без эротики советский экран!

Зато вскоре после выхода повести режиссер Станислав Митин поставил «Работу над ошибками» в ленинградском ТЮЗе им. Брянцева. Спектакль шел с большим успехом, при полном аншлаге, и, что характерно, по окончании прямо в зрительном зале устраивались горячие обсуждения, длившиеся до ночи. Высказывались и восторженные, и уничтожающие оценки. Говорили и учителя, и школьники... Но мне почему-то запомнилась девочка лет тринадцати. Она встала и, глядя на меня полными слез глазами, сказала вдруг:

— Вы все правильно описали... Но во что же тогда верить?

— В себя! — весело ответил я, уже поднаторевший в перестроечных дискуссиях.

— Как же верить в себя, если ни во что не веришь? — спросила она и заплакала от волнения.

Потом, вспоминая эту юную зрительницу, я успокаивал себя тем, что в обществе уже началась неизбежная смена символов веры, что таков объективный процесс обновления, а я, будучи реалистом, просто отразил его в своих книгах. Но, честно говоря, в том, что на смену наивной, устаревшей вере пришел культ неверия, постмодернистским пофигизмом поразивший общество, виновата, конечно, и интеллигенция, в особенности гуманитарная. Она, если продолжить рискованное сравнение с кошкой, уже не ложилась на больные места, а в упоении их расцарапывала, рвала в клочья. Да, умом я понимаю, что советскую власть в конечном счете погубило небрежение опытом дореволюционной России, опытом православной цивилизации, погубила та жестокость, с которой была разрушена жизнь в 1917-м, та неумолимость, с которой гнали в счастье. А потом, когда, наоборот, надо было употребить силу, власть вдруг проявила какую-то предобморочную мягкотелость.

Крайностей, наверное, все-таки можно было избежать, если бы гуманитарная интеллигенция, призванная быть мозгом нации, не повела себя как, простите, козел-провокатор, заманивающий стадо на заклание. Она не смогла предложить взамен обветшалых советских идеалов ничего, кроме красивых фраз о свободе слова, предпринимательства и общечеловеческих ценностей, в чем ни черта сама не разбиралась. Свобода дело, конечно, хорошее, но, боюсь, смысла во всем этом не больше, чем в прежних лозунгах о мировой революции и пролетарском интернационализме. Новый, демократический миф так же далек от сути нашей русской цивилизации, как и прежний, советский. А может, и еще дальше... Да и сама свобода, как мне теперь кажется, это всего лишь приемлемая степень принуждения.

Я снова и снова с тягостным чувством вины вспоминаю полные слез глаза той девочки, хотевшей верить хоть во что-то. Кем она стала? Полунищей учительницей? Путаной? Наркоманкой? Челночницей? Офисным планктоном? Или удачливой предпринимательницей вроде Хакамады, похожей на плотоядную лиану? Не знаю. Знаю только, что я не мог не написать мои первые повести так, как я их написал... Не мог не стать колебателем тех обветшавших основ. Я не хотел, да и не должен был подпирать своим словом рушащиеся своды. Но сегодня мне грустно и неуютно на руинах исчезнувшего мира под сенью шелестящей долларовой зелени. Нет, слава богу, я не оказался, подобно многим властителям советских дум, на обочине жизни и литературы. Читатели и издатели ко мне благосклонны. Не изменяя своим принципам и убеждениям, я вполне вписался в новую ситуацию.

Но почему же мне так грустно, черт возьми?

Почему?!

Март, 2001, 2017

Что такое «Апофегей»?

1. Кто спал с Брежневым?

Обычно я задумываю рассказы, а пишу повести или романы. В рассказе мне тесновато: хочется поведать о том, что было с героем прежде. Помимо прочего, у него обнаруживается немало родственников, друзей и подруг — о них тоже хочется рассказать. К тому же у героя есть профессия, работа, сослуживцы, да и живет он в определенном месте и конкретном времени. Ну как не отразить и это! Заметили, из современной прозы почти исчез пейзаж? Герои приезжают просто на реку, идут просто в лес, срывают просто цветы и ягоды. Но ведь нет ни одной одинаковой реки, каждая травинка и ягода имеют названия, которые нынешним авторам, как правило, незнакомы. Да и приметы эпохи встретишь у них не часто, если, конечно, речь идет не о ГУЛАГе или «кровавой гэбне». Впрочем, и эти невеселые учреждения писатели скорее воображают, нежели отображают. Чтобы отобразить, надо изучить, а времени так мало — на тусню даже не хватает. Терпеть не могу сочинения, где персонажи напоминают бесполых целлулоидных кукол, помещенных в вакуум.

Мой же простенький сюжет именно за счет подробностей и деталей обычно «разгромождается», точно замысловатый дачный терем. А ведь намечался малюсенький садовый домик — комнатка с верандой. Первоначально рассказ, задуманный в середине 1980-х, назывался «Вид из президиума». Сюжет несложный: серьезный партийный начальник, сидя на сцене в ряду себе подобных за длинным столом, покрытым красной скатертью, вдруг получает записку от своей давней и, как с годами выяснилось, единственной в жизни любви. Начинает вспоминать. С трибуны тем временем доносится монотонный доклад, потом прения... А он все вспоминает, покрываясь мурашками былой страсти.

Должен заметить, что сюжет с запиской в президиум довольно часто встречался в тогдашнем городском фольклоре, а проще говоря, в анекдотах. Был и такой. XXIV съезд КПСС. Брежнев вдруг получает записку: «Леонид Ильич, а помните, как мы с вами вместе спали? Прошу принять по личному вопросу!» И подпись — «Такая-то». Генсек, известный ходок, смутился, принял в Кремле даму и выполнил ее просьбу, связанную, разумеется, с улучшением жилищных условий. С чем же еще? Она уже покидала кремлевский кабинет, когда Брежнев остановил ее вопросом: «Вы уж извините, товарищ Такая-то, но что-то не припомню, где и когда мы спали?» — «Ну как же! На XXIII съезде. Я — в зале. А вы — в президиуме...»

В середине восьмидесятых я, будучи членом сразу нескольких выборных органов, в основном комсомольских, частенько заседал в президиумах, развлекая товарищей по официальной неволе стихотворными экспромтами:

Все, кто пришел на пленум,
Однажды станут тленом.

И как-то раз тоже получил записку: «Эх ты! А говорил, что любишь! Обещал прийти... К.В.». До конца конференции я ломал голову, выскребая до сухого блеска сусеки личного опыта. Что еще за К.В.? Куда я обещал прийти? Так и не вспомнил. В конце толковища ко мне подошел Костя Воробьев, работник отдела культуры ЦК ВЛКСМ, и спросил, улыбаясь: «Что ж ты не пришел? Мы тебя ждали с пивом и воблой. А говорил, что любишь баню!» И я вспомнил, что мы действительно собирались компанией в сауну, недавно отгроханную в одном из оборонных НИИ. В ту пору укромных мест, где можно попариться, выпить и поговорить, было не так много, поэтому от подобных приглашений редко отказывались.

За «Апофегей» я сел в начале 88-го, сразу после выхода повести «Сто дней до приказа», всколыхнувшей и без того возбужденное советское общество. Когда сегодня обладатель «Букера», «Нацбеста» или «Большой книги» ощущает себя знаменитостью только потому, что его показали в телевизоре, мне смешно. Мои первые вещи вызвали всесоюзные прения, в журнале «Юность» под мешки с почтой в мой адрес выделили особый чуланчик, а на улице, если меня узнавали прохожие, случались стихийные читательские конференции. Говорю все это не из позднего тщеславия, а чтобы напомнить, какое место литература занимала в умах и душах соотечественников. От меня с нетерпением ждали продолжения «военной темы», я получал груды писем, где мне подсказывали сюжеты, сообщали факты самой разнузданной «дедовщины» и офицерских злоупотреблений. Но авторы одной темы похожи на едоков, которые всю жизнь жуют одну и ту же сосиску длиной в несколько километров. Отрежут очередной кусочек, разогреют и жуют, жуют. В моем поколении тоже были такие писатели, но их книги забылись сразу по прочтении, как рекомендации врача-венеролога после выздоровления.

Меня же какой-то непонятной магической силой тянуло рассказать то, что я знал о молодых партийных карьеристах, а перевидал я их к тому времени немало. Сам не знаю, откуда взялась эта тяга. Может, я каким-то седьмым, писательским, чувством предощущал скорый крах советской цивилизации с ее неповторимым номенклатурным миром? Или предвидел, что именно эти молодые мустанги партии и комсомола станут основной движущей силой капитализации страны? Была и другая причина: в повести «ЧП районного масштаба», законченной в 1981 году, я кое-что недоговорил, о чем-то умолчал из опаски, что вещь никогда не напечатают, ведь советская власть в ту пору казалась незыблемой, как Памир, и неисчерпаемой, как Байкал. Заметьте, футурологические произведения фантастов, например Ивана Ефремова или братьев Стругацких, пророков передовой советской интеллигенции, давали картины продвинутого бесклассового общества. О реставрации капитализма никто и не грезил. В этом смысле в наших головах царила полная каша. Так, мы, студенты пединститута, создали тайную литературную организацию и для написания программы сошлись в большой квартире Саши Трапезникова, сына военного прокурора Московского округа. Выпили и стали обсуждать первый раздел: будущее общественное устройство страны. Не больше и не меньше.

— Необходимо разрешить частную собственность! — заявил Саша.

— Капитализм, что ли? — не понял я.

— Нет, капитализм не нужен. Только частная собственность...

Потом долго спорили, как захватить власть, и пришли к выводу, что без помощи уголовного мира не обойтись. Ну не идиоты! Слава богу, на том наши бдения и закончились, а то бы моя первая повесть называлась не «Сто дней до приказа», а как-нибудь иначе — «Места отдаленные», например. Преувеличиваю? Но ведь впаяли же за подобные вещи семь лет прозаику Бородину, и как раз в те самые времена.

Впрочем, для написания «Апофегея» имелся и еще один мотив. О нем скажу подробнее. Иные критики, в советский период обслуживавшие коммунистическую идеологию с подобострастием брадобреев, теперь уверяют нас, будто вся советская литература — это унылый соцреализм, не имеющий ничего общего с жизнью. Вранье. Вранье даже в отношении самых мрачных времен, а уж о позднем, ослабившем идеологическую хватку режиме и говорить нечего. Ну какие соцреалисты Шолохов, Катаев, Ильф и Петров, Пильняк, Платонов, Леонов, Белов, Астафьев, Распутин, Солоухин, Трифонов, Вампилов?.. Никакие. Другое дело, существовало несколько, так сказать, табуированных зон, где отечественная литература вдруг кубарем скатывалась со своих высот и начинала улыбчиво заискивать перед власть предержащими, как официант перед недовольным клиентом. Речь о темах, которые искони считались политически важными. Что-то вроде строго охраняемой рощицы посреди общедоступного лесного массива. «Вы куда?» — «Туда!» — «Туда нельзя!» — «Почему?» — «Потому! Не задерживайтесь!» Собственно, художественным рассекречиванием таких закрытых зон я и занимался в тот период: армия, комсомол, школа... Но самой секретно-табуированной была, конечно, партия.

В произведениях о ней продолжал господствовать давно осмеянный даже придворными критиками принцип «борьбы хорошего с лучшим». В потоке тогдашней довольно высокой литературы эти сочинения напоминали ломового извозчика, затесавшегося среди новеньких «Жигулей» на Калининском проспекте. Если в книге появлялся не очень уж хороший партработник, мгновенно рядом с ним, играя желваками и честно глядя вперед, возникал другой партработник — очень хороший. Реальная жизнь аппарата оказывалась практически вне литературного осмысления. Вышел, правда, в конце 1970-х роман хорошего сибирского прозаика, первого секретаря СП СССР Георгия Маркова «Грядущему веку», но читать его было трудно: тень пленумной риторики лежала даже на удачных страницах. В 1980-х годах первой попыткой художественного исследования человека, вовлеченного в аппаратную жизнь, стала, извините за прямоту, моя повесть «ЧП районного масштаба». Но тогдашняя критика этого даже не заметила, уткнувшись в «антибюрократический» роман В. Маканина «Человек свиты», сбитый из фобий и фанаберий кухонного советского фрондера. Критика часто предпочитает придуманный ею литературный процесс реальному — подобно тому, как иные дамы предпочитают эротические фантазии полноценной интимной близости.

2. Вляпавшиеся во власть

Итак, я уселся за «Апофегей». Мне захотелось написать честную историю хорошего человека, пошедшего во власть. И я сделал это: в 1988 году начал, а в начале 1989-го закончил. Писал я, наблюдая битву Горбачева с Ельциным, которого в ту пору представить себе президентом страны было так же невозможно, как ржавый танкер с дешевым алжирским вином вообразить флагманом советского флота. Имелся ли прототип у Валерия Чистякова? Конечно. Даже несколько, но зрительно я, сочиняя, представлял себе почему-то Валерия Бударина, он был первым секретарем Бауманского райкома комсомола в период моей недолгой работы в этой организации. В аппарате мой прототип не прижился, запил, опустился и был впоследствии зарезан в какой-то пьяной драке.

О прототипе БМП и говорить нечего, его сразу все расшифровали. Речь о тогдашнем народном любимце

Борисе Ельцине, который в качестве первого секретаря МГК КПСС наводил ужас на функционеров своим продуманным жестоким хамством. Как редактор «Московского литератора», я был хорошо знаком с сотрудниками отдела культуры МГК КПСС и знал от них, что вытворял Ельцин в горкоме, как, не задумываясь, ломал людям судьбы. Рассказывали о нелепых решениях, которые он принимал спьяну. Уже тогда были очевидны его патологическая властность, мстительность, диктаторские замашки. Когда Ельцина, наконец, убрали из Московского горкома, все вздохнули с облегчением, не подозревая, что это только начало его большой политической карьеры. И я, сатирически изобразив в повести градоначальника и дав персонажу прозвище БМП, даже помыслить не мог, что первый президент России в августе 1991-го провозгласит победу демократии с танка, то есть почти с бронемашины пехоты.

Впрочем, мне пришлось впервые увидеть Ельцина шестью годами ранее. В Свердловске проходил Всесоюзный слет молодых писателей. По традиции с литературной сменой встречался руководитель региона. К тому времени я повидал и послушал немало первых секретарей областей и республик. Среди них были молчуны, говоруны и действительно талантливые, оригинально мыслящие люди вроде полтавского Федора Моргуна — писателя и новатора сельского хозяйства. Но Ельцин поразил нас своим самодовольным и агрессивным тупоумием.

— В такой серьезной области — и такой дебил! — шепнул кто-то из нашей делегации.

В заключение он вручил нам номерные значки, представлявшие собой яшмовый силуэт области с городом Свердловском, обозначенным крошечным рубинчиком. Раздавая коробочки, Ельцин рокотал, что с таким значком на лацкане можно смело приходить в закрытую обкомовскую столовую и обедать. Дешево и сердито. А вечером местные писатели отвели нас на место взорванного дома Ипатьева, где была расстреляна царская семья. Сровнять историческое здание с землей приказал будущий отец русской демократии.

Я почему-то сразу почувствовал разрушительную угрозу, исходившую от этого человека. В своей карьерной устремленности царь Борис напоминал огромную косилку, «сибирского цирюльника», срезающего любую голову на своем пути. Так оно впоследствии и оказалось. Мешает СССР в борьбе за власть? Да ну его — СССР! Надо сказать, главный редактор «Юности» Андрей Дмитриевич Дементьев проявил твердость, ставя «Апофегей» в номер, ибо многие в редакции были уже заражены ельцинской бациллой и активно выступали против публикации. Тот же Виктор Липатов, ставший к тому времени первым заместителем главреда. Кстати, после выхода журнала Ельцину, уже изгнанному из Политбюро, но набиравшему вес в борьбе с КПСС, на встречах «трудящиеся» задавали вопрос, как он относится к повести «Апофегей». Будущий гарант резко отвечал: это провокация и гнусные происки партократов. Насмехательство над первым российским президентом мне долго потом не могли простить, особенно либеральные критики и демократически нездоровые граждане. Да и не простили, по сути.

Повесть имела успех, была выпущена отдельной книгой гигантским даже по тем временам тиражом — полмиллиона экземпляров. С тех пор она переиздавалась (не соврать бы!) раз двадцать. Однако если кто-то полагает, будто успех пришел к ней из-за того, что автор без прикрас описал судьбу партаппаратчика, да еще запустил сатирой в набиравшего власть народного любимца, он глубоко ошибается. На самом деле читательский восторг вызвала прежде всего смелая любовная линия, и я даже на некоторое время стал провозвестником возрождения эротики, бунинской традиции в отечественной словесности, умученной большевиками. Кто же знал, что вскоре появятся Виктор Ерофеев и Владимир Сорокин, для коих самая изысканная эротика — это непотребные надписи на стене сортира.

На некоторое время я стал признанным экспертом по части плотской любви. А предложенная персонажем повести Иванушкиным исконная классификация мужских достоинств (щекотун, запридух, подсердечник, убивец) передавалась из уст в уста. Школьные учительницы сетовали: мол, очень хотим включить вашу повесть в список внеклассного чтения, но боимся смутить подростков смелыми сценами. Хотя с сегодняшней точки зрения ничего там предосудительного, по-моему, нет. Ну, подумаешь, влюбленные называют альковные эксперименты «введением в языкознание», а естественную усталость после объятий «головокружением от успехов». Я не хотел оскорбить нравственность, я просто хотел вернуть в литературу плоть и здоровое раблезианство. Вот кусочек из моей статьи, опубликованной на страницах «Иностранной литературы» в рамках дискуссии о романе «Любовник леди Чаттерлей».

«...Но давайте снова обратимся к отечественному опыту!.. Что мы все, право, про импорт да про импорт! В советской литературе, по-моему, происходило следующее: представьте себе страну или даже планету, где самое неприличное — это вслух говорить о пище и даже намекать на то, что люди вообще едят. Вот такие странные нравы! Теперь вообразите себе литературу этой планеты. Тот факт, что в художественных произведениях действуют полноценные герои, а не дистрофики, неизбежно должен наводить читателей на мысль об их питании. Читатели, конечно, догадываются, что он, герой, заторопившись после службы домой, хочет (о, я краснею!) плотно поужинать или что он, герой, любит свою жену (и как только язык поворачивается!) за ее умение прекрасно готовить... И я воображаю, какая буря поднялась, если бы автор попытался написать, что герой выходит из столовой, вытирая после еды губы! Но самое удивительное заключается в том, что изящная словесность этой планеты ломится от сочинений, посвященных страданиям голодающего человека! Думаю, нет нужды продолжать весьма прозрачную аллегорию: для того чтобы попасть на эту удивительную планету, не нужно никуда летать — достаточно зайти в библиотеку. Писатели, все-таки обращавшиеся к эротическим проблемам, выглядели в нашей литературе поистине как инопланетяне. Напомню, что сексуальная заостренность некоторых вещей, вошедших в свое время в

“Метрополь”, возмутила “общественность” чуть ли не больше, чем сам факт создания неподцензурного альманаха...»

А вот еще оттуда же:

«Если главный долг людей — стать исправными винтиками в отлаженной государственной машине, то у людей все должно быть одинаково — и душа, и тело, и одежда, и мысли... Чтобы общественное всерьез встало над личным (а только на основе такого мировоззрения может работать тоталитаризм), нужно объявить личное, куда входит и интимная жизнь, чем-то низким, малодостойным, даже постыдным. Боже, да появись в те времена какой-нибудь Лысенко от сексологии и предложи способ размножения советских людей при помощи социалистического почкования, его ждала бы такая слава и такая любовь власть предержащих, в сравнении с которыми триумф приснопамятного Трофима Денисовича с его дурацкой ветвистой пшеницей показался бы детским лепетом на лужайке!»

Мне, конечно, неловко сегодня за ту прямодушную перестроечную риторику, но из песни слова не выкинешь. Все мы тогда черпали окончательные знания из журнала «Огонек», возглавляемого быстроглазым Коротичем. Особенно чувствую свою вину перед памятью академика Лысенко, который вел себя в научной борьбе гораздо принципиальнее и порядочнее, нежели его оппоненты — генетики. Во всяком случае, такой вывод следует из рассекреченных архивов НКВД-КГБ. Кстати, некоторые его идеи и выводы, объявленные прежде чепухой, нынешние исследования на новом научном уровне подтвердили.

3. Почему Снежкин не снял «Апофегей»

Но еще раз отмечу: именно человеческая, любовная линия в «Апофегее» взволновала массового читателя. И вот тогда Студия детских и юношеских фильмов имени Горького решила экранизировать, а Академический театр имени Маяковского — инсценировать «Апофегей». Соответственно мной были написаны сценарий и пьеса. Сценарий начинался так: 1990 год. Надя Печерникова, уехавшая с мужем в Америку и вылечившая там сына, прилетела на побывку в Москву. Случайно попав на какой-то организованный стихийный митинг в поддержку свободы, она с изумлением обнаружила на трибуне среди борцов за демократию и своего бывшего возлюбленного Чистякова, и Убивца, и доцента Желябьева... Напомню, все они были еще недавно верными солдатами партии. Надя стоит, слушает, удивляется и вспоминает все с самого начала. Теперь вспоминает она, а не Чистяков. Понимаете?

Заканчивался 1990-й — предпоследний год советской цивилизации. Запуск картины задерживался, потому что Сергей Снежкин, прославившийся фильмом «ЧП районного масштаба», сначала возил полузапретную ленту по стране, а потом замешкался на другой постановке и оттягивал начало запуска картины. Но и я, и руководство студии хотели, чтобы «Апофегей» поставил именно он. К тому же после конфуза с будущим Пазолини — Хусейном Эркеновым — очень боялись промахнуться с кандидатурой постановщика. А старый конь борозды не испортит. Конечно, теперь мне совершенно ясно: это была роковая ошибка, Снежкин просто повторил бы, но с еще большим антисоветским накалом, «ЧП районного масштаба». Кстати, эта лента сейчас с трудом воспринимается, несмотря на хороших актеров, отменную режиссуру и неплохую литературную основу, именно из-за этой политической предвзятости, даже упертости, чего, кстати, в моей повести в помине нет. Но по-другому взглянуть на советскую жизнь он просто не мог, да и сегодня не может. Есть художники, которые периодически сбрасывают некий хитиновый покров и растут, развиваются, усложняются, а есть и такие, что всю жизнь ходят в одном панцире, засиженном мухами.

Замешкался Снежкин еще и потому, что делал кино по киноповести Александра Кабакова «Невозвращенец», хотя его предупреждали, в том числе и я: сделать картину из этого перестроечного мыльного пузыря невозможно. Ни сюжета, ни героя, ни характеров, просто перелицовка американского фильма катастроф вроде «Безумного Макса». После премьеры картины, убедившись в правоте доброжелателей и получив коллективный подзатыльник от критики, Снежкин впал в депрессию, а когда продвинутый Кабаков поднял страшный шум в либеральных кругах и чуть ли не подал на него в суд за нарушение авторского замысла, он запил и отказался от «Апофегея». Несколько раз я участвовал в снятии творческого стресса. Чокаясь со мной, Сергей говорил:

— Ты ведь тоже не всем доволен в «ЧП...»?

— Не всем... — охотно соглашался я.

— Но ты же на меня в суд не подаешь!

— Не подаю...

— Почему?

— Потому что я светский человек.

— Да иди ты...

— Будешь снимать «Апофегей»?

— Не могу...

— Тогда и ты иди туда же!

Не мог же я безутешному режиссеру прямо сказать, что «ЧП...» при всех моих претензиях — отличная картина, а «Невозвращенец» — очевидный творческий провал, в котором Снежкин виноват сам. В результате я предложил немедленно отдать картину Станиславу Митину, театральному режиссеру, блестяще поставившему спектакль «Работа над ошибками» в Ленинградском ТЮЗе. К тому же он был просто влюблен в повесть и посоветовал дать вещи название «Апофегей», а не «Вид из президиума». Но пока согласовывали кандидатуру, пока переписывали киносценарий под нового постановщика, начались рыночные реформы, и инфляция мгновенно сожрала отпущенный бюджет. За эти еще недавно огромные деньги теперь можно было разве что накрыть прощальный стол съемочной группе. Студия детских и юношеских фильмов стала стремительно превращаться в шарашку с необъятными складскими помещениями. В огромных съемочных павильонах при желании можно было, разобрав на блоки, спрятать даже пирамиду Хеопса.

Параллельно разворачивался мой театральный роман с режиссером Андреем Гончаровым. Многоопытный главреж Маяковки очень хотел заполучить на свою сцену, слегка подернутую паутиной классики, что-нибудь остросовременное. Но он также понимал, что «Апофегей» — это довольно дерзкий вызов партии, уже слабевшей день ото дня, но еще способной перекусить худенькую творческую шейку любому худруку. Гончаров тактически медлил, выжидал, делал мне мелкие замечания, хвалил, и я, как юнец, вдохновленный обещающим девичьим поцелуем, мчался дорабатывать пьесу, после чего завлит с пушкинской фамилией Дубровский, в очередной раз восхитившись моим литературным даром, уверял, что вещь можно ставить прямо сейчас, если подработаю еще пару сцен. Обычная театральная разводка.

Так продолжалось до самого путча. Когда же восторжествовала демократия, Гончаров оказался в еще более трудном положении. Постановку, где партийный функционер выведен неплохим, даже страдающим человеком, могли воспринять как прямой вызов новой власти, объявившей всех нераскаявшихся коммунистов монстрами. Ведь первые месяцы всерьез готовились к суду над КПСС и люстрациям. Потом, правда, сообразили, что если из демократической верхушки удалить всех бывших коммунистов, то там не останется никого. Беспокоило мудрого Гончарова и другое обстоятельство: все помнили, с кого я списал своего БМП. Всепьянейший прототип как раз въехал в Кремль, и начался всешутейший период нашей новейшей истории. Одним словом, в Театре имени Маяковского «Апофегей» так и не поставили.

4. ФЭ и БЭ

Довольно часто читатели, журналисты и просто знакомые спрашивают меня, как я придумал слово «апофегей», ставшее не только названием моей повести, но и вошедшее, к вящей гордости автора, в активный словарь современного русскоговорящего, а точнее, русскодумающего читателя. В моем письменном столе в специальной папке хранится множество вырезок из газет. На некоторые материалы я наткнулся сам, просматривая по обыкновению издания самой разной ориентации — от «МК» до «Завтра». Другие из городов и весей мне привезли или прислали знакомые, а то и незнакомые люди. Например, статья в центральной газете о событиях октября 1993 года в Москве называлась «Апофегей всероссийского масштаба». Лучше не скажешь.

Когда меня спрашивают, откуда взялось слово «апофегей», я обыкновенно рассказываю — в зависимости от настроения — одну из придуманных баек:

— услышал на улице...

— сконструировал, листая словарь иностранных слов...

— мне подарила его одна интеллигентная дама в благодарность за ночь любви и т. д.

Дошло до того, что я, человек впечатлительный, и сам стал верить в каждую из этих версий. Но байка хороша для устного жанра или застольного трепа, а когда пишешь что-то вроде мемуаров, невольно настраиваешься на серьезный лад. К тому же по образованию я филолог, имею некоторые труды по истории фронтовой поэзии и скромную ученую степень. Беллетрист и филолог во мне состоят почти в тех же отношениях, что и небезызвестные мистер Джекилл и мистер Хайд из повести Стивенсона.

Поясню: мое филологическое эго, в дальнейшем именуемое ФЭ, — существо весьма желчное и скептическое. Скажем, мое беллетристическое эго, именуемое в дальнейшем БЭ, садится за стол, кладет перед собой чистый лист бумаги (теперь уже — открывает новый файл) и начинает:

«...Когда, сурово улыбнувшись, БМП закончил свое вступительное слово и, переждав аплодисменты, предложил считать научно-практическую конференцию открытой...»

Тут мое ФЭ издевательски фыркает: «Еще и на голосование поставь, Бабель! Никто, понимаешь, кроме тебя не догадается, что ты пародируешь "партийно-производственный роман" эпохи соцреализма! И вообще, чем марать бумагу, лучше полежи и почитай Бунина: и для тебя полезней, и для мировой литературы...» Кстати, моя литературная судьба в чем-то схожа с бунинской, нет, не в смысле дарования, скорее речь идет о том промежуточном положении, в каком автор «Темных аллей» пребывал в отечественной словесности. Сейчас трудно поверить, но тогдашняя передовая критика относилась к Ивану Алексеевичу весьма прохладно и в отличие от читателей никогда не ставила его в первые ряды, как Горького, Куприна, Андреева, воспринимая автора «Деревни» неким талантливым литературным обозником... Ну в самом деле, за что можно было в ту пору получить похвалу критики? За ярое новаторство. А Бунин как раз не только придерживался классической формы, но и относился к декадентам с клокочущей ненавистью. В любимцы рецензентов можно было попасть за передовые общественные и политические взгляды, как Горький или Вересаев. Однако Иван Алексеевич был идейным ретроградом, последним певцом уходящего дворянства. Он с удовольствием, в отличие от Чехова, принял членство в Императорской академии. Он, в отличие от Ходасевича и Замятина, ни дня не сотрудничал с большевиками, сразу же прокляв их инородческую власть в «Окаянных днях». В общем, делал все, чтобы его возненавидела передовая литературная общественность.

Но читают-то, спустя век, его, а не тех, других, живших, думавших и творивших по всем правилам тогдашнего прогрессивного канона. Именно бунинский опыт вкупе с великим и могучим русским языком утешает и вдохновляет меня в минуты уныний и сомнений. А они, конечно, меня одолевали и в конце 1980-х, ведь критика встретила «Апофегей» чуть ли не в штыки. Так, в статье «Динамика конъюнктуры» критик Г. Соловьев писал: «На мой взгляд, художественная ценность этого опуса весьма скромная. Это “обличительная” трафаретка с этакой эротической приманкой, как и все творения Полякова, рожденные конъюнктурой, с заметным пристрастием к “жареному”, обывательски сенсационному...» Заметьте, «конъюнктурой» объявляется практически единственное в тогдашней литературе сатирическое изображение нового лидера сбитой с толку нации. А всеобщий восторженный «запридух» по поводу БМП, въехавшего в Кремль, — это, выходит, проявление тонкой неординарности? Как говорил мой покойный соавтор Петя Корякин, дурят нашего брата!

Но вернемся к моему капризному ФЭ. Под таким дотошным контролем написать что-то путное абсолютно невозможно, поэтому на период создания текстов, достойных нашего изумляющего времени, свое ФЭ я строго изолирую и выпускаю на свет, когда готов второй или третий вариант и рукопись нужно прочитать свежими, незамыленными глазами. Собственно, заключительная часть творческого процесса представляет собой нудную работу филолога над ошибками беллетриста. В общем, БЭ скромно опускает глаза, а ФЭ, кривясь, читает и правит, иногда в порядке высшей похвалы бросая: «Вот это вроде ничего...»

Правда, маху иногда дает и ФЭ, особенно если это не связано напрямую с его основной профессией. Например, уже после публикации «Апофегея» в «Юности» одна вдумчивая читательница в своем письме упрекнула меня в том, что в отличие от большинства русских женщин героиня повести Надя Печерникова носила под сердцем ребенка не девять, но одиннадцать месяцев. Я бросился к первоисточнику — так и есть: в пятом варианте было изменено время действия, но осталась по недосмотру одна сезонная деталька в любовной сцене. Она-то, деталька, и позволила высчитать этот, прямо скажем, затянувшийся срок плодоношения. В оправдание ФЭ проворчало, мол, оно филолог, а не гинеколог.

Что и говорить, реалисту гораздо тяжелее, чем, скажем, постмодернисту. Этот всегда сошлется на «принцип нон-селекции», благодаря которому полное отсутствие литературных способностей можно объявить особой разновидностью таланта. Реалисту же деваться некуда, он обязан быть точным и по возможности достоверным. Кстати, однажды мое ФЭ пришло к выводу, что БЭ вкупе с его скромным творчеством точно укладывается в определение «гротескного реализма», каковой, по мнению Бахтина, торжествует в литературе в пору ожесточенной борьбы нового со старым. Я высказал эту мысль в каком-то интервью. Некоторое время спустя один из немногих критиков, ко мне расположенных, сообщил в статье, что после мучительных размышлений он осознал: проза Ю. Полякова относится к именно «гротескному реализму». Я вынужден был согласиться с озарением критика. Кстати, мое ФЭ, подумав, пришло к выводу, что «гротескный реализм» автора по-настоящему оформился именно в «Апофегее», хотя элементы его есть и в ранней прозе — в «Ста днях до приказа», «ЧП районного масштаба» и «Работе над ошибками»...

5. Кто придумал «Апофегей»

Но вернемся к истории появления слова «апофегей», давшего название повести. Поначалу, напомню, повесть именовалась «Вид из президиума» и задумывалась как разоблачение мрачной жизни партийного аппарата. Не могу сказать, что я ненавидел командно-административную систему, которая лично мне ничего плохого не сделала, если не считать того, что завела страну в тупик. Впрочем, какой тупик тупее, советский или постсоветский, еще вопрос...

У меня среди партийных функционеров было довольно много приятелей. Любопытная деталь: когда мы общались неформально (то есть выпивали и закусывали), мои друзья выражали самое горячее неприятие «застоя» и командно-административной системы, хотя именно они были ее винтиками и шпунтиками. Они-то ее и развалили, раздербанили, растащили, а не диссиденты во главе с Солженицыным и Сахаровым, влиявшие на жизнь огромной державы примерно так же, как комары влияют на кровообращение медведя. В начале 1990-х в одной из статей я вообще предложил такое определение: «Перестройка – это мятеж партноменклатуры против партмаксимума». Партмаксимумом называлась норма отпуска материальных благ функционерам, установленная в двадцатые годы, когда стало ясно: на смену старым большевикам, тоже, надо сказать, не овечкам в смысле хапнуть, идут новые, молодые и гораздо более прожорливые, вовсю развернувшиеся при нэпе. Помните, партиец Гусь в «Зойкиной квартире» неосторожно размахивает пачкой червонцев, за которую его потом и зарезал китаец. Откуда у него такие деньжищи, когда страна голодает, а зарплата квалифицированного столичного рабочего три-четыре червонца? Нэп-то из-за того и грохнулся, что большинство могло лишь смотреть на витрины. Да еще, как на грех, нэпманами вдруг оказались по преимуществу не родные захребетники Сидоры Ивановичи да Харлампии Тихоновичи, а чужаки с мудреными фамилиями. Среди населения, даже лояльного к большевикам, поползло опасное недоумение: «За что боролись?» Пришлось эксперимент сворачивать от греха...

В «Апофегее», если брать социально-исторический аспект текста, как раз и описан период тихой подготовки номенклатурой этого мятежа против партмаксимума. Однако, начиная повесть как очерк нравов партийных аппаратчиков, я где-то в середине работы понял, что пишу совершенно о другом — о своем ровеснике, пошедшем во власть. А власть — это всегда власть, и не важно, как она называется — горком или гордума, ЦК КПСС или администрация президента. Оказалось, я пишу о том, что происходит с человеком, если он всерьез начинает карабкаться по лестнице, ведущей вверх, рассказываю о том, чем он должен пожертвовать, от каких чувств и принципов отказаться. И прежде всего он должен отказаться от такого непредсказуемого, непросчитываемого и нерегламентированного чувства, как любовь. Выбор между любовью и властью древнейший. А выбор Антония, последовавшего за Клеопатрой себе на погибель, — редчайший в истории. Вот почему, кстати, повести предпослан эпиграф из Библии.

Обычно спрашивают, насколько мои книги автобиографичны. Конечно же, они автобиографичны, но не настолько, чтобы наскучить читателям. Если жизнь человека — поле, то литература — венок, и от автора зависит, какие именно цветы-травы сорвать и в него вплести. Сознаюсь, на определенном этапе у меня были все шансы сделать редкую партийно-писательскую карьеру. Я отказался от заманчивых предложений не потому, что нечестолюбив, а потому, что мое честолюбие в другом. Кстати, эта формула принадлежит не мне, а Чаковскому. Эдуард Брокш рассказывал такой случай из своей жизни. Он работал в «Литературной газете», пописывал пьесы, и вдруг одна из них, про Чарли Чаплина, пошла по стране, появился литературный заработок, и Брокш решил оставить газетную поденщину. Написал заявление и отправился к тогдашнему главному редактору Чаковскому, который, дымя хорошей сигарой, скользнул по заявлению и процедил:

— Эдуард, вы прекрасный сотрудник, я вас очень ценю и готов предложить должность старшего корреспондента. Вы будете получать на тридцать пять рублей больше.

— Александр Борисович, я благодарен вам за предложение, но все-таки хотел бы уйти...

— Я вас понял. Ладно, поработаете старшим редактором, а после Нового года уходит на пенсию заместитель заведующего отделом. Пойдете на его место и будете получать на сто рублей больше...

— Спасибо, но я все-таки...

— Эдуард, надо быть реалистом. Заведующим отделом я вас назначить никак не могу. Вы не член партии. Но я готов поговорить в райкоме, чтобы на вас выделили квоту. Через годик-полтора будете получать...

— Да при чем тут деньги, Александр Борисович, я драматург, я хочу сосредоточиться на моих пьесах...

— Ах, вот в чем дело! Значит, ваше честолюбие не здесь? Что ж вы мне голову морочите, так бы сразу и сказали! Вот, пожалуйста, получайте расчет! Творческих вам успехов! — И Чаковский золотой паркеровской ручкой написал наискосок: «Не возражаю».

Очень важно понять, и как можно раньше, где твое честолюбие. Я, к счастью, быстро сообразил: вид на жизнь из президиума — гибель для писателя. Примером может служить судьба Фадеева, очень талантливого человека, пошедшего в большую власть. В предсмертном письме он ругал эту власть, погубившую его талант, мол, я всю жизнь простоял на часах возле, как выяснилось, нужника. Но почему та же советская власть, погубив или осложнив жизни Платонова, Булгакова, Мандельштама, Шолохова и многих иных, не погубила их таланта? Ответ очевиден: борьба за власть, пусть даже в писательском союзе, и творчество черпают душевную энергию из одного источника, и на два дела этой энергии обычно не хватит.

Итак, я писал о своем ровеснике, вляпавшемся во власть. Именно вляпавшемся, ибо Чистяков не Ивашкин и патологического желания сделать карьеру любой ценой у него нет. Другое дело, когда Случай втягивает тебя в Игру, когда ставки сделаны и диктует азарт. Замечу, что отъявленные карьеристы вроде Убивца в стабильные времена отсеиваются на самых первых этапах, ибо очень торопятся и свинячат без разбору. На моих глазах так «сгорели» несколько перспективных деятелей. В стабильные времена побеждают все-таки Чистяковы. Но в период смут и больших социальных неразберих торжествуют Убивцы. В 1991-м наступило их время. Боже, скольких людей, изгнанных за нечистоплотность из партийных структур, я увидел в 1990-е среди реформаторов! Некоторые даже отсидеть успели, и не за политику, разумеется.

Но вернемся все-таки к тому, как я придумал слово «апофегей». Сначала я должен подтвердить: рассказы писателей о том, что не они руководят действиями героев, а герои руководят их сочинительством, — сущая правда. К примеру, Надя Печерникова задумывалась как достаточно быстротечный персонаж, одна из мимолетных утрат карьерного Чистякова на пути к зияющим высотам власти. В результате она стала главной героиней повести, оттеснив даже Чистякова. Почему? Наверное, потому, что, когда я придумывал Надю, сосредоточив в ней черты нескольких дам, оставивших след в моей душе, мне хотелось написать такую женщину, которую невозможно разлюбить и невозможно забыть навсегда, если она вдруг разлюбила тебя. Мне хотелось соединить старомодную утонченность и изящество с современной раскованностью, хотелось сопрячь острый, насмешливый ум с добротой и доверчивостью... Удалось ли мне это, судить, конечно, читателю, но сам я влюбился в нее настолько, насколько автор может влюбиться в свой персонаж. И если бы, подобно Пигмалиону, мне удалось превратить Надю из литературной героини в живую женщину, за последствия ручаться трудно...

Но вот мы уже вплотную подошли к подлинной истории появления «апофегея», ведь именно с помощью этого словечка Надя Печерникова выражала свое отношение к кафкианским несуразностям нашей жизни. Именно она, Надя, придумала это слово, составила из «апофеоза» и «апогея», в результате чего и получился неологизм с той самой фигой, которую многие десятилетия мы держали в кармане. Когда же пришли исторические времена, оказалось: самое большее, на что мы способны, вынуть эту фигу из кармана, рассмотреть и снова спрятать. И действительно, в катастрофической для Отечества ситуации мы так ничего и не смогли предложить ни себе, ни другим, кроме осточертевшей борьбы между все теми же — Иванушкиным, БМП и Чистяковым.

Я размышлял о том, почему словечко «апофегей» так легло на народную душу, и, кажется, понял. Что означает восклицание «апофегей!»? Ничего. Это реакция неглупого, все понимающего человека на происходящее. Все понимающего, но ничего не могущего или не желающего сделать. Собственно, небывалая концентрация в обществе апофегистов (еще их называют пофигистами) и привела к краху советской цивилизации. Роли апофегистов в новейшей отечественной истории посвящен мой большой роман «Замыслил я побег...», вышедший в свет в 1999 году. Правда, там герой-апофегист фигурирует под названием «эскейпер», но суть от этого не меняется...

Впрочем, хватит, хватит уже увиливать от прямого ответа на вопрос о происхождении названия повести! Дело было так:

«...Чистяков не вслушивался в завязавшийся спор, он, рискуя нажить косоглазие, старался получше разглядеть новую аспирантку: у нее были смуглое лицо, нос с горбинкой и странная манера прикусывать нижнюю губу для того, чтобы скрыть ненужную улыбку... "Апофегей", — наклонившись к Чистякову, доверительно прошептала Надя. "Что?" — не понял Валера.

“Я говорю, у вас здесь всегда так?” — “Почти всегда...” — “Полный апофегей!”»

Вот и все. Честное слово!

6. Двадцать лет спустя

На этом я поставил точку в 1995 году, когда писал предисловие к шестому изданию «Апофегея». Мне казалось, к этому тексту я больше не вернусь, но жизнь горазда на сюрпризы, о чем и будет дальнейший рассказ.

По моим наблюдениям, в жизни чаще выигрывают умеренные неудачники, умеющие использовать второй или даже третий шанс. Счастливчики так привыкают к джокеру, что потом и не знают, куда его пристроить. Мне почти никогда не фартило с первого раза. В азартные игры вообще не везет. Однажды Павел Гусев позвал меня в казино, кажется, в Берлине. Я ответил, что не играю, так как мне никогда не везет. «Пойдем! Я тебя научу...» — «За твой счет!» — «Договорились». Я долго по его системе ставил фишки на самые разные сегменты и цвета рулетки, но ни разу не выиграл. После двадцатой попытки Гусев, посмотрев на меня с долгим интересом, согласился: «Да, тебе нельзя играть!»

Но иногда удача улыбается и мне. Телеканал «Россия» задумал снять мини-сериал, экранизировав какое-нибудь произведение современного автора. Ну нельзя же все время показывать в эфире, как менты меряются стволами с бандитами, а молоденькие провинциалки, простодушно «залетев» в момент потери невинности и посидев немного в тюрьме, выходят на волю, а потом и замуж за долларовых миллионеров, скромных и простых, будто сельские терапевты. Я дал телевизионщикам на выбор несколько вещей — остановились на «Апофегее».

Кому доверить постановку, такой вопрос передо мной даже не стоял. Конечно, Станиславу Митину, с которым я все эти годы поддерживал отношения. Именно он должен был после деморализованного Снежкина ставить «Апофегей» на Студии имени Горького в 1991-м. Выяснилось, за двадцать лет Стас нисколько не охладел к сюжету и с радостью согласился. Сценарий написали быстро, договорившись о главном: мы делаем честную ленту про сложные времена, а не выдумываем напраслину, как авторы фильмов ужасов про «совок», где приличный с виду партократ по ночам пьет кровь младенцев. Мы кое-что взяли из нашего давнего сценария, не отказавшись от мысли в конце показать сегодняшнюю жизнь героев. Но теперь с момента расставания Нади и Чистякова прошла целая жизнь. И мы придумали.

Сначала Валерий Павлович видит по телевизору интервью со знаменитым американским шахматистом по имени Дмитрий Смелкофф. Это — его сын. Кстати, интервью у молодого гроссмейстера берет бородатый репортер в клетчатом пиджаке, развязный и загорелый, как большинство спортивных журналистов. Эту роль доверили мне, и я, кажется, справился за отпущенные мне двадцать секунд. Потом зритель видит Чистякова в его большом кабинете, украшенном гербовым орлом, там же сидит на гостевом стуле и Убивец. Судя по разговору с давним другом, Иванушкин стал крупным бизнесменом. Оба явно хотят заработать за счет казны. И договариваются. А вернувшись в свой крутой особняк и выслушав Лялин рассказ о проигранном теннисном поединке, Чистяков находит в свежей почте открытку от Нади с сообщением, что у него в Америке родился внук. Я хотел, чтобы в конверте была еще и фотография черного младенца, но Митин не поддержал. Вот так, в 2012-м, закончилась история, написанная мной в 1989-м.

Остается добавить, что в картине сыграли отличные актеры: Маша Миронова, Даниил Страхов, Виктор Сухоруков, Аглая Шиловская... Фильм с успехом прошел на канале, имел хорошую прессу, если учесть, что в либеральных изданиях меня вообще не рекомендовано упоминать. Любопытную и неожиданную для меня, автора, трактовку отношений между главными героями я прочитал у Ольги Яриковой: «...конфликт лежит намного глубже: это конфликт человека, лояльного к системе, хотя и признающего ее недостатки (таким нынче, из далекого далека, видится герой повести Валерий Чистяков), и человека, не приемлющего систему ни в каком виде и усматривающего в ней исключительно подавляющие и карательные функции и маразматические, достойные осмеяния черты (такова Надя Печерникова, героиня, с которой не складывается общая судьба у Чистякова). Думается, что этот конфликт — не конфликт подлеца и преданной им подруги, но конфликт двух мировоззрений, которые ни при каких обстоятельствах не могут примириться.

Надежда Печерникова — решительная, уверенная в себе и своей правоте женщина — смотрит на возлюбленного несколько свысока, с высоты своей правды, которую она принимает за истину. Эту ее черту убедительно передала в одноименной картине Мария Миронова. Ее героиня не готова поступаться ради Валерия своими взглядами, не готова даже просто смолчать. А ведь именно из-за ее невоздержанности на язык у них происходит конфликт: когда Чистяков, находясь в ГДР, сказал тост про дружбу, разрушающую стены, ехидная Надя придала его словам политический смысл, мол, речь шла якобы о Берлинской стене, сделала это прилюдно, что едва не стоило ему карьеры. Надя умна и образованна, но ей не приходит в голову, что окружающие не обязаны разделять ее радикальные взгляды на советское общество, и именно ее свобода от любых рамок делает несчастной их любовь. Естественно, что после истории, так явственно обнаружившей разницу мировоззрений, они уже не могли быть вместе...»

Пожалуй, так оно и есть, ведь, как известно из литературоведения, художественный образ всегда шире авторского замысла... Думаю, когда выбросят на свалку, точно одноразовую посуду, большинство нынешних сериалов, блокбастеров и даже фестивальных фильмов, а к советской эпохе начнут относиться по справедливости, нашу ленту будут часто показывать, ибо мы сделали кино, честное по отношению к той жизни.

В заключение хочу сказать, что у моей повести странная судьба. Люди из власти не любят ее за то, что я слишком бесцеремонно заглянул в душу, искаженную жаждой повелевать себе подобными. Собратья по перу — и либералы, и патриоты — не могут мне простить, что их книги, разоблачительные или охранительные, не одолели перевал, отделивший нас от советской цивилизации, или же затерялись в гнилых окололитературных джунглях 1990-х. А моя повесть преодолела и не затерялась. Критики не могут себе, а главное, мне забыть, что они не оценили мою вещь по выходе в свет, сочтя ее перестроечной однодневкой и возведя в шедевры тексты, которые теперь и читать-то совестно. Зато мой «Апофегей» и четверть века спустя все так же мил читателям, выдержав более 20 переизданий. Теперь он мил еще и зрителям. Разве не обидно?

1995, 2017

Моя «Парижская любовь...»

1. На экспорт

Должен сознаться, сначала я хотел назвать повесть иначе — «Французская любовь». Мне очень нравилась двусмысленная пикантность такого заглавия. Я взялся за эту вещь после выхода повести «Апофегей» (1989), про которую один из критиков написал, что она сильна «не только разоблачительной сатирой на партийных карьеристов, но и яркими, смелыми эротическими эпизодами». Конечно, сегодня дерзкими сочтет их разве человек, впавший в 89-м году в летаргию и очнувшийся в наши дни. Нынче к эротике попривыкли, как к витринам, заваленным аппетитной на вид, но почти несъедобной колбасой. Однако в те годы за номером «Юности» с «Апофегеем» в библиотеках стояла очередь, всем хотелось эротики. Подумать только, молодая, еще не расписанная пара, оба аспиранты-историки, уединяются в отсутствие родителей на квартире и разучивают позы из индийского трактата «Цветок персика».

Впрочем, все по порядку.

К тому времени, побывав «могильщиком комсомола», «очернителем советской школы» и «клеветником армии», я вдруг стал неожиданно для себя еще и «сокрушителем советской бесполости». Сегодня, когда мне попадаются на глаза статейки (в том числе и мои) тех бузотерских лет, я поражаюсь тому, как мы были жестоки и несправедливы к обществу, в котором не очень худо и не так уж бедно жили. Почему-то общество, где никто не голодает, но многого не хватает, казалось нам чудовищным. А разве социум, где все есть, в том числе и голодные, справедливее? В самом деле, какими бы бесполыми ни выглядели граждане СССР, а население тем не менее постоянно увеличивалось. Зато в наше чрезвычайно сексуальное время народ убывает со скоростью миллион человек в год. Во всяком случае, убывал до последнего времени.

В ту пору казалось, если сильно пошуметь, то жизнь в целом сразу станет богаче, а половая жизнь в частности — ярче, глубже и содержательнее. Увы, воспитанные на идее неотвратимого, как смерть, прогресса, мы не понимали, что жизнь гораздо проще ухудшить, нежели улучшить, а от чрезмерного шума, по примеру библейского Иерихона, могут и стены рухнуть. Собственно, это и произошло в 1991 году, вскоре после того как «Юность», возглавляемая в ту пору Андреем Дементьевым, опубликовала «Парижскую любовь Кости Гуманкова». Любопытно, что государства рушатся от «сытых бунтов» чаще, нежели от голодных...

Но теперь — ближе к теме. Кажется, в конце 1989 года мне позвонила Алла Шевелкина, переводчица, сотрудничавшая с журналом «Либерасьон». С ней я познакомился за пару лет до этого, когда она приехала в Переделкино со съемочной группой французского телевидения, чтобы взять интервью у писателей. Сначала беседовали с Окуджавой на его даче, а потом позвали и меня — молодежь. Бард был суров и требовал разгона Союза писателей, стесняющего свободу творчества. Я к тому времени был уже не столь радикален. Когда мы вышли на улицу, французский журналист спросил меня, а Алла перевела:

— Скажите, кому принадлежит дача, где живет мсье Окуджава?

— Союзу писателей.

— Но ведь тогда он лишится дачи! — изумился рассудительный галл.

— Булат Шалвович, видимо, полагает, что дачу ему оставят в благодарность за ликвидацию Союза писателей, — с улыбкой ответил я и поймал на себе удивленный взгляд Аллы.

И вот теперь, позвонив, Шевелкина сообщила, что знаменитое издательство «Галлимар» ищет современные русские романы, где события так или иначе связаны с Францией. «Нет ли у вас чего-нибудь такого?» — «Есть!» — бодро отозвался я, соврав лишь отчасти. Мне давно уже хотелось написать что-нибудь трогательное и смешное о советских людях за границей, ибо я, спасибо комсомолу и Союзу писателей, выезжал за рубеж и насмотрелся там всякого. Но замысел я откладывал, колебался, в какую страну отправить будущих моих героев. И во время телефонного разговора с Аллой меня осенило — в Париж! Любовь в Париже казалась вершиной изысканной романтики.

«Подумаешь»! — молвит читатель, наслышанный, что сегодня набережные Сены оглашаются пьяными матюками новых русских гораздо чаще, чем звуками, которые издают не чуждые алкоголя франкофоны. Но я прошу вернуться в 89-й год, когда выезд за рубеж для многих был чем-то средним между рейдом в тыл врага и ознакомительной экскурсией по райским кущам. Мне к тому времени удалось побывать в разных странах. Я очень хорошо помнил тот холодок в груди, когда руководитель группы, насосавшись валидола, совершенно серьезно обещал за опоздание к месту сбора делегации сделать меня «невыездным» навсегда. Он ведь мысленно записал меня в невозвращенцы и готовил оправдательную речь, чтобы парткомиссия ограничилась вынесением ему выговора без занесения в учетную карточку.

Помню забавный случай. Проведя дни журнала «Юность» в Германии, мы возвращались домой через Франкфурт-на-Майне, а аэропорт там такой огромный, что обслуживающий персонал разъезжает на велосипедах. Ну и понятно, магазинов беспошлинной торговли там столько, сколько тогда не было во всей Москве. Как стало известно позже, две редакционные дамы из нашей делегации в сопровождении фотокорреспондента заблудились в дебрях западного изобилия и опоздали к вылету. В те годы из-за первых терактов ввели новый порядок посадки на самолет. У трапа на специальных многоярусных стеллажах стоял весь зарегистрированный багаж. Каждый пассажир, перед тем как взойти на трап, указывал на свой чемодан, а полицейский внимательно сверял оторванный корешок с биркой. Тогда наивно считали, что никто сам себя взрывать в воздухе не станет. Лишь после этого твой багаж по транспортеру попадал во чрево самолета, а ты мог занять свое кресло. Постепенно стеллаж опустел, и на нем остались лишь знакомые мне баулы пропавших членов делегации. Сначала экипаж переговаривался с кем-то по рации, потом советовался с прибывшим начальством, затем ко мне подошел сотрудник «Аэрофлота» и спросил:

— Это были ваши коллеги?

— Да, мои... были... — осторожно подтвердил я, зная, что «коллегами» их можно считать, пока они не попросили политического убежища за рубежом.

— Мы больше не можем ждать! — пожал плечами аэрофлотовец.

И мы взлетели. Тогда еще в самолетах на международных линиях можно было курить, а наливали, пока ты мог выпивать. Некоторые основательно расслабившиеся граждане, пуская в мою сторону табачный дым, громко обсуждали нештатную ситуацию.

— Слышали, трое умных журналистов слиняли?

— А этот?

— А этот дурак возвращается...

В Шереметьево-2 в сравнении с Франкфуртом тесном, как садовый домик, ожидая багаж, я вдруг столкнулся с Андреем Дементьевым, тоже прилетевшим откуда-то. Всегда веселый, загорелый и белозубый, он обрадовался, стал расспрашивать, как прошли встречи с немецкими читателями, где мы были, что купили, сколько свиных ног с пивом осилили. Потом, живо озираясь, спросил:

— А где девчонки?

— Остались... — машинально ответил я.

— Как остались? — Он посерел, словно архивный листок, и его рука взялась за сердце.

Глагол «остаться» по отношению к загранкомандированным имел только одно значение — «выбрать свободу». А это скандал на весь мир и большие неприятности, ибо руководитель нес персональную ответственность за возвращаемость своих подчиненных из-за рубежа.

— В смысле опоздали. Скоро прилетят! — поняв свою оплошность, пояснил я.

Живые оттенки вернулись в лицо главного редактора, и он с облегчением выругался, пообещав впаять всем опоздавшим по выговору.

Да, путешествие за рубеж в ту пору таило в себе серьезные опасности. О, как же трепетало мое сердце, когда я проносил через таможню мимо бдительных стражей затаившиеся в душных недрах набитого чемодана бунинские «Окаянные дни»! Страну с истошной бдительностью оберегали от эмигрантских книжек, а надо бы беречь от книжников и фарисеев с партбилетами в карманах. Кто знает, может быть, эта осточертевшая всем бдительность и была задумана исключительно для того, чтобы всем осточертеть?

2. Наши за границей

Тема «русские за границей» — одна из самых распространенных в отечественной литературе. А какие авторы! Карамзин, Салтыков-Щедрин, Тургенев, Достоевский!.. Читая их, я, советский человек не в самом худшем смысле этого слова, поражался тому, как спокойно и уверенно чувствовали себя за границей наши классики и их герои. После революции ситуация изменилась: русские за границей жили, как правило, не очень хорошо. Даже лауреат Нобелевской премии Бунин не жировал, а бывшие офицеры были счастливы, достав в Париже место таксиста.

Правда, некоторые благодаря природной русской сметке поднялись, разбогатели, но вот беда: их дети чувствовали себя уже полурусскими, а внуки — совершеннейшими французами. Грустно видеть Рюриковичей, которые наезжают в Москву на званые обеды и, грассируя на каком-то вороньем суржике, признаются в любви к своим предкам. А помните, как в 1990-е нам прочили в цари юношу Романова — толстомясого чернявого киндера, ни бельмеса не понимавшего по-русски?

Увы, это наша национальная особенность — склонность к ассимиляции. Русская общность держится не на кровной близости, а за счет внешних скреп и общих целей. Зайдите на свадьбу или юбилей русского и, скажем, кавказца, даже в Москве живущего, окиньте взглядом гостей, и вам многое станет понятно. Для нас утрата государства, в отличие от китайцев, евреев, грузин или армян, равносильна утрате этнической идентичности. Вы никогда не задумывались, почему русские, придя на тот же Кавказ как победители, не нарядили местных джигитов в кафтаны, поддевки, армяки и малахаи, а, наоборот, стали одеваться в черкески с газырями и папахи? В Средней Азии жившие там русские поэты с гордостью угощали меня не щами, а пловом. Доблесть они видели не в том, чтобы навязать свой образ жизни местным, а в том, чтобы освоить чужие обычаи. Потому-то мы такие большие — от Смоленска до Курил, но по той же причине, чуть что, начинаем разваливаться. Нашей бочке нужна не затычка, а стальные государственные обручи.

Конечно, во время написания «Парижской любви...» я о таких вещах еще не думал. Озаботился я этим позже, в 1990-е, когда была предпринята вторая после 1917 года попытка дерусификации в нашей стране, когда слово «русский» исчезло из эфирного обихода, а носители коренной идентичности стремительно вытеснялись из власти, культуры, про бизнес я уже не говорю. Помню, моя дочь в середине 1990-х, придя с вечеринки «золотой молодежи», спросила:

— Папа, а мы совсем русские?

— В каком смысле?

— Ну, может, какие-нибудь... примеси есть...

— Да вроде обе ветви рязанские...

— Жаль.

— Почему?

— Ребята и девчонки сегодня выпили и стали хвалиться, у кого сколько процентов нерусской крови. А я сижу как дура...

С приходом Путина этот процесс замедлился, но не прекратился вовсе. Кто смотрит российское ТВ, понимает, о чем я говорю. Жаль. В СССР была предпринята попытка построения не только бесклассового, но и интернационального общества. Ни то ни другое до конца довести не удалось, хотя я уверен, к этим попыткам человечество еще вернется.

Но вернемся к сюжету «Парижской любви...». В советские времена наши люди тоже ездили за бугор. Впрочем, не все — Булгакова, к примеру, так и не выпустили. Зато другие, Эренбург, парочка Бриков, Михаил Кольцов, Маяковский и прочие везунчики оттуда не вылезали, но исключительно для того, чтобы вести там идеологические битвы. Кстати, с нашими писателями-эмигрантами они там почти не общались, считая их «белогвардейцами». Более того, их в упор не видели и французские писатели, придерживавшиеся либеральных или коммунистических взглядов, как Арагон, муж Эльзы Триоле — сестрички Лили Брик. Мы сегодня вообще недооцениваем разветвленность и влияние интернациональных связей Советской России, ставших сходить на нет после отстранения от власти и международной деятельности Литвинова и Зиновьева. Известный русист Рене Герра пишет о том, что и Зайцев, Гуль, Шмелев, Адамович, Георгий Иванов жили в фактической изоляции от французского литературного сообщества. Во всяком случае, до начала холодной войны.

Я, кстати, будучи начинающим поэтом, еще застал когорту писателей-международников, постоянно выезжавших за рубеж и дававших там, а потом и на страницах своих книг бой буржуазной действительности. Международников сразу можно было узнать среди завсегдатаев Дома литераторов по ярким пиджакам, малиновым ботинкам, ярким галстукам или шелковым шейным платкам. Особенно выделялся Александр Кулешов-Нолле, кудрявый загорелый красавец с гвардейской выправкой. По слухам, он был внебрачным сыном Александра Блока. В самом деле — похож, да и по дате рождения совпадало. Когда он гордо проходил мимо бражничавших литературных домоседов, они начинали спорить, в каком звании он служит в КГБ. И сходились: никак не ниже майора. Писал Кулешов, кажется, о продажности и беспринципности буржуазного спорта.

Да и вообще сочинения международников были набиты спорами доказательных советских умников с интеллектуальными западными простофилями, на глазах прозревающими от неотразимых доводов. Читать эти диалоги без смеха нельзя было уже тогда, в них, по сути, с самого начала было запрограммировано наше грядущее поражение в холодной войне и схватке идеологий. Вспомните фильм талантливого режиссера Сергея Герасимова «Журналист». В первой серии корреспондент-стажер едет по «тревожному письму» в русскую глубинку, и смотреть его приключения одно удовольствие, настолько честно, сочно и подробно показана жизнь глубинки. А во второй серии его посылают в загранкомандировку в Женеву, и начинается идеологически выверенное вранье, которое не спасают даже выдающиеся отечественные и зарубежные актеры, играющие в ленте. Единственное, что выглядит художественно и убедительно, так это грудь Анни Жирардо, обтянутая черным свитером...

Впрочем, во все времена тема «русские за границей» несла в себе нотки юмора и самоиронии. Напомню хотя бы смешную «макароническую» поэму Ивана Мятлева «Сенсации и замечания госпожи Курдюковой»:

В стороне здесь город Бонн,
Город маленький и тесный.
Университет известный
Здесь устроен, а при нем
Тут же сумасшедший дом...

Мадам Курдюкова смешна и нелепа по причине своей жизнерадостной глупости. Мы же, советские люди, прибывшие за рубеж, были нелепы совсем по иной причине. Разве не забавен именитый писатель, перебирающий в кармане валюту, которой хватит только на мороженое? Разве не забавен грозный столоначальник, когда дрожит, как нашкодивший мальчишка, под взглядом приставленного к нему куратора? А разве не уморителен видный ученый, неумело торгующий из-под полы матрешками или икрой, чтобы прибарахлиться в «Тати»? Кстати, из литературной братии славился своей загранквалификацией Д. Пригов, забытый ныне мастер замысловатого эпатажа. Стоило назвать ему заграничный город, куда ты собираешься, и он влет выдавал тебе адреса самых дешевых улочек и магазинчиков, в том числе секс-шопов, где обслуживали по бартеру, при условии, конечно, что икра будет в стеклянных, а не в жестяных банках.

Оглядываясь назад, понимаешь: суровая и навязчивая заботливость советского государства, часто вызванная нашей непростой историей, привела в итоге к формированию народа-дитяти, а наш рывок в рынок есть не что иное, как новый крестовый поход детей. Итоги первого похода общеизвестны, результаты второго также уже очевидны. Выиграли от него лишь циничные маркитанты, которые всегда идут за устремленными в светлое завтра мечтателями и героями. Помните, у прекрасного русского поэта Юрия Кузнецова:

Маркитанты обеих сторон,
Люди близкого круга,
Почитай, с легендарных времен
Понимали друг друга...

Да, профессор, шкодливо толкающий гостиничному портье банку черной икры, чтобы купить жене модную кофточку, а молоденькой аспирантке — соблазнительные трусики, это смешно и унизительно. Но профессор, стреляющий себе в сердце из охотничьего ружья, потому что гибнет дело всей его жизни — наука, потому что аспирантка пошла на панель, а жена сидит полуголодная, — это страшно и подло! Когда в 1990-е мы это вдруг поняли, было уже поздно.

3. Веселая злоба и добрая грусть

Берясь за повесть, я был полон, как сказал поэт Гитович, «веселой злобы» и стремления еще раз подтвердить свое лидерство среди тех, кого сегодня я бы назвал критическими романтиками. Я кипел желанием стать первым в робко нарождавшейся советской эротической прозе. (Задача, достойная зазнавшегося подмастерья!) А тут как раз придумалось и такое изюмистое название — «Французская любовь». Благодаря душке Горбачеву можно было, отринув многоточия, отобразить «странности любви» во всем позднесоветском раблезианстве. Лишь с годами понимаешь: вовремя поставленное многоточие — самый верный признак настоящего мастерства, в эротической прозе в том числе... Впрочем, тогда я все еще хотел написать пикантную повесть с элементами резкой критики свинцовых мерзостей советской действительности.

Наступил 1990 год. Газеты и телевизор все настойчивее убеждали меня в том, что я — «совок» и живу в «бездарной стране», являющейся к тому же еще «тюрьмой народов» и «империей зла». Ирония и сарказм, взлелеянные моим литературным поколением для борьбы с идеологически выверенной дурью, вдруг, буквально на глазах, превратились в стиль общения средств информации с народом. Ухмыляющийся и двусмысленно подмигивающий плешивый теледиктор с кривыми зубами стал символом времени. Если, например, в газете сообщали, что на Домодедовском шоссе, врезавшись в грузовик, погиб генерал, то непременно добавляли: «Удар был такой силы, что от военачальника остались одни лампасы». Ежедневно, в крайнем случае через день, пресса одаривала меня беседой с очередной «ночной бабочкой», объяснявшей, что клиенты предпочитают позицию «крупада», а вот «миссионерскую» почему-то не уважают.

И я понял, что мне совсем не хочется писать эротико-разоблачительную повесть, а хочется сочинить просто историю любви. Да, потерянной, да, утраченной, но совсем не из-за советской власти, которая в худшие времена могла жестоко разлучить двоих, предназначенных друг другу судьбой. Но теряют любовь люди обыкновенно по своей вине, политический строй тут ни при чем. Я изменил плейбойское, а скорее даже — плебейское название «Французская любовь» на другое — «Парижская любовь Кости Гуманкова». И еще я осознал, что в окружавшей меня жизни, конечно, много нелепостей, но большинство из них заслуживает лишь снисходительной улыбки, а не ненависти. А в моду входила именно ненависть, тяжелая, задышливая, вырывающаяся из каких-то родовых серных расщелин.

Моя снисходительная интонация разочаровала некоторых вчерашних хвалителей, мгновенно превратившихся в хулителей. От меня ждали вклад в «науку ненависти», в которую, по-моему, вкачали денег больше, чем во все остальные науки и искусства вместе взятые. А я вдруг написал добрую, смешливую, но снисходительную повесть о неуспешной любви времен застоя. Как же это не понравилось! Особенно критикам, видевшим в тогдашней литературе исключительно стенобитную машину для сокрушения «империи зла». Ни одна моя вещь, кроме «Демгородка», не вызвала таких критических залпов со всех сторон. Я был похож на голубя, принесшего оливковую ветвь на ковчег, когда его обитатели, перессорившись, дрались стенка на стенку. Надеюсь, читателям, пережившим и путчи, и танковую стрельбу в центре столицы, и шоковую терапию, и хроническое беззарплатье, и прочие неприятности, невообразимые в прежние времена, теперь стало ясно, кто был прав в том давнем споре.

Редакционная коллегия «Юности», согласившись с мнением Виктора Липатова, отвергла повесть, и только после вмешательства Дементьева был найден компромисс: маленькую стостраничную вещицу решили печатать в трех летних, самых невостребованных номерах. Начав первые главы при социализме, подписчики журнала дочитывали окончание уже при капитализме. На фоне последних и решительных боев за власть, развернувшихся в агонизирующем Советском Союзе, повесть и в самом деле выглядела иронической пасторалью. Критика — и правая, и левая — мою вещь решительно отринула, объявив откровенной неудачей. Елена Иваницкая в «Литературном обозрении» в большой статье «К вопросу о...», посвященной моим сочинениям, писала: «"Парижская любовь Кости Гуманкова" тихо разваливалась в летних номерах “Юности”, и теперь читатель, у которого хватило терпения дождаться последней фразы, может окинуть взглядом всю груду кирпичей, из которых автор пытался свое произведение сложить. Замысел, кажется, был грандиозен: показать на примере некоей “специальной” туристической группы все предперестроечное общество и эпилогом дать его перестроечную судьбу...»

Недоумевали даже дружественные журналисты. Л. Фомина спрашивала в декабре 1991 года в интервью для «Московской правды»:

— Юрий Михайлович, ваши повести «ЧП районного масштаба», «Сто дней до приказа», увидевшие свет на страницах журнала «Юность» с наступлением гласности, сразу стали не только фактом литературы, но и мишенью для ожесточенных нападок со стороны многочисленных оппонентов, некоторые из которых не могут успокоиться до сих пор. Появившийся чуть позже в том же журнале «Апофегей» уже не вызвал столь бурной реакции, хотя в нем довольно откровенно показана скрытая от многих глаз жизнь партийных функционеров. А опубликованная летом — осенью этого года «Парижская любовь Кости Гуманкова» на фоне нашей усложняющейся и ужесточающейся с каждым днем жизни вообще выглядит милым анекдотом на любовно-идеологическую тему. Такое снижение политической, социальной остроты ваших произведений — случайность, дефицит «закрытых» тем или свидетельство изменения некоторых гражданских, писательских позиций?

— Начнем с того, что моя первая повесть «ЧП районного масштаба» появилась в самый канун наступ-

ления гласности, зимой 1985 года, и появилась благодаря настойчивости конкретного издания — журнала «Юность», благодаря твердости позиции конкретного человека — главного редактора журнала Андрея Дементьева. Нынче многие литераторы не любят вспоминать тех, кто помогал им преодолевать «препоны и рогатки цензуры», скромно ссылаясь исключительно на свой талант и личное мужество. Кстати, если кто-нибудь думает, что сегодня цензуры не существует, то он заблуждается, просто она стала тоньше и безнравственнее, потому что у тех застойных «непускателей» с Китайского проезда была инструкция, утвержденная наверху, а у нынешних, как правило, личные и глубоко осознанные мотивы. Например, недавно меня пригласили поучаствовать в «Пресс-клубе» Авторского телевидения. И что же? Через неделю я наблюдал на экране свою безмолвную физиономию: ничего из сказанного мной в эфир не попало. Вот такая, понимаете ли, авторская цензура.

Что же касается, как вы говорите, снижения остроты моих последних вещей, то это совершенно естественный процесс. Эпоха «разгребания грязи» и «срывания всех и всяческих масок» заканчивается. Людям интересно читать о жизни, а не о грязи. Кроме того, «разгребателем грязи», или «чернушником», я себя никогда не чувствовал, а просто темы — комсомол, школа, армия, к которым я, следуя своему личному опыту, поначалу обратился, — были настолько замифологизированы и затабуированы, что любое слово достоверности воспринималось читателями как откровение. Придуманной действительности социалистического реализма достоверность была просто не нужна, и в известной степени литература первых лет гласности была возвращением к нормам критического реализма. Точность — вежливость писателя. Увлекательность, кстати говоря, тоже. Это мой принцип. Кроме того, по моему убеждению, с возрастом писатель должен становиться добрее: чем глубже вникаешь в жизнь, тем терпимее становишься. От объявления, скажем, всех партократов монстрами до концлагерей всего один шаг. Кстати, сочувствующие мне читатели смогут проследить эту мою внутреннюю эволюцию по моим книгам...»

4. Колбаса нужна?

И читатели полюбили повесть сразу и навсегда. Получить в библиотеках «Юность» с «Парижской любовью...» было невозможно — всегда на руках, а интернета тогда еще не завели. Повесть тут же вышла отдельной книжкой тиражом 100 тысяч экземпляров и с тех пор выдержала десятки изданий. Почти на всех встречах с читателями кто-нибудь непременно признается, что это — его любимая книга, читанная несчетное количество раз... Дважды «Парижскую любовь...» собирался поставить режиссер С. Яшин в Театре имени Гоголя, но так и не сумел перешагнуть через свои жизненные и драматургические симпатии. Слишком у меня все было традиционно.

И «Галлимар» тоже не стал издавать «Парижскую любовь...», сочтя ее слишком «советской», зато она вышла в другом крупном издательстве — «Ашет», которое осенью 1991-го пригласило меня на презентацию в Париж. Я получил гонорар две тысячи франков и чувствовал себя богаче Газпрома и Роснефти, вместе взятых. Мог купить мешок заколок-махаонов, но купил, конечно, обновки жене и дочери. Я уже складывал чемодан, когда в отель вбежал взволнованный сотрудник «Ашета», похожий на Мопассана. Задыхаясь, он объявил, что меня хотят видеть в знаменитой передаче канала «Антен-2» «Культурный бульон» и что о таком успехе издатели даже не мечтали, больше рассчитывая на мемуары братьев Ругацких о тяжелой жизни евреев в СССР. Я к тому времени имел немалый телевизионный опыт, особенно часто меня звал Влад Листьев во «Взгляд», все больше туманившийся либеральной глаукомой. Но от такого предложения мне тоже стало не по себе: впервые я шел в эфире на экспорт!

В студии рядом со мной оказался знаменитый актер и режиссер Робер Оссейн, больше знакомый нам в качестве графа де Пейрака — мужа рыжей красотки Анжелики. Он представлял свою толстую книгу под названием «Человек или дьявол?». Нас познакомили, и Робер Оссейн на вполне приличном русском языке с легким местечковым акцентом (его родители с юга России, именуемого ныне Украиной) решительно спросил:

— Колбаса нужна?

— Что-о?

— Давай, слушай, адрес! Я пришлю тебе колбасы...

— Зачем?

— Как зачем? У вас же, слушай, голод!

— У нас нет голода. Дефицит — да, имеется... в отдельных случаях.

— Точно? — Робер Оссейн был явно разочарован.

— Точно...

— Я тебе все-таки пришлю колбасы.

Я дал ему визитку, но никакой колбасы, как догадываетесь, не дождался. Впрочем, жизнь любит странные рефрены и опоясывающие рифмы. В 2004 году режиссер Константин Одегов снял фильм «Парижская любовь Кости Гуманкова» с хорошими актерами: С. Чуйкиной, А. Терешко, Е. Стычкиным, Б. Химичевым, Н. Чиндяйкиным, С. Виноградовым, Б. Клюевым. Мы смотрели черновой монтаж в кинозале, вдруг Константин наклонился ко мне и спросил, показывая на экран:

— Узнаете?

Там шел эпизод, когда Костя и Алла располагаются на ночлег у пожилых французов. Хозяйка мадам Марта, которую играла неведомая мне пожилая актриса, как раз показывала гостям комнату с широким супружеским ложем и злополучным мечом на стене. Кстати, будучи в Ниме, я в самом деле жил в квартире у пожилой учительницы, которую звали Мартой, кажется, она была немкой из Эльзаса.

— Кого я должен узнать?

— Актрису.

— Эту? — Я всмотрелся в увядшее незнакомое лицо. — Не узнаю...

— Это же Мишель Мерсье!

— Не может быть! Как же удалось?

— И совсем недорого! — похвастался режиссер. — Она много лет без работы.

Да, читатель, то была она, греза моих подростковых фантазий, рыжекудрая маркиза ангелов Анжелика, давным-давно брошенная своим Пейраком и состарившаяся в одиночестве.

Вот, собственно, и вся история. Остается добавить, что по прочтении повести на меня обиделись жены моих друзей и знакомых, носящие имя Вера или имеющие отчество Геннадиевна. Прочитав повесть, вы поймете — почему. Моя жена, с которой я к тому времени состоял в браке уже пятнадцать годков, задала мне несколько внешне невинных, но довольно коварных вопросов, призванных прояснить, а уж не сам ли я и являюсь прототипом Кости Гуманкова. Но я успокоил ее, показав записку со словами «Привет от прототипа!». Ее во время творческого вечера прислал мне из зала один приятель юности, женатый на общей знакомой. Но на самом деле я имел в виду совсем не его. Я лишь воспользовался его фамилией Гомонков, поменяв первое «о» на «у» и «гуманизировав» ее таким образом... Кстати, после выхода повести я получал письма от «прототипов», удивлявшихся, откуда я так хорошо осведомлен о тайной драме их личной жизни, случившейся именно в Париже. «А может быть, — приходит мне в голову, — неведомый читатель, упорно полагающий себя прототипом твоего героя, и есть главная награда писателю за труды?» Недавно «Парижскую любовь...» перевели на китайский язык. Возможно, кто-то из поднебесных читателей тоже подумает, что это книга про его потерянную и незабываемую любовь. Кто знает...

1997, 2017

Враг перестройки

Вообразите ничем не выдающуюся, обыкновенную даму. И вот однажды она, невостребованно задремав в одинокой постели, просыпается ослепительной красавицей. Подруги в отчаянье озирают ее скрипичную талию, переходящую в виолончельные бедра, и плачут дома перед зеркалом. А мужчины, вчера едва замечавшие простушку, теперь с мольбой заглядывают в ее глаза и с томительным зовом смотрят ей вслед. Комплименты, цветы, в глазах рябит от предлагаемых рук и сердец... Вообразили?

Тогда продолжим наш рассказ.

1. Ветер перемен

Нечто подобное случилось и со мной после выхода в январе 1985-го в «Юности» моей первой повести «ЧП районного масштаба». Так бывает, молодой автор своим творческим жалом вдруг попадает точнехонько в некий общественный нерв, не обнаруженный почему-то опытными литературными иглоукалывателями. И вся читающая страна, как Иоланта, содрогается в коллективном прозрении:

«Ах! Где были наши глаза?» На почти ежедневных встречах с читателями я чувствовал себя чуть ли не пророком, от которого ждут по крайней мере объяснения смысла жизни и политических прогнозов на ближайшие лет сто. Сначала я, конечно, робел, но потом ударился в оптимистическое визионерство. Мне верили, а число граждан, желающих немедленно со мной выпить, неумолимо росло, угрожая здоровью.

Как-то, в начале 1986 года, я пришел в наше литературное министерство — Союз писателей СССР, расположенный в «Доме Ростовых» на улице Воровского (теперь Поварская). Мне надо было оформить документы для заграничной командировки: вдруг позвали в Чехословакию! Иду и вижу: мне навстречу по узкому коридору, подобно тугому поршню, движется второй человек в СП СССР Юрий Николаевич Верченко. Он был настолько толст, что на самолет ему брали два билета: в одном кресле не помещался. В коридоре разойтись с ним можно было, лишь нырнув в какой-нибудь кабинет. Что я и собирался сделать. Но этот прежде едва замечавший меня литературный генерал остановился, хитро улыбаясь, поманил пальцем-сарделькой и спросил:

— Знаешь уже?

— Что, простите?

— Не знаешь? Тогда слушай: вчера Михаил Сергеевич хвалил твое «ЧП...» на Политбюро. Сказал: побольше бы нам таких. Понял? Только не зазнавайся!

— Ну что вы! — Я замотал головой, изображая послушное смущение, которое так нравится начальству.

— Ладно, ладно, скромник! — Он глянул на меня с внимательной усмешкой раскройщика судеб.

Потом не раз я встречал в жизни этот примерочный взгляд начальства, выбирающего очередного кандидата на выдвижение. Меня двинули в 1986-м, избрав сразу секретарем Московской писательской организации и СП РСФСР, а также членом правления СП СССР. Теперь, когда литературное сообщество превратилось в нечто среднее между профсоюзом бомжей и клубом вольных графоманов, понять степень моего возвышения трудновато. Чтобы люди, забывшие или по молодости лет не знающие номенклатурных раскладов, поняли, о чем речь, могу дать подсказку. Представьте: вы сразу стали членом совета директоров Газпрома, Роснефти и Сбербанка. Одновременно! Так понятнее? Остается добавить: в те далекие годы известный писатель занимал в кремлевской табели о рангах очень высокое положение. А как же! Маркс, Энгельс, Ленин, Сталин, Брежнев — все писали книги. Ныне это место в прейскуранте начальственного благоволения отдано медальным спортсменам, энергичным инвалидам-колясочникам и ночным мотоциклистам, прикрепившим к рогатому рулю наш триколор.

Когда перед съездом писателей СССР обсуждали новый состав высшего органа — секретариата, мудрый Георгий Мокеевич Марков, увидав в списке и мою фамилию, спросил: «Вы что, совсем хотите парню жизнь испортить?» И меня гуманно понизили — переместили в правление, а то бы я впервые в истории стал трижды секретарем. Но и без того мой вертикальный взлет вызвал сдержанное негодование коллег и даже эпиграммы:

ния вроде «Котлована» и «Собачьего сердца» или статьи о недостатках социализма, одолев которые мы окажемся не в коммунизме, конечно, а в новом дивном мире, подозрительно напоминающем ароматно гниющий капитализм. Одним из первых на эту тему в статье «Авансы и долги» высказался бывший зять Хрущева экономист и писатель Николай Шмелев. Когда я с ним знакомился, на меня пахнуло дорогим вирджинским табаком: верный признак принадлежности к выездной элите. Люди стали раскованнее, говорливее, смелее. То, о чем раньше бурчали на кухнях, теперь можно было услышать в трамвае и даже на партийном собрании. А переимчивые эстрадники уже пели о «ветре перемен», не подозревая по своему невежеству, что, сея ветер, можно пожать бурю и даже цунами.

Воплощенным символом этих перемен был, конечно, генсек Горбачев. После своих предшественников, похожих на мумии, ожившие по важной государственной надобности, он выглядел почти юношей, говорил быстро, без бумажки, даже бормотал, улыбался и всюду таскал за собой жену Раису Максимовну, похожую на районную прокуроршу, одевшуюся для похода в облдрамтеатр. Ее народ невзлюбил сразу и до конца, хотя была она внешне обаятельна и мила в отличие, скажем, от жены Брежнева, похожей на местечковую грымзу. Кстати, к просачивавшейся информации об амурных похождениях Леонида Ильича коммунисты и беспартийные относились с пониманием.

Конечно, опытные люди, пережившие не одну кремлевскую метлу — и железную, и кукурузную, —

вслушиваясь в жизнерадостный клекот нового лидера, качали головами, не понимая, о чем, собственно, он токует и куда ведет. Но большинству было наплевать. Народ и в самом деле застоялся, хотел перемен. А тех, кто пережил настоящие перемены, сиречь революцию, и знал, что это такое — радикальное изменение уклада, — оставалось уже совсем немного. Они пытались предостеречь, тот же Молотов, но кто же слушает пенсионеров, даже выдающихся? Жизнь страны оказалась в руках Манилова, окончившего высшую партийную школу и прочитавшего под одеялом пару диссидентских книжек.

Шел, как я уже сказал, 1986 год. До настоящей, «хлестнувшей за предел» свободы было далеко. Еще песочили на парткоме коммуниста Окуджаву, пытавшегося из Польши ввезти в СССР видеокассеты с эротическими фильмами, необходимыми, как поведал бард, чистосердечно разоружившись перед партией, для сочинения интимных сцен в новом романе. Еще сажали за антисоветскую пропаганду и чтение «Посева». Еще военная цензура упорно, раз за разом снимала из подписного номера «Юности» мою повесть «Сто дней до приказа», но в шелесте алых знамен уже появилась усталость — так трепещут осенние листья перед тем, как опасть.

2. Великий Габр

Вдруг мне позвонил режиссер Леонид Эйдлин и сообщил, что меня хочет видеть Герой Социалистического Труда Евгений Иосифович Габрилович. Я опешил: что понадобилось от молодого писателя живому классику, автору «Машеньки» и «Коммуниста»? Так, вероятно, ошалел бы изобретатель РШУ (рогатки школьной усовершенствованной), вызванный для знакомства с творцом «АКМ» — автомата Калашникова модернизированного. Я помчался и с трудом нашел Дом ветеранов кино на Нежинской улице, где мэтр обитал после смерти жены, всю жизнь продержавшей его даже не в ежовых, а в дикообразных рукавицах. Матвеевское в ту пору еще не сообщалось с Можайским шоссе, будучи отделенным от трассы огромным оврагом, на дне которого виднелись покосившиеся сараи и квадратики городских огородов с синими завивающимися кочанами капусты. Кое-где прогуливались куры, а из крытых загончиков доносился поросячий визг.

Дом ветеранов кино (ДВК) выстроили, выгородив участок на краю ближней сталинской дачи. Символично, что создатели великого советского кинематографа доживали свой бурный век в угодьях вождя, который сделал «электротеатр» важнейшим из искусств и жестко впряг синематограф в бронетелегу советской державы. По чистым коридорам бродили знаменитые тени. На стенах висели застекленные рисунки Юткевича и Эйзенштейна, не эротические, разумеется. Устроен ДВК был по последнему слову медицины и геронтологии, являя образец суперсовременной богадельни. Даже вход был оборудован пандусом для колясочников. Это полвека-то назад! Вообще, должен заметить, верхушка советской творческой и научно-технической интеллигенции умела взбить вокруг себя особый кокон комфорта, почти невероятный в условиях советского бытового аскетизма. Удобства эти нельзя было купить, а только выслужить у власти. Возможно, так оно и правильно. Если государственный муж может купить все, что хочется, зачем ему государство вместе с косоруким народом? Именно такие мысли посещают меня, когда я вижу в телевизоре иных нынешних министров. У них в глазах тоска по дальним и теплым странам.

Габрилович обитал в однокомнатной квартирке, заполненной книгами и старинными фотографиями. Широкую лоджию затеняли ветвями подросшие деревья. На столе стояла портативная пишущая машинка — вполне обычная, кажется, «Рейнметалл». Печатал мастер медленно, точно каждый раз заново отыскивал нужную букву на клавиатуре. А вот у Юлиана Семенова, записного плейбоя советской литературы, помню, была крошечная, в две ладони, «Колибри» с перепаянным за большие деньги русским шрифтом. Отправляясь в командировку, отец Штирлица по особому разрешению выкупал полностью купе и весь путь, иногда многодневный, оглашал вагон непрерывным щелком вполне законной машинки для печатанья денег.

Великий Габр был уже стар, скрючен, ходил с трудом, страдая ногами, но ум его кипел замыслами. Удивительно работоспособное поколение! Иногда мне кажется, талантливые люди, погибшие в Германскую, Гражданскую и Отечественную войны, сгинувшие в классовых, политических, партийных и религиозных разборках, удивительным образом передали уцелевшим свои нерастраченные жизненные и творческие силы. Возможно, существует еще не разгаданная наукой закономерность, и когда в нынешних фильмах про «те еще времена» советских энтузиастов изображают мятущимися доходягами, мне просто смешно. Не надо свою бледную немочь и душевную плесень приписывать предыдущим поколениям. Они были другими.

Сказав пару добрых слов о моей повести «ЧП районного масштаба», Евгений Иосифович предложил написать с ним в соавторстве оригинальный сценарий. О чем? Вы будете смеяться — о партии, точнее, о хорошем человеке, попавшем в номенклатуру. «Какая ерунда!» — воскликнет читатель, привыкший смотреть на «совок» с «хазано-жванецким» прищуром. А вот и не ерунда! Между прочим, юморист Петросян был секретарем парткома Москонцерта. Писателей советской эпохи проблема коммуниста во власти волновала не меньше, чем вопрос престолонаследия тревожил литераторов шекспировского круга. От личных качеств людей во власти жизнь зависит всегда. И совсем не важно, что у них в кармане — партбилет или жалованная грамота...

Конечно же, я с радостью согласился. Еще бы — работать вместе с Великим Габром! О таком даже не мечталось. Кто не видел легендарную ленту «Коммунист» и не ронял слезы, сострадая заведующему колхозным складом Евгению Урбанскому, застреленному ревнивым кулаком! Все смотрели и все роняли. Ставить будущую картину должен был талантливый Леонид Эйдлин, работавший до того вторым режиссером с Сергеем Юткевичем на фильме «Ленин в Париже» по сценарию Габриловича. В ту пору кинематографисты в очереди стояли, чтобы снять ленту об эмигрантских годах наших вождей: и заработаешь, и по миру поездишь, приоденешься. Долгая творческая командировка и шейный шелковый платок придавали Леониду европейский вид, но судьба Отечества при этом его искренне волновала, в частности, беспокоило, что в Переделкине, где он с семьей снимал на лето дачу Нади Леже, перестали ходить молочницы из соседней деревни, где теперь высотный район Большой Москвы. Надя была из эмигрировавших русских, и когда Фернан Леже умер, она подарила Музею имени Пушкина несколько его полотен, а ей взамен отвели большой участок земли в Переделкине, где она стала строиться в конце 1970-х. Материалы были, конечно, импортные. Весь Дом творчества бегал смотреть, как разгружают финский кирпич, уложенный на пластиковые поддоны и обтянутый плотным полиэтиленом.

— Если у них кирпич в полиэтилене продают, то можете представить, какой там уровень жизни! — вздохнул кто-то из властителей дум.

— А клубника там в магазинах круглый год! — наябедничал другой ротозей с писательским билетом в кармане.

Теперь на том участке дача-музей Зураба Церетели. Из-за кирпичного забора вздымаются бронзовые конечности и звери, но выше всех сидит на своем столпе общеизвестный пустынник.

Габрилович сразу предупредил: героем фильма, точнее героиней, будет молодая привлекательная дама. В качестве предмета художественного исследования его больше интересовали женщины, мужчин он считал слишком простоватыми и малоперспективными для искусства объектами. Нашу героиню изначально должна была играть прогремевшая в фильмах «Карнавал» и «Москва слезам не верит» актриса Ирина Муравьева, по совместительству жена Леонида Эйдлина. Дело в киномире обычное. Достаточно вспомнить Орлову и Александрова, Ларионову и Рыбникова, Макарову и Герасимова, Алентову и Меньшова. Нет, я не против семейственности в искусстве, если брачные объятия соединяют талантливых людей, а с фамильным сходством и дачей в Мамонтовке детям переходит еще и дар. Но талант, увы, не передается половым путем ни супругу в постели, ни младенцу в утробе. Творец распоряжается своими «искрами божьими» наподобие лотерейных выигрышей. Но об этом как-то подзабыли, и нынешнее российское искусство напоминает мне санаторий, где природа отдыхает на потомках. Чаще всего эта мысль мне приходит в голову, когда я смотрю на Федора Бондарчука. Бывают, конечно, исключения, но они редки, как уссурийские тигры.

Но вернемся в середину 1980-х. Итак, я купил путевку в ДВК, и мы сели за работу. Господи, что за жизнь! Отменное питание, прогулки по цветущим аллеям, а вечерами показывают недублированные западные фильмы или отечественные ленты «с полки» — из спецхрана Госкино. Потом классики обсуждают увиденное, мол, поснимали бы Годар и Хичкок свои фильмы во времена Лаврентия Павловича, а мы бы посмотрели на полеты их талантов!

Сюжет сложился быстро. Мы попросту взяли его из жизни. Тогда в самом деле во власть стали продвигать новых людей, чем-то себя проявивших. Вспомните хотя бы мои два с половиной писательских секретарства. Впрочем, подобные коллизии и ранее были типичны для «производственного» ответвления нашей литературы. На эту тему писали и снимали многие, но безусловным лидером являлся драматург Александр Гельман, умевший свою неприязнь к социализму облечь в остросюжетную борьбу за чистоту идеалов, овеянных вдумчивым советским оптимизмом. Платили за это хорошо. Надо заметить, ВКП (б) — КПСС любила советоваться с творческой прослойкой о видах на урожай и путях развития бесклассового общества. А вот тех, кто затеял шоковые реформы в 1990-е, мнение простонародья, включая литераторов, вообще не интересовало. Эпохе первичного капиталистического хапка художественные подтексты с двойными кодами оказались без надобности, и автор «Премии» исчез из искусства, оставив нам в отместку сына — галериста Марата Гельмана.

3. Муравьевой нечего играть!

Но вернемся на Нежинскую улицу, в нашу творческую лабораторию. Сюжет мы придумали такой: молодая бодрая энтээровка Лиза Мельникова после яркой речи на каком-то партийном слете замечена и взята на работу в райком партии. Новый первый секретарь Борисов хочет резко обновить и ускорить жизнь вверенного ему участка действительности, он научно грезит и собирает свою команду. Лиза — дама бескомпромиссная, едва освоив азы аппаратной работы, она бросается в бой. Страсти вскипают вокруг конфликта директора вычислительного центра «Алгоритм» опытного Пыжова с неуживчивым новатором и правдолюбом Калюжным. Новые сослуживцы Лизы уговаривают ее не лезть в чужой монастырь, ругают, называют неуправляемой, но она лезет и срывает прием в партию Луковникова — любимца Пыжова.

Нет, у нас не было никакого намека на нетрадиционное соратничество пожилого руководителя и молодого выдвиженца, не было и быть не могло. Эта тема пришла в искусство позже, хотя в жизни встречалась нередко. Так, приехав в Ленинградский ТЮЗ, где ставили мою «Работу над ошибками», я узнал, что легендарного худрука Карагодского недавно сняли и посадили якобы за это самое. За те же грехи сидел и знаменитый режиссер Параджанов. Ужас! Впрочем, и Уайльда упекли по той же статье, но гораздо раньше. Мы всегда отстаем от передовых стран.

У нас же в сценарии разворачивался вполне традиционный, но непростой роман героини с театральным режиссером Лехой. Замечено: чем слабее мужчина в творчестве, тем любвеобильнее. В моем поколении лучше всех умели разговор о поэзии с пытливой девушкой перенести из библиотеки в постель графоманы. Лиза уходит к любовнику от мужа Коли, который может осчастливить лаской и внутрисемейным трудолюбием любую женщину, но только не Мельникову!

Работали мы дружно. Великий Габр мягко осаживал меня, когда я в бытописательском восторге стремился засунуть в сценарий сведения про то, где у секретаря райкома на столе лежат скрепки, а где чистые бланки. Он, как котенка, тыкал меня носом в общечеловеческие ценности: любовь, зависть, ненависть, предательство... Это — главное. А скрепки? Может, их лет через двадцать и вообще не будет. Он учил во всем, даже в производственном конфликте ударника с бракоделом, искать и находить вечные противоречия бытия. Будущий постановщик Леонид Эйдлин следил за сложением сюжета ревниво и придирчиво, как новосел — за строительством дома, где предстоит жить. Услыхав от меня какую-то деталь или аппаратную присказку вроде: «по белой нитке ходишь!» — он вскакивал, мечтательно закатывал свои левантийские глаза и восклицал:

— Я знаю, кто это может сыграть!

— Кто? — Меня охватывали безумные мечты. — Евстигнеев? Бурков? Леонов? Смоктуновский?

— Не-ет! У меня есть в Кимрах знакомый клоун! Гений!

Иногда, если взглянуть со стороны, мы напоминали трехструйный фонтан. Надо ли объяснять, что струи были разной силы и дальнобойности. В Габре (а было ему уже хорошо за восемьдесят) обнаружилось очень своеобразное смешение патриархальной мудрости и забавной старческой забывчивости.

— Ребята («ребята» — я и Эйдлин), запомните, Лиза — хорошенькая и очень модная. Собираясь на свидание, она чистит зубным порошком свои тапочки и вертится перед зеркалом!

— Евгений Иосифович! Какие тапочки? Какой порошок? У нас же не послевоенная Москва!

— Ах да... Разумеется. Но все равно она модница! Пусть что-нибудь чистит... И перед зеркалом крутится...

— И говорит пусть побольше! Она у нас мало говорит! — добавлял будущий постановщик. — Муравьевой нечего играть! Юра, надо придумать ей словечки, чтобы народ подхватил!

И рассказывал, как его жена прямо на съемочной площадке изобрела замечательную фразу, которой не было в сценарии фильма «Москва слезам не верит»: «Не учи меня жить — лучше помоги материально!»

Получив вводные, я удалялся в свой номер и утром приносил несколько страничек, нащелканных на машинке, читал вслух, волнуясь и томясь комплексом подмастерья. Габрилович слушал без выражения, пожевывая синеватыми губами и вздыхая. На лице Леонида мелькали зарницы будущих режиссерских открытий.

— Хорошая сцена в столовой, — кивал мэтр. — А с кем это там Лиза говорит?

— С Бурминовым.

— А кто у нас Бурминов?

— Старый коммунист.

— Очень хорошо!

— Я возьму Плятта! — загорался Эйдлин.

— Погодите! Нашей Лизе нужна подруга. Эдакая оторва...

— Зачем? Муравьевой и так нечего играть! — трагически бурчал постановщик, знаменитую жену он называл исключительно по фамилии.

— Юрочка, к завтрашнему дню придумайте нам подругу. А чем руководит этот, как его?..

— Пыжов?

— Да, Пыжов... Надо что-нибудь очень современное.

— Может, электронно-вычислительный центр?

— Изумительно! Пусть кто-то ведет по этому центру Лизу и рассказывает, как на экскурсии.

— Подруга! Она как раз работает там программистом! — импровизировал я.

— Великолепно!

— Муравьевой нечего играть!

Сочиняемая история поначалу напоминала типичный производственный эпос. Имелся резонер из старых большевиков, говоривший правильные вещи: «Что такое прием в партию? Ювелирное дело! Основа основ, первый вопрос! Из-за него ведь и расплевались большевики с меньшевиками в одна тысяча девятьсот третьем году... А теперь очередь в партию, как за водкой! Я бы посмотрел на эти очереди, когда кулачье с обрезами шастало или Деникин к Москве подходил...» Сегодня эта тоска по бескомпромиссным большевицким временам кажется нелепостью. Но думаю, никто не будет спорить с тем, что у ВКП (б) — КПСС был свой героический период, лишь потом настала пора удовлетворения растущих потребностей. Оттуда мощное наследие советской власти, которое мы все никак не проедим. Проблема наших современных партий в том, что у них никогда не было никакого героического периода, если не считать поедания бесплатных бутербродов в «живом кольце» у Белого дома. Все нынешние партии начали с удовлетворения растущих потребностей, причем своих, а не народа.

Поначалу наша заявка на сценарий так и называлась — «Первый вопрос».

Мы честно отразили тогдашние конфликты, обиды, заблуждения, общую уверенность в том, что жизнь можно улучшить легко и быстро, надо просто преодолеть сопротивление тех, кто не хочет перемен, хотя за перемены были, кажется, все, включая цепных псов режима. Василий, литературовед в штатском, курировавший наш Союз писателей от организации с всемогущим названием «КГБ», спросил меня как-то: «Ну что у тебя там со “Ста днями до приказа”?» — «Не разрешают...» — вздохнул я. «Идиоты!» — процедил он. После 91-го Василий, кажется, работал у хитроныры Гусинского в службе безопасности банка «Мост», которую возглавил, кстати, бывший начальник Пятого, антидиссидентского, управления КГБ генерал Бобков, а его сын был поэтом и сочинял авангардистскую ерунду. Вам это не напоминает членов дома Романовых с красными бантами на шинелях в феврале 1917-го? Мне напоминает. Советскую власть могло спасти только чудо Господне, но Вседержитель атеистам не помогает, хотя и не мешает.

Однако от набиравшего силу потока перестроечных произведений наш сценарий отличался принципиально. Начавшись вполне типично, история Лизы Мельниковой как-то сама собой завершилась мрачным конфузом. Пусть продвинутый читатель не содрогается. Никто в конце по рецепту Владимира Сорокина не испражнялся на стол президиума, не мочился в декольте инструктору ЦК и не откусывал нос секретарю парткома. Однако все попытки героини обновить жизнь города привели к краху — и общественному, и личному. Калюжный, которого она продвинула, оказался мелким карьеристом. Усевшись с ее помощью в кресло Пыжова, он продолжил то же очковтирательство, но уже овеянное перестроечной риторикой. А Луковников, которому наша героиня обломала вступление в партию, наоборот, взорлил: за отменные деловые качества его взяли на повышение в Москву. С ним уехала и Лизина подруга-оторва, утверждавшая, что в мужчине она ценит только размер... жалованья. Ретроград Пыжов, прекрасно чувствуя себя на пенсии, утешает Лизу: «Все будет хорошо!» Кстати, так назывался второй вариант сценария. Они встречаются в пункте детского питания: Пыжов пришел за молочком для внука, а Лиза — для дочери, рожденной не от мужа.

Упс... Совсем забыл: мятущийся режиссер Леха, попользовавшись телом и связями нашей героини, получив место в областном драмтеатре, бросил Лизу на сносях. Отставленный муж Коля готов принять беглую супругу в любом количестве без единого упрека, и другая бы обрадовалась, вернулась, но только не Мельникова! А что же первый секретарь Борисов, задуманный нами как обнадеживающая тень душки Горбачева? Он, пряча глаза, предлагает неуправляемой Лизе после декретного отпуска стать директором ПТУ. А это как сегодня из президентского пресс-центра перейти на работу в районную газету «Муромский вестник». И то ладно! Не посадили же. Не выбросили из окна, как партийного финансиста Кручину в 1991-м. Не повесили в кабинете, как маршала Ахромеева. Третий, окончательный, вариант сценария назывался «Неуправляемая». В последней сцене Лиза — одна-одинешенька, точнее, с коляской, в которой спит ребенок, сидит в сквере и наблюдает суету вокруг готового к открытию монумента «Молодость мира», чем, собственно, и увенчались бурные реформы Борисова во вверенном ему городе. Чем закончил говорун и пиццеед Горби, мы с вами знаем.

— Здесь будет улыбка Кабирии! — вдохновенно твердил Леня Эйдлин, уверенный, что теперь-то Муравьевой есть что играть. — Мне нужна улыбка сквозь слезы!

Слезы ждать себя не заставили.

4. Погром

Теперь, спустя годы, поумнев, я понимаю, чем была для Габриловича работа над тем сценарием. Человек, почти всю жизнь не ссорившийся с начальством (борьба с космополитами его лишь слегка задела), автор, создавший немало «партийных» сценариев, на закате решил написать про то, о чем раньше не разрешали, про то, что случается с хорошим, честным человеком, угодившим во власть, которая портит даже королей. Меня он взял в союзники, так как я, сочинив «ЧП районного масштаба», влетел в эту «аппаратную» тему подобно юному кавалеристу, не справившемуся с кобылкой и угодившему ненароком в самую гущу превосходящих сил противника.

А страна тем временем закипала. Перестройка напоминала весенний косметический ремонт квартиры с неизбежной перестановкой мебели. «Ах, посмотрите, сколько грязи скопилось за старым буфетом!» — «Ерунда! Вы еще не видели, что делается в туалете!» Кто ж тогда знал, что дело закончится выбрасывани-

7 - 2579

ем из окон вполне приличной мебели и ломкой несущих стен, отчего обрушится кровля. Но это случилось позже, когда ремонтом в советской квартире занялся прораб Ельцин. Наступил 1987 год. Многое было разрешено, критика всячески поощрялась, в советской эпохе уже обнаружили столько темных пятен, что и сами начали удивляться, как прожили в таких нечеловеческих условиях семь десятилетий.

Лет пятнадцать назад однокурсница, оставшаяся вопреки всему работать в школе, пригласила меня в свой класс — выступить перед детьми. Поговорили, поспорили. Среди вопросов был и такой: «А правда, что при советской власти досыта ели только первые секретари, а все остальные голодали?» Видимо, в детской головке в результате промывания мозгов «жидкостью Эрнста» сочетание «первые секретари» стало тем собирательным злом, каким для нас, внучат Ильича, были «буржуины». «Правда, деточка, — ответил я. — Вторые секретари питались кое-как, а третьи просто падали на улице от голода!» Дети юмора не догнали. Однокурсница все поняла, покраснела и отвела глаза, а потом оправдывалась:

— Это не мы, это телевизор...

Но вернемся в третий год перестройки. Поставив точку, соавторы отметили победу, торжественно отправили сценарий на «Мосфильм» и стали ждать ответа, предчувствуя полный триумф. Эйдлин обзванивал кинобогов и, кажется, уговорил на роль Пыжова самого Стржельчика! В подруги-оторвы наметили Софи Лорен. Шучу! И вот тут нас позвали на заседание худсовета 4-го творческого объединения, которое возглавлял в ту пору чутко-прогрессивный Владимир

Наумов. После шумного скандала с экранизацией «Скверного анекдота» он ограничился тихой отвагой в рамках дозволенного. Впрочем, его смелость в изруганной ленте по рассказу Достоевского проходила скорее по разделу «Стыдись, немытая Россия!». Но русская партия во власти тогда еще была в силе — и Наумову с Аловым насыпали.

Габрилович по старости лет на худсовет не поехал, напутствовав меня и Леонида, мол, в гуле восторгов не стоит заноситься, следует внимательно записать все замечания коллег, так как сценарий еще сыроват, его можно и нужно «доводить до ума». Удивительно требовательное к себе поколение! По сравнению с ним нынешние сценаристы не пишут тексты, а что-то бормочут на компьютере. Да и вообще, если бы смежившие очи титаны узнали, что кафедру сценарного мастерства во ВГИКе возглавляет Арабов, они встали бы из могил и маршем протеста прошли бы по улице Эйзенштейна, где расположен этот прославленный вуз.

Итак, мы с Леней явились на заседание. Вообразите, вы с тортом и букетом приходите на званый ужин, но, едва переступив порог прежде всегда гостеприимного дома, получаете ногой в пах и вашим же тортом — в рожу. Заседание напоминало погром.

Самый мягкий упрек, брошенный нам во время разноса, звучал примерно так: «Вы враги перестройки!» Нас стыдили, корили, винили, ставили в пример сценарий журналиста Юрия Щекочихина, который, видя все трудности ускорения, не подвергал сомнению идеалы обновления. Так муж, застав жену с сантехником, не теряет веры в преимущества моногамного брака перед групповым. Тон задавал неведомый режиссер Леонид Марягин — пижон с лицом Мефистофеля, злоупотребляющего пивом. Впоследствии он (Марягин, а не бес) снял первый советский фильм с радикально голыми девицами легкого поведения — «Дорогое удовольствие», а потом еще игровую ленту о Льве Троцком. Обе канули в заэкранье. Сколько же их тогда надуло ветром перемен — «грандов гласности»! И где они теперь все? Переночевали на груди утеса-великана и растаяли. В последний раз я видел Марягина в нулевые годы. Он рекламировал по телевизору пилюли то ли от переедания, то ли от давления. А в предпоследний раз... Но об этом чуть позже.

Худсовет начисто отверг наш сценарий, расторг договор, списав аванс по статье «творческая неудача». Доброе мы имели тогда государство!

Леня и я были потрясены и оскорблены прежде всего — за мэтра. Невероятно: отвергнуть самого Габра с примкнувшими к нему Поляковым и Эйдлиным! Это примерно то же самое, как сегодня не разрешить на правительственном концерте спеть Кобзону, Пугачевой или Розенбауму. Вы можете себе это вообразить? Я — нет. Кошмар! И произошло это в эпоху гласности, когда все советское искусство правдивеет прямо-таки на глазах. А нам заткнули рот. Позор! Сам мастер отнесся к афронту философски и, кажется, больше всего горевал, что среди противников «Неуправляемой» оказалась Нина Скуйбина, редактор студии и тогдашняя супруга Эльдара Рязанова, для которого и в самом деле у природы плохой погоды не бывало. Помню, с каким энтузиазмом он снимал дурацкую, но валютную комедию о приключениях итальянцев в России. Одного не пережил его саркастический талант — отмены цензуры. Есть художники, которым надо регулярно и твердо напоминать об ответственности перед обществом, тогда у них почему-то лучше получается. Нечто подобное случилось и с Германом-старшим, после краха не любимой им советской власти он увяз в своем мрачном даровании.

Итак, мы, примкнувшие, возмутились, восприняли обструкцию как наступление на гласность и решили жаловаться, даже набросали челобитную члену Политбюро А. Н. Яковлеву, прося поддержки. Габрилович письмо прочитал, посмотрел на нас ветхозаветным взором и покачал головой: «Не надо, ребята!» В молодости, посидев в камере ЧК как анархист, он сообразил, когда лучше кричать, а когда отмалчиваться. Евгений Иосифович догадался: мы вторглись в сферу большой политики, где искусство само по себе не гуляет никогда и нигде, включая страны вечнозеленой демократии, а уж в нашем-то грешном Отечестве и подавно. Я понял это со временем — и жить сразу стало веселее. Сегодня, видя в телеящике какого-нибудь лысого или кудрявого литератора, целенаправленно взрывающегося правдолюбием, я сразу прикидываю: из какого кремлевского кабинета или заокеанского офиса тянется к нему, шипя, бикфордов шнур. Конечно, бывают исключения, но они редки, как упомянутые уссурийские тигры, которых, возможно, заботами президента Путина станет побольше.

Да, читатель, тогда, в 1987 году, мы замахнулись на самое святое — на партию, готовившуюся, как вскоре стало ясно, сложить полномочия и пустить страну в свободное политическое плавание. (Вообще-то за такое решение капитана раньше вешали на рее.) Ведомые художественной логикой, мы невольно предугадали все, что случится вскоре со страной. Искусство может многое подсказать царям и простолюдинам, конечно, если к его мнению прислушаться. Сегодня, по-моему, наша власть относится к искусству как буфетчик консерватории к симфонической музыке, он даже усвоил, что от Чайковского выручка круче, нежели от Губайдуллиной, но не более того.

5. Обидчивые марионетки

Теперь-то я понимаю: попав меж двух жерновов, наш сценарий был обречен в любом случае. С одной стороны, интеллигенция сладко агонизировала в эйфории разрешенного свободомыслия, ей наконец-то позволили выражать исконно-заветное неудовольствие страной обитания и неуспешным народом. Ради этого почти сексуального счастья она прощала власти все ошибки и несуразицы, обещавшие впереди серьезные потрясения. Даже самая осторожная критика хаотичных методов и туманных целей перестройки и ускорения воспринималась прогрессивной частью общества как злостное покушение на главное завоевание — свободу слова. Спрашивать: «куда идем?» — считалось неприличным. А «зачем?» — и подавно. Интеллигенцию волновал другой вопрос: «Почему идем так медленно?» О хлебе насущном пока вообще никто не задумывался, полагая, что

Гляжу с тоской на Полякова Юру:
Писуч, активен, на лицо хорош.
Вошел он, словно лом, в литературу.
Куда еще ты, комсомолец, прешь!

Неведомый зоил обыграл известные стихи Михаила Светлова про «комсомол шестидесятых лет»:

И скажет космос: «Кончилось пространство!
Куда еще ты, комсомолец, прешь!»

Центонная стихотворная сатира была и тогда в моде, просто никому не приходило в голову делать из этого профессию, как Быков. Обиду и раздражение коллег понять можно: многие за право войти в какое-нибудь занюханное правление без устали интриговали, суетились, выполняли соцзаказы и гнули партийную линию так, что в конце концов сломали. К примеру, прозаик и главный редактора журнала «Октябрь» Анатолий Ананьев, не найдя своей фамилии в списке будущих секретарей, упал в обморок и оставался без сознания, пока ему не шепнули, мол, вставай, дурашка, вписали тебя куда следует. А тут какого-то молокососа после первой же повестушки буквально опутали литературными лампасами с ног до головы. Обидно, да?

Тем временем в стране набирала силу перестройка. Мало кто понимал, что это такое. Просто помолодели лица вождей, в мае и ноябре восходивших на трибуну Мавзолея, хотя остальное пока было по-прежнему: кролики шли — бобры стояли. Но в журналах нет-нет да появлялись запрещенные прежде сочине-

это — прямая обязанность постылого государства, которое собирались рушить с помощью заморских консультантов. Кормить народ впредь будет умный рынок. Ну не идиоты ли!

В либеральной юности меня страшно раздражала манера сталинистов все неприятности и провалы объяснять вредительством и происками троцкистов. Но как-то в конце 1990 года мы выпивали с одним старым писателем, и он, оценивая происходящее в стране, процедил, как обычно: «Вредительство!» И вдруг я понял: впервые это густопсовое слово не только не вызвало у меня отторжения, а напротив — я с ним согласился. Когда вскоре выяснилось, что генерал спецслужб, а позже депутат от демократов Калугин — американский шпион, все отнеслись к этому спокойно, как к само собой разумеющемуся. А кто же еще? Ведь умный человек не может быть не плутом! Со временем стало очевидно: в высшей номенклатуре есть серьезные люди, отлично понимающие губительность горбачевской перестройки. Напомню, сам термин появился в эпоху реформ Александра II Освободителя, и гласность, кстати, оттуда же. Они, эти люди, сознательно вели страну к потрясениям, к обрыву, чтобы в хаосе падения одним махом сменить политический и экономический строй СССР. Скорее всего, и распад Советского Союза был заранее запланирован и оговорен. Еще Сахаров советовал поделить одну шестую часть суши на несколько десятков уютных кусочков, а Солженицын тяготился «южным подбрюшьем». Что и говорить: мелко нарезанная Россия — давняя золотая мечта Запада. К тому же не очень-то приятно возделывать свой лилипутский садик, если за забором начинаются угодья великана.

Судя по всему, Яковлев и был координатором сил, направленных на радикальное переустройство страны, развал и на капитализацию под лозунгом «Больше социализма!». Почему? Известно, что он в молодости проходил стажировку в США в одной группе с Калугиным. Умному — достаточно. Думаю, неприятие нашего «антиперестроечного» сценария шло если не от него самого, то от его ближнего круга. Ведь зарубить фильм, освященный именем Габриловича, Героя Социалистического Труда и бесчисленных госпремий, можно было только с высочайшего согласия. Таковы были тогдашние правила игры. Да и сегодняшние тоже.

А чего, собственно, испугались-то? Неужели одна кинолента могла изменить ситуацию в стране, переломить настроения, повернуть вспять историю? Конечно, теперь в это трудно поверить. Нынче даже премьера, превращенная мощным пиар-прессингом в событие века, проходит по стране косым дождем. Но тогда все было иначе. Помните, какими морально-политическими бурями стали ленты «Маленькая Вера», «Россия, которую мы потеряли», «Так жить нельзя», «Покаяние», «Легко ли быть молодым»? Да и снежкинское «ЧП районного масштаба», к которому приложил руку автор этих строк. Именно литература и искусство свернули на антисоветскую сторону многие доверчивые мозги. Это были мощнейшие «антисоветики» (по аналогии с антибиотиками), убивавшие в сердцах все социалистическое. О том, что дела совсем плохи, я сообразил, когда, в очередной раз зайдя в кабинет к своему приятелю главному редактору «Московского комсомольца» Павлу Гусеву, я обнаружил на пороге коврик с портретом Ленина, зато на стене появился портрет государя-императора Николая Второго.

Напомню: к 1988-му у людей стали появляться вопросы к новому курсу. Точнее других сформулировал недоумение писатель-фронтовик Юрий Бондарев, сказавший с высокой трибуны, что страна похожа на самолет, который взлететь-то взлетел, а куда садиться, не знает. Как же набросилась на него передовая свора! А какие битвы велись вокруг письма скромной ленинградской преподавательницы Нины Андреевой! Его опубликовали в «Советской России» под заголовком «Не могу поступаться принципами!». Таких проклятий не удостаивалась даже Фанни Каплан, стрелявшая в Ильича. Тогдашнее сознание советского человека воспринимало критику, допущенную на газетную полосу, экран телевизора или кинотеатра, на театральную сцену или в радиоэфир, как отчетливый призыв бороться и одолеть негативные тенденции жизни. Именно так осуществлялась в нашем однопартийном обществе обратная связь. Появление в этой атмосфере сгущающегося недоумения и недовольства антиперестроечного фильма, в создании которого принял участие живой классик советского кино Габрилович, а главную роль сыграла всенародная любимица Ирина Муравьева, могло сработать как детонатор. Но могло и не сработать. История капризна, как женщина.

Если бы фильм запустили в производство по утвержденному плану в начале 87-го, на экраны он вышел бы как раз к концу 88-го, в переломный момент, когда уже многие были готовы сказать Горбачеву: «До свиданья, наш ласковый Миша, возвращайся в свой сказочный лес!» Именно в этом году мы проскочили точку невозврата. А могли ведь остановиться, свернуть и пойти, скажем, «китайским путем» обновления без самопогрома. Лично я ради эволюционной модернизации еще лет десять посидел бы на скучнейших партсобраниях, повторяя детскую риторику, разработанную партией для простодушных рабфаковцев 1920-х годов. Но многим уже хотелось «делать историю», им нравилась стремительная «собчачизация» общественной жизни с трибунными истериками и призывами в не просчитанные дали. Да и рубль, сорвавшись с цепи «безнала», делал свое дело. «Корейки» уже вылезали из подполья, пилили свои золотые гири и вступали, пока закулисно, в большую политическую игру. Не сомневаюсь, отмашку на закрытие «Неуправляемой», как, впрочем, и других антиперестроечных поползновений, дали те, кто хотел, чтобы точку невозврата страна прошла, не заметив. Так и случилось. И хороши бы мы были, послав жалобное письмо Яковлеву. Марионетки жалуются кукловоду на то, что кто-то дергает их за нитки. А недовольных марионеток, как известно, складывают в сундук.

О мудрый, печальный, старый Габр! Кажется, то был его последний порыв. Во всяком случае, я ничего о его новых работах не слышал, а прожил он еще шесть лет, похоронив сына. Леонид Эйдлин страшно горевал по поводу краха нашего сценария, впал в депрессию, но, кажется, так и не догадался об истинных причинах неудачи, считая это результатом интриг Марягина и Скуйбиной при снисходительности Наумова.

Нельзя сказать, что такой неутешительный прогноз перестройке дали только мы в нашей киноповести «Неуправляемая». Примерно о том же роман Василия Белова «Все впереди», книги Бондарева, стихи Юрия Кузнецова, последние вещи Айтматова. Но все сомневавшиеся сразу зачислялись в ретрограды, от которых был уже один шаг до «черной сотни»...

6. Неинтеллигентный сценарий

Года через три я написал кинокомедию «Мама в строю», специально под Эйдлина и Ирину Муравьеву. По сюжету одинокая мамаша, которая не хочет, чтобы ее сын служил срочную, идет в армию вместо него, благо работает каскадершей и шутя переносит все тяготы боевой подготовки. В армии она находит свое заплутавшее женское счастье, влюбившись в командира-афганца. Пока Муравьева срочно худела, чтобы стать похожей на Голубкину в «Гусарской балладе», а Эйдлин мучился, придумывая режиссерский ход, объяснявший, почему никто не узнает в героине женщину даже в бане, финансовая система СССР рухнула и снимать кино стало не на что. Снова не вышло... Бывают творческие союзы, над которыми тяготеет злой рок. Потом мы общались, встречались накоротке. И он все-таки в 2000 году снял 8-серийный фильм «Поцелуй на морозе» по моей комедии «Халам-бунду». Такого количества звезд в одном сериале я больше не встречал. Судите сами: Ирина Муравьева, Александр Михайлов, Дмитрий Назаров, Елена Драпеко, Виталий Соломин, Полина Кутепова, Александр Лазарев-старший, Александр Лазарев-младший, Светлана Немоляева, Вера Васильева, Виктор Павлов, Елена Коренева и другие. Фильм показали в рождественские каникулы нового, 2001 года. Лента зрителям понравилась, но событием не стала, критика ее не заметила. Думаю, из-за того, что в фильм из пьесы перешло сочувствие к ушедшей советской жизни и насмешки над нынешней «свободой от всего». Ведь по сюжету в конечном счете на высоте во всех смыслах оказываются «старые советские», которые спасают нового русского, окончательно запутавшегося в своих бизнес-планах, сиречь махинациях.

Незадолго до смерти Леонид позвонил мне и как-то между прочим молвил: «А ведь если бы я все-таки тогда снял нашу «Неуправляемую» с Муравьевой в главной роли, вся моя жизнь сложилась бы совсем по-другому!» — «Возможно, и не только твоя, Леня!» — подумал я, но промолчал.

В середине 1990-х я попал на сборище творческой интеллигенции чуть ли не в Колонном зале. Мы сидели вместе с журналистом Леонидом Павлючиком, служившим тогда в газете «Труд» и не заболевшим еще рецидивирующим либерализмом. Около нас оказалось свободное место. Когда в проходе появился раздобревший Марягин с отвислыми щеками и с животом, как футбольный мяч, спрятанный под рубаху, Павлючик замахал руками, мол, иди к нам! Тот кивнул и понес живот в нашу сторону.

— Богатым будешь — между двумя Леонидами сидишь, — сказал мне журналист. — А вы не знакомы?

— Нет, — ответил Марягин.

— Очень даже знакомы! — Возразил я.

— Разве? — Режиссер приподнял инфернальную бровь. — Откуда?

— А помните, как вы зарубили на «Мосфильме» сценарий, который мы написали с Габриловичем и Эйдлиным?

— Да, что-то такое случалось... Но ведь это же был крайне неинтеллигентный сценарий!

Жаль, что теперь в анкетах нет графы «социальное происхождение». С каким бы удовольствием я написал «из рабочих!» и свернул набок мефистофельский нос Марягина. Неинтеллигентный сценарий! Да мы в нем предсказали будущее страны, рожа твоя сероводородная! Но годы, проведенные в творческой среде, смягчили мой нрав, облагородив манеры мальчика из заводского общежития, и я лишь горько усмехнулся в ответ.

Не раз и не два я пытался разыскать тот наш сценарий в своих бумагах. Безрезультатно. Спрашивал у Эйдлина, пока тот был жив, но и он тоже не мог найти. Когда к 60-летию я предпринял генеральную ревизию моего архива, то обнаружил лишь десятка два страничек, оставшихся от разных вариантов. Однако жизнь полна судьбоносных случайностей. Как-то меня пригласили на передачу «Воскресный вечер с Владимиром Соловьевым», посвященную 30-летию перестройки. За чаем в ожидании эфира я поведал Карену Шахназарову о том, как в 1986-м мы написали пророческий, можно сказать, сценарий, зарубленный Наумовым и бесследно исчезнувший.

— Для какой студии писали? — хмуро уточнил неулыбчивый директор «Мосфильма».

— Для вашей! Но прошло столько лет...

— У нас ничего не пропадает.

Через неделю продюсер Александр Литвинов вручил мне ксерокопию нашей киноповести «Неуправляемая» — сразу два варианта. Странное чувство испытал я, листая страницы, напечатанные когда-то на моей разбитой машинке «Москва» с прыгающим нечищеным шрифтом. Наверное, что-то подобное ощутил бы ветеран-снайпер, обнаружив в старых камуфляжных штанах патрон, которого тридцать лет назад ему не хватило, чтобы изменить исход боя или промахнуться...

2015, 2017

Как я построил «Демгородок»

1. Шабаш непослушания

Сегодня, спустя четверть века после обвала Советского Союза, мне трудно даже передать отчаянье, охватившее мою душу при виде происходившего. Великая страна, Родина, держава, огромное, местами обветшалое, где-то торопливо и невпопад нагроможденное, но в целом величественное и устойчивое историческое сооружение, пережившее самую страшную за всю историю войну, дрогнуло, качнулось и осело, превращаясь в пыль, подобно старому небоскребу, в самые уязвимые точки которого по всем правилам взрывотехники заложили заряды. Бу-ух — и груда щебня. Толпящиеся вокруг зеваки, журналисты, международная публика щелкают вспышками, цокают языками, восклицают «вау!», весело обсуждая геополитическую сенсацию. Мол, еще вчера, казалось, не обойти, не объехать эту громадину, а теперь осталось лишь убрать мусор.

Отречение жалкого Горбачева и триумф хмельного, надувшегося, как индюк, Ельцина, — все это, показанное по телевизору, вызывало отчаянье и тоску. Вокруг нового начальника обкромсанной по краям страны суетились непонятные люди. В телевизор набилось на удивление много радостных евреев, как будто шел бесконечный репортаж с веселого национального праздника. Любой разговор они обязательно сворачивали на свою тематику, вызывая раздражение у всех, кому не повезло с «пятым пунктом». Даже меня, воспитанного в духе непререкаемого советского интернационализма, переходящего в родовое бесчувствие, это злило и озадачивало. Известный советский критик Михаил Синельников, с которым я дружил, кипел: «Не понимаю! Такое впечатление, что им поручили разжечь антисемитизм в стране!» Вскоре Михаил Хананович умер, убитый происходящим.

Когда в Кремле спустили флаг СССР, я напился.

Страна превратилась в огромную кунсткамеру, уродцы, сидевшие при советской власти в спирту, повыскакивали из банок и устроили шабаш непослушания. Телевизор без конца показывал мордатого Егора Гайдара, он, закатывая белесые поросячьи глазки, хрюкал что-то про умный рынок и про удочку, которую реформаторы дадут народу вместо рыбы. На прилавках было шаром покати, с витрин исчезли даже пыльные пирамиды банок с несъедобным «Завтраком туриста». За водку бились в очередях насмерть. Сизый дымок всенародного самогоноварения подернул Отечество. А вот удочкой, точнее, навороченным спиннингом, стала Останкинская башня, с ее помощью в мутное море перемен забрасывались пустые блесны, и за ними гонялось сбитое с толку народонаселение.

Постоянно по ТВ показывали правительство «молодых реформаторов». У некоторых в глазах еще стоял испуг валютного спекулянта, взятого возле «Метрополя» за перекупку долларов у интуристов. Парни, кажется, до конца не поняли, что на самом деле победили и вся страна в их жадных неумелых руках. Во власть полезли странные типы, вроде кучерявого эмигрантского вьюноши Бревнова. Он, кажется, учился вместе с Авеном в одной спецшколе и вдруг возглавил Газпром или Роснефть — не помню точно. Помню лишь, когда теледиктор назвал его зарплату, моя жена резала хлеб и чуть не отхватила себе ножом палец. Жил Бревнов в Нью-Йорке, летая на рабочую пятидневку в Москву особым самолетом. Следом за ним на другом казенном лайнере следовала его теща: она просыпалась позже. Похмельному гаранту наябедничали, что личный самолет есть не только у президента, случился скандал, и Бревнов с тещей исчезли. Сколько таких бревновых, озолотившихся на обломках страны, вернулись потом в свои манхэттены и палестины, никто не знает...

Постоянно с какими-то вздорными идеями возникали в эфире Лифшиц, Чубайс, Авен, Бурбулис, Шахрай, Немцов, Борис Федоров, Гавриил Попов, Починок, Сосковец и Носовец, а также Станкевич, похожий на увеличенного в человеческий рост целлулоидного Кена — друга куклы Барби. Все они были, по сути, персонажами комическими, если бы не жуткий результат их косорукой деловитости. Страну растаскивали, как горящий склад дефицитов, — жуткий сюжет, напророченный Распутиным в повести «Пожар». Если когда-нибудь решат подсчитать, сколько в те годы всего сперли и сплавили за рубеж, к аудиторам надо бы приставить психиатров, иначе счетоводы просто спятят от масштабов украденного.

Всех реформаторов объединяло общее хитрованское выражение лиц, словно они знали про нас всех что-то очень забавное, но пока не говорили вслух. Замелькало вороватое словечко «ваучер». Министр обороны почему-то тоже всегда ухмылялся, и офицеры, которых тысячами гнали из армии, звали его «человек, который смеется». Иногда транслировали по телевизору мстительную физиономию Руслана Хасбулатова, председателя Верховного Совета, решившего, кажется, поквитаться за все обиды чеченского, а заодно и ингушского народов. От занудных лекторских интонаций Имрановича хотелось впасть в летаргический сон. Зато кипели депутаты, сообразившие, что они натворили, поддержав роспуск СССР. Задиристо крутил бретерские усы вице-президент Руцкой, грозя открыть свои чемоданы с компроматом на младореформаторов. Так и не открыл: украли. Олигархов словно специально подбирали по фамилиям: Гусинский, Смоленский, Березовский, Ходорковский... Огонек неприязни к оборотистым инородцам загорался в обиженных сердцах, к тому же вели они себя с комиссарской развязностью и нэпманской кичливостью, выставляя напоказ свое внезапное богатство.

В Доме правительства целый этаж отдали американским консультантам, помогавшим нам проводить реформы. Как нарочно, постоянно показывали по ТВ мрачного низколобого генерала Стерлигова. С людоедским блеском в глазах он грозил вскоре покончить с антинародным и антинациональным режимом. Интересно, сколько ему за это платили? Эфир заполонили проповедники самых затейливых сект, а также колдуны и знахарки, на расстоянии лечившие народ мановением рук. Ельцин, пугая граждан тяжелым набрякшим лицом, обещал, если что не так, лечь на рельсы. Но верили ему только те, кто страдал провалами в памяти. На Северном Кавказе начали грабить пассажирские и товарные поезда. С помощью фальшивых авизо туда уходили огромные средства, потраченные потом «повстанцами» на войну с «федералами», именно так именовало сражавшиеся стороны российское телевидение. Телевизионные говоруны в эфире откровенно веселились, разительно отличаясь развязностью от похоронной степенности советских дикторов. Сначала это забавляло, но бесконечные шуточки, приколы, хохмы, перемигивания вскоре осточертели, и я бы дорого дал, чтобы услышать державный бас Балашова, читающего доклад генсека.

Мои друзья-журналисты, еще недавно бившиеся за свободу слова, менялись на глазах. В 1988 году я летал в Америку на встречу «Восходящих лидеров». В делегацию тогда включили всех «взглядовцев» во главе с Владом Листьевым. В самолете во время долгого пути мы выпивали, спорили, обсуждали новости. Они были очень горды тем, что, несмотря на запрет Горбачева, пустили в эфир сюжет про Шеварднадзе. Тот, объявив о возможности фашистского переворота в стране, пригрозил отставкой. Не знаю, где уж он нашел у нас фашистов? Впрочем, красно-коричневой угрозой тогда все пугали друг друга, как в пионерском лагере мы стращали сами себя сказкой про гроб на колесиках. Все политики не дружат с правдой, но Шеварднадзе был уникальным, эпическим интриганом и лжецом, что потом и подтвердил, став президентом Грузии. Я тогда ответил «взглядовцам», мол, бывают ситуации, о которых в эфире надо рассказывать осторожно, иногда и умалчивать в интересах самого же общества. Они набросились на меня с хмельной принципиальностью:

— Ты понимаешь, что сказал?! Да если нас заставят хоть на йоту поступиться правдой, мы швырнем заявление об уходе! Мы пришли в эфир ради правды! А ты хочешь цензуры?

— Я не хочу, чтобы с помощью телевидения разрушали страну!

— А мы, значит, разрушаем?!

В общем, поссорились. Прошло четыре года. Меня после большого перерыва снова позвали во «Взгляд». Там я и вывалил все в эфир: про развал СССР, про ураганное обнищание, про бессовестных нуворишей, про новое очернение русской истории в духе пресловутого академика Покровского. Его имя, если кто не знает, почти 10 лет носил Московский государственный университет, потом, слава богу, одумались и вспомнили про Ломоносова. Листьев слушал меня с какой-то ветхозаветной грустью, но не перебивал, лишь тонко улыбался, когда я горячился, разоблачая антинародный курс Гайдара. Отговорив свое в эфире, я отправился к знакомым девушкам в редакцию «До и после полуночи» и вышел из телецентра часа через три. Долго бродил, разыскивая брошенный в спешке на обширной стоянке мой темно-синий «Москвич-2141», которым страшно гордился. Потом я понял, почему не сразу нашел свою гордость: ее загородил огромный никелированный джип «Мерседес». Такой и сейчас-то мало кому доступен, а тогда внедорожник производил впечатление инопланетного средства передвижения.

У джипа стоял Листьев. Увидав меня, он немного смутился, потом спросил:

— Как тебе тачка?

— Фантастика!

— На ней даже по болоту ездить можно.

— А как тебе мое выступление?

— Молодец. Ты знаешь, что мы теперь в записи выходим?

— Не-ет...

— Теперь так... Ну давай, не забывай нас!

Мы разъехались. Все мои филиппики против антинародного режима, конечно, вырезали. Во «Взгляд» меня больше не приглашали. А Влада вскоре убили. Из-за денег.

Тем временем пенсия в переводе на доллары составила что-то около пяти баксов, дикая инфляция сожрала все отложенное на черный день. Даже мне, по прежним меркам хорошо зарабатывавшему писателю, трудно было сводить концы с концами. Жена начала «челночить». Но тут молодой нефтяник Валерий Белоусов, возмущенный происходящим в стране, решил издавать оппозиционную газету «Гражданин России» и пригласил меня в сотрудники. Платил он в месяц сто долларов, и я чувствовал себя богатым, даже немного стеснялся своей обеспеченности, ведь по помойкам рылись пенсионеры и ветераны. Впрочем, вот вам для сравнения: Сорос платил сотрудникам либеральных изданий вроде журнала «Знамя» жалованье от тысячи долларов в месяц, сумма в ту пору невообразимая. Понятно, почему эта общечеловеческая ватага сегодня вспоминает 1990-е как золотой век. Еще бы!

2. «Там человек сгорел!»

Примерно тогда же мне вдруг позвонил Сергей Станкевич. С ним я познакомился в той же поездке в Чикаго на встречу «Восходящих лидеров»: я был секретарем комитета ВЛКСМ Союза писателей, а он, кажется, секретарем комитета ВЛКМ Института общей истории АН СССР. По возвращении из США Станкевич вдруг стал одним из руководителей Народного фронта, потом вице-мэром Москвы, затем советником президента. У меня сложилось такое впечатление, что колониальную администрацию и компрадорскую буржуазию стали готовить загодя, до того, как развалился СССР. Встреча «Восходящих лидеров» была чем-то вроде смотрин. К нашей группе писателей американцы прикрепили даму по имени Наташа с хорошим русским языком и с еще лучшей выправкой. После моего выступления на круглом столе она потеряла ко мне всякий интерес, а вот Юрий Щекочихин ее, наоборот, заинтересовал.

Позвонив, Станкевич предложил встретиться для серьезного разговора в спортклубе у метро «Октябрьская», рядом с французским посольством. Прежде там был оздоровительный центр, выстроенный на излете советской власти каким-то богатым оборонным заводом. Но центр приватизировали и переоборудовали, превратив в то, что теперь называется SPA. На фронтоне еще виднелась аббревиатура завода-изготовителя, полуприкрытая ярким названием вроде Sunny beach. Я долго ждал на ступеньках, продуваемый зимним ветром, пока не подъехал черный «Мерседес» в сопровождении джипа охраны. Из машины устало вылез Станкевич в длинном кашемировом пальто песочного — по тогдашней моде — цвета.

— Извини, президент задержал... — хмуря государственные брови, сообщил он.

С мороза мы вошли в клуб, там зеленели пальмы и хищно цвели орхидеи. Не помню насчет колибри, но зато юные девы в коротких, вроде туник, халатиках порхали во всех направлениях. Кресла, столики, шторы — все укладывалось в ныне забытое советское слово «фирма» с ударением на последнем слоге. Когда в СССР снимали кино про зарубежную жизнь, даже совместными усилиями бутафоров «Мосфильма», «Ленфильма» и Студии имени Довженко не удавалось воссоздать атмосферу и обстановку этого капиталистического комфорта. А тут — на тебе! Станкевич у стойки предъявил свою золотую членскую карточку, а за меня, как за гостя, заплатил пятьдесят долларов одной бумажкой. Мое сердце сжалось от классового недоумения.

— Энергетические коктейли пить будете? — спросила девушка с нежно-предупредительной улыбкой, неизвестно откуда взявшейся в нашей стране, которая еще недавно славилась тотальным хамством в сфере обслуживания.

— Будем, — кивнул Станкевич и отдал еще полсотни баксов.

Сердце мое заболело от классовой обиды. Напомню: сто долларов в месяц я получал в «Гражданине России», считая себя богачом в сравнении с резко обнищавшими писателями-патриотами. Не заметив моей оторопи, он повел меня в раздевалку. Я глянул на Станкевича, облачившегося в радужный адидасовский комплект и кроссовки стерильной белизны, и почувствовал себя в советском «тренике» крестьянским ходоком, забредшим в высший свет. Мы уселись на велотренажеры с дисплеями и стали накручивать километры, оставаясь на месте. Станкевич рассказывал мне о сложном политическом моменте, о назревающем конфликте между президентом и Верховным Советом. Он задумал выпускать газету «Ступени», у него имелись свои виды на будущее России, но ему нужен был главный редактор с именем, чтобы раскрутить новое издание. Из его осторожного рассказа стало ясно: амбиции бывшего комсорга простираются много дальше должности советника президента. Девушка в тунике грациозно принесла высокие стаканы с энергетическим коктейлем, очень похожим на обыкновенный яблочный мусс, который давали нам в детском саду.

— Если ситуация в этой стране будет и дальше развиваться так, как сейчас, надо сваливать... — задумчиво молвил Станкевич, хлебнув чудо-напитка.

Я чуть не рухнул с велотренажера. Один из тех, кто затевал в стране бучу, приведшую к развалу и одичанию, один из тех, кто обещал, убрав от власти коммунистов, превратить страну в цветущий сад наподобие спортивно-оздоровительного клуба, один из тех, кто сулил рыночное изобилие, теперь собирался сваливать из «этой страны», не оправдавшей его доверия. А Станкевич уже говорил о саботаже со стороны старых кадров и вероятности введения в России диктатуры во благо демократии. М-да, изнасилование как способ полового просвещения — это вполне в духе российских либералов...

Накрутив положенное количество километров, мы поплавали в бассейне, потом он предложил позагорать и повел меня в солярий, где стояли «вафельницы», похожие на капсулы для межгалактического сна из фильмов Стенли Кубрика. Одна «вафельница» медленно открылась, и оттуда вылез, позевывая, узнаваемый член межрегиональной группы, водивший шахтеров стучать касками на Горбатом мосту у Белого дома.

«Эге, — подумалось мне. — Шахтеры теперь о лаву головами стучат, а этот в Sunny beach загорает».

— Чуть не заснул — так хорошо! — улыбнулся он, потягиваясь.

Если бы горняки увидели его здесь в таком виде, то прикончили бы на месте отбойными молотками.

Станкевич улегся в «вафельницу». Я же не рискнул, с детства опасаясь замкнутого пространства. Мне захотелось выпить пива — от впечатлений и энергетического коктейля во рту пересохло, но, заглянув в меню и увидев, сколько стоит кружка, я ограничился водой из-под крана. Потом я снова плавал в голубом бассейне, размышляя, что, вероятно, обещанный после реформ скачок уровня жизни населения не может произойти сразу, сначала возникнут оазисы благополучия среди разрухи вроде этого клуба, потом европейские стандарты ползучим счастьем распространятся по всей державе, и граждане насладятся комфортным изобилием. Но тогда чем этот путь отличается от того, которым пошли в свое время коммунисты с их распределителями и закрытыми санаториями? Они тоже сулили народу неуклонное удовлетворение растущих потребностей, даже частично выполнили обещания. Вот и этот оздоровительный центр завод построил для работяг... Рассекавший воду в другом конце бассейна волосатый пузан, едва державшийся на плаву из-за золотой якорной цепи на жирной шее, вяло махнул рукой, и девушка в тунике метнулась к нему с энергетическим коктейлем.

Вдруг на кафельном берегу я заметил нервозную суету, заметался испуганный персонал, люди в белых халатах побежали в солярий с криками:

— Сгорел... Человек сгорел... Какой ужас!

— А вы куда смотрели?

«Там человек сгорел!» — вспомнил я строчку из Фета и увидел, как врачи ведут под руки шатающегося Станкевича.

На фоне докторских халатов его обгоревшее тело напоминало кусок свежей, не успевшей заветриться говядины. На малиновом лице страдали огромные, белые от ужаса глаза, лохматые пшеничные брови стояли дыбом.

— Сергей! — позвал я из воды.

Он в ответ лишь плеснул детской ладошкой, прощаясь навсегда. Впрочем, нечего страшного с ним не случилось, ожог оказался не опасным. Кто ж не сгорал на море в первый день пляжной дремоты? Кошмар с ним произошел потом, когда его обвинили во взятке, и Станкевич на десять лет скрылся в Польше, оказавшись вдруг этническим ляхом, чьи предки были сосланы в Сибирь за участие в восстании против царя. Все-таки склонность к бузотерству передается по наследству. Потом он вернулся, но на былой уровень вскарабкаться не сумел. На самом деле, думаю, его покарали за двурушническую позицию в конфликте Ельцина с Верховным Советом. Станкевич, как и положено, держал яйца в разных корзинах, в результате остался без яиц. Его нынешние выступления на телевидении напоминают мне пение политического кастрата.

Я оделся и постарался незаметно проскочить мимо рецепции, опасаясь, как бы с меня не стребовали деньги за какую-нибудь нечаянную услугу, потребленную по неведению, а зеленых полусотен в моих карманах не было. Выйдя из оазиса будущего благоденствия, я поехал домой. Москва после 1991-го как-то сразу обветшала и замусорилась. Улица Горького, снова став Тверской, превратилась от Красной площади до Белорусского вокзала в бесконечные торговые ряды, точнее, в барахолку. На ящиках и коробках лежало все, что можно продать: от сушеных грибов до собрания сочинений Сервантеса. Тогдашний мэр Гавриил Попов, похожий на крота, говорил, что рынок начинается с барахолки. Росли никем не убираемые помойки, крысы бегали почти беззаботно, как кошки. На задах дорогих ресторанов вроде «Метрополя» можно было увидеть кучи выеденных устричных раковин, которые страшно воняли. Автомобиль я вел аккуратно: участились случаи, когда за вполне законный обгон тебя могли вытащить из машины и отлупить крутые ребята в кожаных куртках. Бандиты. Их стало кругом столько же, сколько прежде было военных, с улиц совсем исчезнувших: людей в офицерской форме иногда били из упорно насаждаемой ненависти к армии.

— Доволен? — зло спросил меня мой друг, имея в виду повесть «Сто дней до приказа».

— Я-то почему должен быть доволен? Я хотел совсем другого!

— Я тоже хотел другого... — примирительно вздохнул друг, голосовавший за Ельцина.

Иногда стреляли. Проходя как-то мимо ресторана «Савой», я увидел у входа двух кавказцев в дорогих переливчатых костюмах. Они лежали на асфальте в лужах крови. На лице одного из них замерло выражение гневного недоумения, а его кулаки были сжаты в предсмертном негодовании. Собралась толпа зевак. Типичные для советских времен вопросы «Кто виноват?» и «За что убили?» — даже не звучали. Все понимали: за деньги. Оперативники ходили вокруг, глядя себе под ноги, как грибники: искали гильзы.

Впрочем, вскоре я и сам стал свидетелем громкого убийства. Мы с моим покойным другом Геной Игнатовым иногда ходили в Краснопресненские бани. Однажды, предвкушая парной релакс, мы с березовыми вениками под мышками приблизились к помывочному учреждению и увидели перед входом толпу нерусских парней в спортивных костюмах. Они гортанно причитали, тесно обступив что-то лежащее на земле. По тем временам излишнее любопытство могло плохо кончиться, мы, обойдя толпу, поднялись на крыльцо и спросили у безмятежно курившего банщика:

— Что это у вас тут?

— Клиента из-за шайки шлепнули... — хихикнул он.

— А что, уж и тазов на всех не хватает? — поддержал я его шутку.

— Воруют...

Мы посмеялись и пошли смывать немногочисленные свои грехи. Вечером из «Вестей», въезжавших на телеэкран на тройке диких коней, я узнал: возле Краснопресненских бань убили знаменитого крестного отца и спортивного мецената Отария Квантришвили. Все-таки велик и могуч русский язык! Авторитет погиб, борясь за власть в своем мире, то есть из-за шайки. А уложил его выстрелом с чердака из оптической винтовки не менее знаменитый авторитет — киллер Солоник, впоследствии уничтоженный в Греции вместе с юной любовницей — победительницей конкурса красоты.

После «Вестей», набитых криминалом, как старый матрас клопами, начиналась телепередача «На диване»: музыкальный критик Артемий Троицкий, развалившись в буквальном смысле на оттоманке, ленивым голосом рассказывал, как обставляет свою новую пятикомнатную квартиру с окнами на Кремль. Я плюнул, спустился за пивом в гастроном на первом этаже нашего дома. У входа попрошайничали голодные замызганные солдатики срочной службы. Бегали они к нам на Хорошевку из полка Таманской дивизии, казармы которого располагались в полукилометре, возле Беговой. По иронии судьбы именно в этой части в 1976 году я, призванный в армию, проходил первичный карантин, и кормили нас на убой.

3. Вдохновение на грядке

От такого безобразия я затворился в замке из слоновой кости, а именно: на даче в поселке Зеленоградском, близ Софрина. Мои знакомые писатели, едва заработав, начинали собирать антиквариат или авангард, оправлять жен или любовниц в «меха и бархат», но у нас с женой была мечта — купить дачу с участком. У меня это желание шло откуда-то изнутри, видимо, из глубины моей родовой рязанской памяти. После выхода пяти книг и запуска двух сценариев набралась солидная кубышка, а недостающую сумму добавила теща Любовь Федоровна, вдова летчика-испытателя. Людям этой профессии при советской власти платили очень прилично. Однако купить дачу оказалось не так-то просто.

Шел 1987-й. Сначала мы присмотрели отличную генеральскую дачу в поселке Катуар по Дмитровскому шоссе и договорились весной оформить сделку. Владельцы звонили нам регулярно и предлагали еще раз съездить посмотреть на будущую покупку. Мы заезжали за хозяевами и отправлялись в поселок. Как-то я случайно разговорился со знакомым, который тоже искал дачу, и он пожаловался на генеральскую пару, морочащую ему голову второй год. «Не в Катуаре ли?» — с нехорошей догадливостью уточнил я. «А ты откуда знаешь?» Выяснилось, таким образом хитроумные дачевладельцы использовали покупателей с автомобилями, чтобы зимой навещать свое загородное хозяйство. Состоялось объяснение, и генеральша, считавшая себя польской графиней, объявила, что только дураки сейчас продают недвижимость!

Да, набирала обороты пока еще скрытая инфляция, собственность придерживали или заламывали несусветные цены. Наконец мы нашли то, что хотели, и стали дачевладельцами. Продавший нам свои угодья крепкий семидесятилетний дед, собиравшийся жить еще как минимум четверть века, дрожащими руками пересчитывая гору купюр, твердил, что теперь будет по два раза в год ездить в кисловодский санаторий, а бестолковому внуку наймет репетиторов по всем предметам. На дворе стоял солнечный март 1988 года. До развала советской финансовой системы оставалось совсем немного... Моя теща вскоре потеряла все лежавшие на книжке сбережения, которые, рискуя жизнью, копил ее героический муж, мой тесть, которого я никогда не видел: он умер от рака, обычного для этой нервной профессии недуга, за два года до того, как я познакомился с его дочерью.

Благодаря предусмотрительной покупке я теперь мог сидеть на даче и смотреть в окно на осенний, наливавшийся кровью сад, пил стаканами домашнее вино из черноплодной рябины, размышлял о том, что стало со страной. Перечитывая Пушкина, я нашел в «Борисе Годунове» словцо «врагоугодники», на которое прежде не обращал внимания. Ну точно про министра иностранных дел Козырева, мистера «Да-с», сдавшего нашу внешнюю политику обнаглевшим америкосам. «Отчизнопродавцы!» — придумал я и свой собственный неологизм.

Происходящие в Отечестве казалось какой-то жуткой смесью Босха с Кукрыниксами. Этой мрачно-смехотворной химере нашел тогда адекватное графическое выражение выдающийся художник Геннадий Животов, постоянный автор газеты духовной оппозиции «День». Иногда, несмотря на клятвы, данные самому себе, я включал телевизор: там снова рокотал, как БМП, победно ухмыляющийся Ельцин, несла русофобский бред неопрятная старуха Боннэр. Какие-то странные персонажи с рожами местечковых шулеров объясняли мне, что люди, не вписавшиеся в рынок, не заслуживают права на жизнь, а Россия все равно слишком велика для спокойного счастья и обильной жизни, ее лучше бы разделить на пару дюжин уютных компактных лимитрофов. Визгливая

Хакамада советовала шахтерам, оставшимся без работы, собирать грибы и ягоды. Любимец московской интеллигенции Григорий Явлинский, зануда с сальными волосами, талдычил, как нам за 500 дней обустроить Россию. Завсегдатай кремлевских партийных концертов Геннадий Хазанов мстительно глумился над всем советским. Порой из Вермонта пространно наставлял русский народ шишколобый Солженицын, обещая вернуться и спасти Отечество, как только закончит эпопею «Красное колесо», а она все не кончалась. Я в ярости выключал телевизор, ночью мне снились кошмары, а утром я садился к пишущей машинке, но сил хватало лишь на злобные эпиграммы:

Я верю: исчезнет, как страшный сон,
Та нечисть, что вышла когда-то
Из грязных сахаровских кальсон
И боннэрского халата...

Кроме того, я копался в огороде. Успокаивало. В душе просыпалось древнее земледельческое смирение перед прихотями природы и истории. И вот однажды, окучивая картошку, я вдруг подумал: если случится чудо и заполонившую Отечество нечисть одолеет какой-нибудь герой, хорошо бы виноватых в смуте, включая обоих президентов, свезти в строго охраняемое садово-огородное товарищество, чтобы жрали дармоеды то, что сами смогут вырастить. Дальше такого возмездия моя мстительность не простиралась. Избавителем Отечества мне грезился военный, лучше бы — моряк, они поумней и пограмотней. Кстати, подобные фантазии обуревали тогда не только униженных, оскорбленных, обобранных патриотов, но и победивших либералов, они понимали: чтобы удержать власть, продолжая обирать и обижать, им нужна вооруженная защита. Громче и чаще всех о «русском Пиночете» твердил профессор Гавриил Попов, выглядевший в роли мэра столицы, как пингвин в угольном забое. На вопрос дружественного корреспондента, какого он, Гавриил, роду-племени, Попов грустно ответил: «Я грек, очень древний грек...» Тут уж я не стерпел:

Я б от срама смолк навеки,
Он же учит нас опять.
Эх, умеют эти греки
Нам арапа заправлять!

Фабула и название новой вещи явились сразу, словно сверху. Возможно, на сюжет меня натолкнул фрагмент романа Эдуарда Тополя, напечатанный в журнале «Столица» в октябре 1991-го рядом с моей статьей «И сова кричала, и самовар шумел...». В ней я высказал крамольную по тем временам мысль: августовский путч — никакой не путч, а пуф, то есть фарс, спектакль, провокационная имитация. Подобная версия тогда звучала диковато. Теперь историки, изучив опыт цветочных и фруктовых революций, все более и более склоняются именно к такой интерпретации тех событий. Так вот, во фрагменте Тополя речь шла об экс-президенте Горбачеве и его жене Раисе Максимовне, которых после переворота военные якобы затворили в глухой безымянной сибирской деревушке. Но эту сюжетную перекличку я осознал спустя почти четверть века, когда, разбирая мой архив, нашел пожелтевшую книжку «Столицы». На обложке был фотомонтаж: улыбающийся Горби в зэковском ватнике, а на груди номер 0000000001.

Повесть шла быстро — мое перо дышало местью.

«...Для тех, кто не видел замечательный телесериал "Всплытие", получивший "Золотую субмарину" на Московском кинофестивале, я в общих чертах опишу место действия. Демгородок очень похож на обычный садово-огородный поселок, но с одной особинкой: по периметру он окружен высоким бетонным забором, колючей проволокой и контрольно-следовой полосой, а по углам установлены сторожевые вышки, стилизованные под дачные теремки. На каждых шести сотках стоит типовое строение с верандой. Все домики выкрашены в веселенький желтый цвет и отличаются друг от друга лишь крупно намалеванными черными номерами. Посредине Демгородка проходит довольно широкая асфальтированная дорога, которую сами изолянты с ностальгическим юмором именуют Бродвеем... От него ответвляются дороги поуже, не асфальтированные, а просто укатанные щебенкой. По ним можно подъехать к любому из 984 домиков — хотя бы для того, чтобы вычистить выгребные ямы. Поначалу Демгородок был задуман как своего рода заповедник, где государственные преступники, изолированные от возмущенного народа, должны были остаться один на один с невозмутимой природой. Но в первую же зиму несколько человек померзло, а прочие истощились до неузнаваемости, хотя всем и каждому еще по весне были выданы семена, а осенью — дрова! Узнав об этом, адмирал Рык раздраженно поиграл своей знаменитой подзорной трубочкой и произнес: "А еще страной хотели руководить, косорукие! Обиходить!.." С тех пор

в Демгородке появились центральная котельная, продовольственный склад, медпункт, ассенизационная машина, а позже и валютный магазинчик "Осинка"».

4. Змеиное болото

Почему я назвал строго охраняемое садово-огородное товарищество «Демгородком»? Юмористической телепередачи Олейникова и Стоянова «Городок» тогда еще в помине не было. Все очень просто: поселки, где компактно проживали люди одной профессии, именовались «городками»: городок писателей «Переделкино», городок нефтяников... Академгородок, если жители имели отношение к системе Академии наук. Я предположил: место, куда в случае военного переворота свезут «демокрадов» (тоже мое словцо), в народе вполне могут назвать «демгородком». Коммунистов я посадил туда же — за бледную историческую немочь.

Выбирая место действия, я опирался и на личный опыт. В начале 1980-х Московской писательской организации власть выделила в Истринском районе, возле деревни Алехново и недалеко от водохранилища, землю под садовое товарищество. Мне тоже, как перспективному молодому писателю, дали шесть соток. Приехав туда, чтобы осмотреть надел, я увидел торфяник, поросший молодыми березами, и множество гадюк, выжидательно свернувшихся почти на каждой кочке. Местные жители так и звали эту местность — Змеиное болото. Возможно, начальство при выборе места учло нравы литературного мира.

При возведении скромной сторожки мне пришлось столкнуться с таким тотальным дефицитом стройматериалов, что я всерьез призадумался о том, насколько жизнеспособна экономика страны, если, имея самые большие запасы леса, она не может обеспечить (не бесплатно!) граждан бревнами и досками! А брус был доступен только ветеранам войны, и то по очереди. Впоследствии я отказался от участка, но не из-за опасных пресмыкающихся, а из-за слишком плотного писательского соседства: почувствовал себя как на заводе, тесно заставленном токарными станками, и на каждом коллега по творческому цеху шумно вытачивает очередной шедевр. Но след от этого эпизода моей жизни в повести остался.

Выдумывая альтернативную историю страны, я назначил Избавителем Отечества (ИО) командира подводной лодки «Золотая рыбка» каперанга Ивана Рыка, впоследствии адмирала. Фамилию я позаимствовал у дружка моей литературной молодости, обаятельного прохиндея Жени Рыка, о милых аферах которого расскажу как-нибудь в другой раз. Главному герою Мишке, спецагенту-росомоновцу, скрытому под маской ассенизатора, досталась фамилия моей одноклассницы Курылевой, из-за нее меня однажды чуть не поколотили балакиревские хулиганы. По военно-морским вопросам я советовался с капитан-лейтенантом, севастопольским моряком Александром Лебедевым, служившим в свое время на субмарине. Придумывая внешнюю и внутреннюю доктрину для Избавителя Отечества, я невольно предугадал тот курс, на который страна ляжет в начале нового столетия. Между прочим, по званию ИО Рык у меня —

капитан первого ранга, а это в прочих родах войск и службах, включая КГБ, соответствует полковнику. По иронии истории именно в таком звании пришел в Кремль Владимир Путин.

Не вдаваясь в подробности (читатель сам найдет их в повести), скажу лишь, что очнувшаяся от разрушительного морока держава обрела с моей помощью новый герб: орла, держащего в лапах серп и молот, причем головы имперской птицы смотрят не в разные стороны, как прежде, а друг на друга и с явной симпатией. Напомню, вещь была начата в конце 1991 года, когда все советское высмеивалось и выкорчевывалось из сознания. Неслучайно с особым сарказмом я описывал садово-огородное возмездие, настигшее в «Демгородке» либеральных журналистов и деятелей культуры. По аналогии со знаменитой кинореконструкцией событий Октября 1917-го, сделанной Сергеем Эйзенштейном, я заставил врагоугодников и отчизнопродавцев играть на самодеятельной сцене «Демгородка» сочиненную ими же пьесу «Всплытие», прославляя воцарение адмирала Рыка. Да-да, воцарение, ведь ему для легитимности за океаном нашли невесту-Рюриковну — Джессику Синеусофф. В ту пору я зачитывался Львом Гумилевым и позаимствовал у него некоторые исторические версии.

В апреле 1992-го я опубликовал первый фрагмент повести в «Московском комсомольце» и весь 1993-й печатал куски «Демгородка» в разных изданиях различного направления: в «Гражданине России», «Собеседнике», «Дне», в созданном Юлианом Семеновым еженедельнике «Совершенно секретно», в «Новой газете», в ту пору вполне полифоничной. Поначалу я собирался отдать новую повесть, как все предыдущие, в «Юность». Но к тому времени, когда текст был закончен, в журнале, как и в стране, случился переворот: Андрея Дементьева свергли редакционные либералы. Возглавил заговор (тоже примета времени) не какой-то вернувшийся диссидент или узник совести, а комсомольский журналист Виктор Липатов, который семью годами раньше опубликовал в «Комсомолке» разгромную рецензию на мою повесть «ЧП районного масштаба». Обговаривая условия почетного ухода, Дементьев рекомендовал на место главного редактора меня, что было вполне логично: я был одним из самых известных (в своем поколении) авторов «Юности», членом редколлегии, имел опыт руководства литературным изданием «Московский литератор». Но у меня имелся непростительный недостаток: я не скрывал своих патриотических взглядов и к тому же подкачал в «пятом пункте»... Забавно: в 1984 году меня не взяли на место заведующего редакцией поэзии в издательство «Молодая гвардия», наоборот, заподозрив в принадлежности к некоренной нации.

5. Убитый сурок

В апреле или мае 1993-го я отдал повесть в «Смену», где сам немного поработал в 1984 году, но вскоре ушел, повздорив с главным редактором Альбертом Лихановым. Если говорить без обиняков, дело было так: выпив лишнего, я сказал ему, что нельзя использовать комсомольский журнал как вотчину, а сотрудников как крепостных. К сожалению, в пылу я оснастил свою мысль некоторыми нецензурными излишествами. Он сразу побежал в ЦК, требуя кары на мою голову. Но там лишь тихо порадовались: наконец хоть кто-то выдал в лицо этому влиятельному литературному бурбону то, что другие давно хотели сказать и не решались.

— Молодец! — похвалил на прощанье, сначала для порядка пропесочив, заведующий отделом пропаганды и агитации ЦК ВЛКСМ Владимир Егоров.

В 1993-м «Смену» возглавлял Михаил Кизилов — его я хорошо знал по ЦК ВЛКСМ, где он вел творческую молодежь, в основном литераторов, так как сам был не чужд изящной словесности. Познакомились мы еще в 1979 году на Седьмом всесоюзном совещании молодых писателей. Он был из новой генерации функционеров, с широкими взглядами, без предубеждений, с коммерческой жилкой, очень пригодившейся ему, когда все рухнуло. В литературном поколении, следовавшем за нами, в ту пору дебютировала очень талантливая поэтесса Екатерина Горбовская. Она никакого отношения к Глебу Горбовскому не имела и позже эмигрировала в Великобританию. Кажется, вышла замуж, о чем и грезила в своих стихах. Опережая приход в литературу концептуалистов, Катя писала ироническую женскую лирику:

Ты спал, как сурок.
Ты спал как убитый.
Ты спал, как убитый сурок.

И вот мне позвонил завсектором ЦК ВЛКСМ Миша Кизилов и взмолился:

— Юра, у Кати готовится первая книжка. Но нет «паровозов». Одна любовь-морковь. Выручи, напиши парочку!

— Миш, я бы с радостью помог, но у меня самого с этим проблемы. Попроси Вовку Шленского, он тебе за ночь дюжину нахреначит.

— Точно! Как же я сам не догадался. Спасибо!

Согласитесь, довольно неформальный способ поддержать юное дарование!

Кизилов с радостью взял «Демгородок» и поставил в августовский номер. Пока повесть готовили к печати, развернулись основные бои между президентом и Верховным Советом, включая кровавый разгон демонстрации на площади Гагарина. Надо сказать, телевидение и центральная пресса тогда были целиком на стороне Ельцина, за исключением нескольких газет, журналов и передачи «600 секунд» Александра Невзорова. Либеральные СМИ, собственно, и выиграли ту скоротечную гражданскую войну, установившую в стране прозападную либеральную диктатуру, правда, без Пиночета. В этой ситуации появление в популярном и тиражном молодежном журнале злой антилиберальной сатиры вызвало ярость у одних и восторг у других.

Рецензент «Рабочей трибуны» Тимофей Кузнецов писал: *«Читает ли сегодня толстые журналы достопочтимая публика, занятая или физическим выживанием, или предвыборной борьбой? Трудно сказать. А вот что точно известно: ходит по рукам августовский номер журнала “Смена”, где напечатана повесть-памфлет Юрия Полякова “Демгородок”. И народ то ли плачет, то ли гомерически хохочет...»*

А вот как наехал на меня Роман Арбитман в суперлиберальной тогда «Литературной газете». Статья называлась «Лукавая антиутопия. Юрий Поляков в поисках утраченного апофегея»:

«...Итак, поражение ненавистной „дерьмократии" на Руси, которое так долго обещали народу большевики, состоялось. Пусть на бумаге, но состоялось... Юрий Поляков на бумаге отыгрался за все обиды, общественные и личные. За развал Союза и рост цен. За демократию, при которой редакция журнала „Юность" избрала не его, Полякова, своим новым главным редактором. За то, что по финансовым причинам закрылись два фильма по его сценариям и по непонятным причинам „тормознули" постановки его пьес в академических театрах. За то, что лживые телевизионщики не приглашают больше в „Пресс-клуб" (не по той ли причине возник в повести злорадный рассказ, как прихлопнули враля-телекомментатора?). За то, что былые „апофегеи" стали анахронизмом. Вероятно, именно эти и другие жизненные обстоятельства и побудили писателя ударить по „демокрадам"...»

Правда, лихо! Хотя привычка за личные обиды квитаться со страной характерна как раз для российских либералов, а не патриотов. Но статья Арбитмана стала своего рода сигналом, после нее мое имя почти на десять лет исчезло со страниц «Литературной газеты», до самого моего прихода туда в 2001 году главным редактором. Информацию обо мне вычеркнули из переизданий словарей, справочников и учебников, а ведь мои ранние повести входили в школьную программу, по ним писались сочинения в школе. Однажды на вечеринке я танцевал с молодой дамой и, как говорится, начал подбивать клинья. Вдруг она улыбнулась:

— Близость, не оплаченная любовью, лишь отдаляет мужчину и женщину друг от друга!

— Хм, вы читали «Работу над ошибками»? — спросил я, узнав цитату из своей повести.

— Читала? Я писала по ней выпускное сочинение. У вас такая смешная фотография была в журнале! И я думала, вы моложе...

Клинья пришлось срочно извлечь и отнести домой.

Кстати, тот давний «херем» остался в силе до сих пор, в 2014 году в своем «Путеводителе по российской литературе» все тот же неуморимый Арбитман включил моего «Гипсового трубача» в число романов, которые вообще не следует читать. Собственно, в этом и заключается либеральная цензура: не надо запрещать, надо вытеснить автора из поля читательского внимания. Но ведь это, в сущности, мало чем отличается от цензуры. Даже еще хуже: запретный плод сладок, к нему тянутся вопреки, а плод, заранее объявленный несъедобным, просто не возьмут в руки с книжного прилавка. Виртуозы!

6. Раздавить гадину

Пока «Демгородок» читали и обсуждали, грянул «черный октябрь». Поздно вечером 2-го мы возвращались с дачи в Москву. Всюду стояли омоновцы и бронетехника. Казалось, столица оккупирована. Из приемника визжали о коричневой угрозе и необходимости раздавить гадину. Видные деятели культуры призывали граждан сохранять спокойствие и верность президенту. На Беговой улице у самого поворота на Хорошевское шоссе нас остановили ребята в касках и бронежилетах, не то калмыки, не то башкиры. В Москву нарочно стянули части из регионов, где плохо понимали, что происходит в центре страны. К тому же силовики были одной из немногих категорий трудящихся, которым не задерживали зарплату. Омоновцы потребовали выключить мотор, выйти, открыть багажник и предъявить паспорт. Я ответил: сдох аккумулятор, и снова машина не заведется. Они наставили на меня автоматы, сурово повторив требование. Моя дочь Алина, ей было тогда 13 лет, испугалась. Жена Наталья пыталась крикливо вмешаться, но я успокоил обеих и заглушил мотор. Проверив и убедившись, что я в отличие от них прописан в Москве, а в багажнике у меня, кроме скудных даров огорода, ничего нет, парни отпустили нас с миром, даже любезно оттолкали заглохшую машину к бензоколонке, где мы ее и оставили, уйдя домой пешком.

Утром, забрав с вынужденной стоянки свой «Москвич» (как ни странно, целехонький), я ринулся в гущу событий. Прошляпив переворот 1991-го в Коктебеле, я не хотел пропустить происходящее на Краснопресненской набережной. Весь следующий день я провел у Белого дома.

«...Под выстрелами толпа любопытствующих дружно приседала. Потом кто-то начинал показывать пальцем на бликующий в опаленном окне снайперский прицел. Били пушки — словно кто-то вколачивал огромные гвозди в Белый дом, напоминавший подгоревший бабушкин комод. А около моста, абсолютно нико-

му не нужный в эти часы, работал в своем автоматическом режиме светофор: зеленый, желтый, красный... От Белого дома гнали кого-то с поднятыми руками. Мимо проносили очередного убитого или раненого. Мальчишки втихаря вывинчивали золотники из колес брошенных машин... Вечером торжествующая теледикторша рассказывала мне об этом событии с такой священной радостью, точно взяли Рейхстаг. Что это было на самом деле — взятие или поджог Рейхстага, — покажет будущее. Однако кровавая политическая разборка произошла. В отличие от разборок мафиозных, в нее оказались втянуты простые люди, по сути, не имевшие к этому никакого отношения. Я — не политик, я — литератор и обыватель. Мне по-христиански жаль всех погибших. Нынешним деятелям СМИ и культуры когда-нибудь будет стыдно за свои слова о "нелюдях, которых нужно уничтожать". А если им никогда не будет стыдно, то и говорить про них не стоит...» — так я писал в статье, о которой чуть ниже.

4 октября мне влетело в голову отправиться на Цветной бульвар в газету русского сопротивления «День», чтобы забрать номер с фрагментом моего «Демгородка». Но редакция была уже разгромлена. Вход охраняли несколько интеллигентного вида молодых людей, одетых в новенький импортный камуфляж.

— Вы куда, гражданин? — спросил меня старший — брюнет с породистым лошадиным лицом..

— В газету.

— В какую?

— «День»...

— А вы, собственно, кто? — Они начали окружать меня.

— Хотел дать объявление...

— Ах, вот как? Уходите и запомните: газеты «День» больше нет и никогда не будет. Проханов скрылся, но мы его поймаем. Понятно?

Понятно: в случае политической дискуссии мне просто накостыляют, и я ушел молча. Под впечатлением увиденного одним духом ночью написал статью «Оппозиция умерла, да здравствует оппозиция!» и отнес в «Комсомолку». Газетой тогда руководил понимавший меня с полуслова журналист Валерий Симонов.

Моя статья появилась в «Комсомолке» 7 октября.

«*...Как справедливо заметил Сен-Жон Перс, плохому президенту всегда парламент мешает. Кстати, на улицах об этом тоже немало говорили. В одной группе спорщиков можно было схлопотать за хулу в адрес президента, в другой — за хвалу. Но все сходились на том, что указы, после которых следует кровь, совсем не то, что нужно стране, уже однажды потерявшей в братоубийственной войне лучших своих людей. И кого сейчас волнует, кто из них был белым, а кто красным?*

Итак, оппозиция, пошедшая в штыковую контратаку, уничтожена. Закрыты оппозиционные газеты, передачи, возможно, будут "закрывать" неудобно мыслящих политиков и деятелей культуры... Хочу воспользоваться неподходящим случаем и сказать о том, что я — в оппозиции к тому, что сейчас происходит в нашей стране. По многим причинам. Во-первых, потому что как воздух необходимые стране реформы начались и идут очень странно. Представьте, вы пришли к дантисту с больным зубом, а он, предъявив диплом выпускника Кембриджа, начал сверлить вам этот самый зуб отбойным молотком. Я за рынок и за частную собственность. Но почему за это нужно платить такую же несусветную цену, какую мы заплатили семьдесят лет назад, чтобы избавиться от рынка и частной собственности?

Во-вторых, меня совершенно не устраивают те территориальные и геополитические утраты, которые понесла Россия на пути к общечеловеческим ценностям. Я очень уважаю исторический и экономический опыт США, но я уверен: вас бы подняли на смех, предложи вы американцам решить их социальные проблемы (а их и там немало) в обмен на хотя бы квадратный километр флоридских пляжей. Я уже не говорю о россиянах, оказавшихся заложниками этнократических игр в странах ближнего Зазеркалья. Они-то теперь прекрасно разбираются в общечеловеческих ценностях.

В-третьих, мне совсем не нравится пятисотметровая дубина с бесполым названием "Останкино", которая снова изо дня в день вбивает в голову единомыслие. Ее просто переложили из правой руки в левую, но голове-то от этого не легче. Да и толку-то! Уж как коммунисты гордились "небывалым единением советского народа", а что получилось... В-четвертых, меня берет оторопь, когда я вижу, в каком положении оказалась отечественная культура, как мы теперь догадались, не самая слабая в мире. Гэкачеписты во время путча хоть "Лебединое озеро" крутили. А нынче в перерывах между разъяснительной работой ничего не нашлось, кроме сникерсов, сладких парочек да идиотского американского фильма, по сравнению с которым наш "Экипаж" — Феллини... В-пятых, я не понимаю, почему учитель или врач должен влачить нищенское существование, когда предприниматель, детей кото-

рого он учит и которого лечит, может строить виллы и менять "мерсы". Талантливый ученый и квалифицированный рабочий, бросившие все и пошедшие в палатку торговать "жвачкой", — это знак страшной социально-нравственной деградации народа.

В-шестых... Впрочем, думаю, и сказанного довольно...»

8 октября «Комсомолка» в свет не вышла, за мою статью она была приостановлена, правда, совсем ненадолго: тогдашнего начальника печати Шумейку кто-то поправил. Но меня в либеральной среде окончательно признали нерукопожатным, впрочем, я и сам не собирался подавать руки тем, кто призывал «раздавить гадину». Впрочем, все оказалось сложней, ведь среди подписавших требование расправиться с оппозицией оказался и Андрей Дементьев. Позже он сознался: друзья-шестидесятники Булат Окуджава и Римма Казакова его попросту обманули, наврав по телефону, что текст письма президенту будет деликатным и мирным. Ничего себе мирный! Думаю, так обманули не одного приличного человека, оказавшегося среди подписантов. Разве можно подписывать такое?

«Нет ни желания, ни необходимости подробно комментировать то, что случилось в Москве 3 октября. Произошло то, что не могло не произойти из-за наших с вами беспечности и глупости, — фашисты взялись за оружие, пытаясь захватить власть. Слава богу, армия и правоохранительные органы оказались с народом, не раскололись, не позволили перерасти кровавой авантюре в гибельную гражданскую войну, ну а если бы вдруг?.. Нам некого было бы винить, кроме самих себя. Мы "жалостливо" умоляли после авгу-

стовского путча не "мстить", не "наказывать", не "запрещать", не "закрывать", не "заниматься поисками ведьм". Нам очень хотелось быть добрыми, великодушными, терпимыми. Добрыми... К кому? К убийцам? Терпимыми... К чему? К фашизму?

И "ведьмы", а вернее — красно-коричневые оборотни, наглея от безнаказанности, оклеивали на глазах милиции стены своими ядовитыми листками, грязно оскорбляя народ, государство, его законных руководителей, сладострастно объясняя, как именно они будут всех нас вешать... Что тут говорить? Хватит говорить... Пора научиться действовать. Эти тупые негодяи уважают только силу. Так не пора ли ее продемонстрировать нашей юной, но уже, как мы вновь с радостным удивлением убедились, достаточно окрепшей демократии?

Мы не призываем ни к мести, ни к жестокости, хотя скорбь о новых невинных жертвах и гнев к хладнокровным их палачам переполняет наши (как, наверное, и ваши) сердца. Но... хватит! Мы не можем позволить, чтобы судьба народа, судьба демократии и дальше зависела от воли кучки идеологических пройдох и политических авантюристов...»

А дальше про то, что всех несогласных надо запретить, закрыть, осудить, отстранить, посадить... Пару лет спустя знакомый журналист показал мне копию списка тех, кого «миротворцы» советовали «изолировать». В длинном перечне я нашел и свою фамилию. Если процесс шел бы так, как его задумывали, мне бы и самому довелось посидеть в «Демгородке». Однако сопротивление, особенно вдали от Москвы, было таким сильным и взрывоопасным, что чуткое окружение отговорило Ельцина от мести. К тому же следственная группа «важняков» объявила: во всех кровавых инцидентах виноваты силы, поддержавшие президента. Так что если судить зачинщиков бойни, то в первую очередь — ельцинистов. Такого поворота никто не ожидал, и все кончилось амнистией, а также конституционным совещанием, похожим на плохо организованный партактив времен «застоя».

Мы снова уехали на Зеленоградскую, и у нас там несколько дней от ареста скрывался чудом вырвавшийся из Белого дома Сергей Бабурин, с которым я познакомился в редакции «Правды» или «Гражданина России», уже точно не помню. Мы, соблюдая полную конспирацию, бурно выпивали, спорили, горячились, и он, раздевшись и светясь своим дородным белым телом, шел по осенней траве остудиться к речке. Соседи потом прибегали ко мне и спрашивали свистящим шепотом: «Это Бабурин или нам показалось?» — «Показалось». — «Ясно!» — с пониманием кивали они. Никто, кстати, не донес.

7. Слабейшее восторжествует

Настоящим ударом для меня стала рецензия на «Демгородок» Александра Аронова в одном из декабрьских номеров «МК». «Поляков не желает воспринимать людей во всей их сложности и перепутанности, а упрощает... Признаюсь, трудно было дочитать недлинный текст до последней странички. Но если зажать ноздри, а позднее принюхаться — все-таки можно», — писал мой бывший старший товарищ, озаглавивший свою рецензию вполне определенно: «Замок из дерьма».

Это был тот самый Аронов, который печатал меня, начинающего поэта, в «МК» и даже посвятил моему стихотворению «Сон. 21 июня 1941 года» восторженную статью в «Вечерке». А я перепечатывал на машинке (он сам писал только от руки) его стихи и составлял первый сборник Аронова «Островок безопасности», а позже оказался единственным из круга его подопечных, кто написал об этой книжке сочувственную рецензию. И вот теперь... «Замок из дерьма». Увы, политика в тот год навсегда развела по разные стороны баррикад не только нас. Помню, я столкнулся с Ароновым примерно через полгода после выхода его брезгливой заметки. Он был пьян и буквально набросился на меня:

— Юра, что с тобой? Ты что теперь — красно-коричневый?

— А вы?

— Мы все сделали правильно!

— И Белый дом расстреляли правильно?

— Правильно!

— Почему?

— Потому что они бы нас повесили!

— Кто? Я бы вас, что ли, вешал?

— Нашлись бы...

Больше мы не общались. Вскоре Аронова настиг инсульт, и остаток жизни он провел в сумерках, а когда умер, то былые соратники по борьбе за общечеловеческие ценности этого почти не заметили. Зато «Литературная газета» часто обращается к его творчеству: он был крупным и не оцененным по достоинству поэтом:

Приблизится что вдалеке,
Слабейшее — восторжествует.
Молчания не существует
На настоящем языке...

В начале 1994 года полная версия «Демгородка» вышла отдельной книжкой в издательстве «Инженер». Обложку я придумал сам: на ней изображены знаменитые дюреровские Адам и Ева, наполовину обнаженные и наполовину одетые в арестантские робы. Помог выпустить повесть мой давний товарищ по комсомолу Вячеслав Копьев. Я знал его еще секретарем Красногвардейского РК ВЛКСМ, общался с ним постоянно, так как жил в Орехове-Борисове и вел литературную студию в киноцентре «Авангард», подшефном райкому. Копьев, кстати, выручил меня, когда в 1982 году бдительный студиец, стихам которого я, видимо, дал нелестную оценку, просигналил куда надо, мол, на занятиях пропагандируется белогвардейская поэзия. А я всего лишь цитировал Ходасевича, Георгия Иванова, Гумилева...

Вдруг меня срочно вызвали к первому секретарю Красногвардейского РК ВЛКСМ Вячеславу Всеволодовичу Копьеву. Я вошел в кабинет. Навстречу поднялся мой ровесник — рослый (выше меня), спортивный, черноволосый. Он улыбнулся с той ничего не значащей аппаратной приветливостью, после которой мог последовать жесточайший нагоняй. Я в ту пору напечатал свои первые визитные карточки, извещавшие, что вы имеете дело не только с членом Союза писателей СССР, но и кандидатом филологических наук. Он прочитал, посмотрел на меня с уважением и тоже протянул визитку: кандидат физико-математических наук. Теперь и я посмотрел на него с уважением.

— Ну, как там у вас дела в «Авангарде»? — спросил Копьев.

— Ищем таланты. Обсуждаем. Спорим.

— О чем?

— О литературе.

— И об антисоветской? — В его глазах блеснул огонек дознавателя.

— Почему вы так думаете?

— Сигнал был.

— Это неправда! — твердо полусоврал я.

— А как же Ходасевич?

— Его стихи недавно опубликовали в «Сельской молодежи»!

— Да вы что? Как же я пропустил... — Ему явно полегчало. — Так это же меняет дело! Ну, тогда успехов вам в поиске талантов. Но поаккуратнее. Люди-то вокруг разные.

Я подарил ему свою книжку стихов, и мы расстались довольные друг другом.

В момент развала СССР Копьев был вторым секретарем ЦК ВЛКМ, а в начале 1990-х стал одним из руководителей Всероссийского инженерного общества. Он-то на свой страх и риск профинансировал выпуск крамольного «Демгородка» в ведомственной типографии. Впрочем, сверху отреагировали оперативно: в книготорговую сеть поступило указание не принимать издание к распространению. Но контролировать выполнение всех своих указаний демократическая власть еще не умела, да и потом не научилась. А в конце 1994-го в издательстве «Республика», бывшем «Политиздате», вышел том моего избранного с

«Демгородком». На супере был изображен, причем без штанов, адмирал Рык, очень похожий на генерала Лебедя, который тогда едва промелькнул в большой политике. Почему художнику пришла в голову мысль придать Рыку сходство с Лебедем? Не знаю... Когда же во время президентской гонки 1996 года генерал в качестве кандидата на высший пост встречался с писателями, я подарил ему «Демгородок». Он с удивлением глянул на суперобложку, потом на меня и спросил своим незабываемым голосом, напоминавшим сирену воздушной тревоги:

— Не понял?

— А вы, Александр Иванович, посмотрите на год издания.

— Тем более не понял! — Он уставился на меня тяжелым взором усмирителя русской смуты.

Однако диктатора из генерала не получилось, наоборот, его употребили в большой политической игре, как «салагу», воспользовались его авторитетом, чтобы сохранить у власти еще на четыре года разлагающегося прямо на глазах Ельцина. А потом Лебедя услали в Красноярский край, где он и погиб при странных обстоятельствах. Я же в 1996 году решил, что спасением для страны может стать возвращение к власти коммунистов, которые сделали вывод из перестройки, отказались от моноидеологии и признали многоукладную экономику при государственном контроле. Кстати, через это прошли почти все страны социалистического лагеря, наверное, потому там и не было такой растащиловки, «банкирщины» и «олигархщины».

Владимир Меньшов делал в рамках избирательной кампании фильм о Зюганове и пригласил меня в качестве ведущего. Вопрос о гонораре даже не стоял.

Работали за идею. И рисковали, наверное. Снимали в квартире главного коммуниста на Лесной улице, где до своего президентства жил и кандидат в члены Политбюро Ельцин. Фильм вышел отличный, душевный, так «папу Зю» — в кругу любящей и дружной семьи, с женой, взрослыми детьми, — еще никогда не показывали. Обычно его подавали на экране в каком-нибудь уродском ракурсе, наводя резкость на бородавку. Да еще попутно шел глумливый закадровый комментарий. В эфир наша работа должна была пойти в последний день агитации на Первом канале и вполне могла перетянуть на сторону коммунистов пару миллионов замороченных либеральным агитпропом избирателей. Однако Эрнст в последний момент снял ленту из сетки вещания, разумеется, согласовав акцию с Кремлем. Самостоятельно наши телемагнаты могут снимать только сериалы про страдающего русского миллионера, влюбившегося в юную разносчицу телеграмм. Мне позвонил взбешенный Меньшов.

— Вы представляете, Юра, — кричал он, — я ему говорю: Геннадий Андреевич, созывайте пресс-конференцию, звоните в посольства, поднимайте народ, мировое мнение, покажите, что вас зажимают! Какая, к черту, у нас демократия! Люди поддержат, выйдут на улицу...

— А он? — спросил я.

— Он говорит, что я многого не понимаю, он не может рисковать партией. Власть все равно не отдадут, а кровь прольется... Понимаете? Они не хотят рисковать. А кто же берет власть без риска?..

Тогда Зюганов якобы проиграл с небольшим отрывом, а через пятнадцать лет сквозь зубы признались:

выиграли коммунисты, но голоса подсчитали как было приказано. В те дни я вспоминал БМП из моего «Апофегея» и удивлялся, насколько точно проинтуичил характер этого человека. Тогда же мне удалось в эфире бросить фразу, которую потом часто повторяли: «Если Господь хочет наказать народ, он заставляет его выбрать между Горбачевым и Ельциным».

Едва президент пошел на второй срок, как сразу выяснилось, что он тяжко болен, ему срочно необходима операция по аортокоронарному шунтированию, он даже расстался с ядерным чемоданчиком — впрочем, всего на сутки. Но и после операции Ельцин выглядел все хуже, иногда появлялся в эфире в таком состоянии, что даже полупарализованный Брежнев был в сравнении с ним огурчиком. Однако «царь Борис» успевал как перчатки менять премьер-министров, не сработался даже с Евгением Примаковым, спасшим страну после дефолта. Ну а результат известен: «Я ухожу...» И сам отдал вожжи, когда копыта погоняемой им птицы-тройки оказались занесены над мусорной бездной.

«Владимир Владимирович, берегите Россию!» — напутствовал он преемника, едва ворочая языком.

Эпизод прощания с Кремлем показали все каналы. Смешно и страшно: «Берегите Россию...» Это как, передавая ключ от сгоревшего дома, сказать: «Не забывайте поливать цветы на подоконнике!» А Путин стоял худенький, серьезный, почтительный, и никому не приходило в мозг, что это явился ИО — Избавитель Отечества...

С 1993 года «Демгородок» много раз переиздавался, правда, в отличие от других моих сочинений, не переводился на иностранные языки. Видимо, сюжет слишком связан с российской политической историей. В начале нулевых режиссер Александр Горбань поставил одноименную инсценировку в Театре имени Рубена Симонова, где на аншлагах шел мой «Козленок в молоке». Правда, он решил передать сатирический пафос книги через буффонаду и фарс, сократив текст и сделав главным героем спектакля ассенизационный агрегат, которым управляет Мишка Курылев. Спектакль шумного успеха не имел, хотя и продержался в репертуаре несколько лет. Зрителей все-таки больше интересовало ехидное слово писателя, нежели извивавшаяся на сцене гофрированная кишка.

В 2015 году Горбань должен был ставить в Театре сатиры мою эсхатологическую комедию «Чемоданчик», где я через 25 лет вернулся к эстетике прямой политической сатиры. Мы обсуждали с ним будущий спектакль, и я предостерегал его, как умел, от ошибок, допущенных с «Демгородком». Кажется, он все понял, но накануне обсуждения макета декораций Горбань, забыв дома слуховой аппарат, пошел на рынок через железную дорогу и попал под электричку. Нашли и опознали его лишь через неделю... В итоге комедию поставил Александр Ширвиндт.

Вот и все, что я хотел рассказать о том, как построил «Демгородок». Надеюсь, это сооружение еще постоит в отечественной литературе. Должен с гордостью сообщить, покойный Сергей Михалков ставил мою «Выдуманную историю» чуть ли не вровень с Булгаковым и Салтыковым-Щедриным. Преувеличивал, конечно. Добрый был дедушка, потому и дожил почти до ста лет.

2016, 2017

Как я варил «Козленка в молоке»

1. Мастер лирической концовки

Когда моя книга «Козленок в молоке» увидела свет, я получил множество писем, в которых было немало разных вопросов. Но, по сути, всех читателей интересовало примерно одно и то же. А именно:

— Как я решился сочинить «литературный роман»?

— Что я имел в виду, давая роману такое странное название — «Козленок в молоке»?

— Каких реальных литераторов я «спрятал» под фамилиями персонажей романа?

— И правда ли, что я был избит в Доме литераторов группой взбешенных прототипов?

Поскольку на письма всех читателей, к сожалению, ответить невозможно, я решил написать небольшое предисловие к очередному переизданию романа, а оно разрослось (у меня так часто бывает) в обширное эссе, к чтению которого вы и приступили.

Задуманный как веселая история для немногих, «Козленок в молоке», к моему немалому удивлению, стал бестселлером, хотя в нем никого не убивают, не похищают, а эротические сцены имеются, но всего-навсего в количестве, необходимом для раскрытия внутреннего мира героев. Нигде, по-моему, человек так не раскрывается, как в постели. Даже если он один.

Прежде всего отвечу на последний вопрос. Нет, никакому насилию со стороны прототипов я не подвергался ни в стенах писательского клуба, ни в каком-либо ином месте. В противном случае, дорогие читатели, вы бы не держали сейчас перед собой этот текст. И объясняется это не смягчением литературных нравов (они жестоки как никогда), а тем, что в творчестве я исповедую принцип «придуманной правды». Все мои герои вполне могли существовать, они даже порой напоминают реальных деятелей словесности, более того, история, с ними случившаяся, вполне могла произойти в реальности, но на самом деле таких людей никогда не было и подобные события никогда не имели места в российской литературе.

Более того, всеми силами я старался удержать будущих читателей романа от ложных аллюзий и идентификаций. Например, менестрель-шестидесятник Перелыгин, исполняющий свои стихи под виолончель, в первоначальном варианте носил фамилию Пыльношлемов, но поскольку это сразу отсылало вдумчивого читателя к знаменитым строчкам Булата Окуджавы про «комиссаров в пыльных шлемах», я, дабы избежать недоразумений, отдал эту фамилию эпизодическому персонажу. И проблема ошибочного узнавания была исчерпана, ведь каждый знает, что сам Окуджава исполнял свои стихи под гитару, а не под виолончель, каковая хоть и стала мощным оружием демократии, но в руках совершенно иного струнных дел мастера по фамилии Ростропович. Как пошутил один безвестный эпиграммушечник:

Человек с душой гастролера
И лицом Ростроповича...

И хотя знаменитый музыкант бегал в 1991 году по Белому дому с автоматом Калашникова, а не со смычковым инструментом, в бронзе маэстро отлили именно с виолончелью, которую он держит в цепких руках. Зато бронзовый двойник Окуджавы выходит из арбатского переулка без гитары, убрав руки в карманы, напоминая вдумчивого московского интеллигента, направившегося в угловой гастроном за чекушкой. Согласитесь, бард без гитары — это вроде футболиста без мяча или рыболова без спиннинга. Впрочем, стихи Окуджавы, не положенные на музыку, скажу по совести, не тревожат мое сердце, они похожи на маленьких лебедей, забывших обуть пуанты. Но я отвлекся на частности.

Вернемся к письмам читателей. Есть там и такой вопрос: имеют ли встречающиеся на страницах романа поэты-контекстуалисты отношение к реальным поэтам-концептуалистам? Странный вопрос! Достаточно сравнить приведенные мной в тексте образчики контекстуальной поэзии с образцами широко публикуемой ныне концептуальной поэзии, чтобы самим без труда на этот вопрос и ответить. Но раз уж зашла речь о стихах, могу сообщить, что первоначально все события романа должны были происходить в чисто поэтической среде, а называться он должен был так: «Мастер лирической концовки». Впрочем, когда много лет назад этот сюжет пришел мне в голову, он тянул максимум на рассказ, работу над которым я все откладывал и откладывал.

А возник сюжет вот как. Мы, молодые стихотворцы, после поэтического вечера обычно из большого зала Дома литераторов спускались в «пестрый» зал в ледяном, как рефрижератор, лифте. Шахту подъемника прилепили снаружи в 1960-е к исторической стене особняка графов Олсуфьевых, поэтому зимой в кабинке был форменный холодильник. Сердечные официантки иной раз советовали перебравшим писателям: «А не покататься ли вам на лифте?» Некоторые так и поступали, чтобы вскоре вернуться к столу посвежевшими и годными к новым злоупотреблениям. А «пестрым» зал называли потому, что стены были изрисованы шаржами, карикатурами, исписаны эпиграммами и экспромтами, например такими:

Вчера на ужин ев тушенку,
Я вспоминал про Евтушенку...

Или:

О молодые, будьте стойки
При виде ресторанной стойки!

В моем романе этот зал фигурирует под псевдонимом «исписанный», в хорошем, конечно, смысле. И вот однажды, спустившись в лифте, мы жадно взяли в буфете водку с фирменными бутербродами, уселись в углу и вдруг заметили, что, смыкая столы, придавили к стене незнакомца, молодого, но рано облысевшего гражданина. Однако он не обиделся и даже гостеприимно нам кивнул, мол, в тесноте — не в обиде. Мы тут же поделились с ним водкой, чокнулись, выпили и познакомились: звали его, скорее всего, Володя. Он был немногословен и больше слушал, чем говорил: качество в литературном мире редкое. Прошло время, мы снова встретились с Володей в «пестром» зале и выпили уже как старые друзья. Однако чтобы освежить в памяти, откуда у нас появился новый приятель, мы стали тихо выпытывать друг у друга, кто он такой. Кто-то заподозрил в нем стукача, внедренного к нам КГБ, но такое мнение было тут же отвергнуто: посланцы «конторы» вели себя иначе — балагурили, поругивали советскую власть и норовили стать душой компании. Сексотом, кстати, оказался, как показала история, именно тот наш коллега, который и заподозрил нового знакомца в связях с «комитетом глубинного бурения».

Из обрывочных воспоминаний сложилось коллективное мнение, что Володя пишет стихи, причем особенно ему удаются лирические концовки. Потом мы часто оказывались с ним за одним столом после окончания литературного вечера или обсуждения молодых поэтов, он стал своим — привычный и немногословный. Когда, выпив, мы начинали читать по кругу стихи, то приглашали и его, мол, не бойся, тут все свои, поругаем маленько для твоей же пользы. Читай! Но он всегда отнекивался. Что ж, встречаются и скромные поэты. Редко. Однажды к нам запросто подсела Римма Казакова, подвыпившая на приеме делегации иностранных литераторов. Она была в ту пору секретарем Союза писателей СССР и чрезвычайно влиятельной дамой. Обведя волооким взглядом собравшихся за столом и отвергнув водку, поэтесса пожелала коньячку. Володя, еле жив от роскоши общения со знаменитой шестидесятницей, метнулся к буфету.

— Кто это? — спросила она меня.

— Молодой поэт... Он, Римма Федоровна, очень скромный парень, но мастер лирической концовки!

— Это хорошо! Без концовки нельзя! — кивнула Казакова и, махнув рюмку, попросила Володю проводить ее до служебной «Волги».

В ту пору, порвав с поэтессой Инной Кашежевой, с которой в литературной гармонии прожила несколько лет, она, видимо, искала пути возврата к традиционным ценностям.

Однажды наши жадные до славы ряды облетела благая весть: Казакова, пользуясь связями в ЦК партии, выбила для молодых поэтов коллективный сборник, где могут напечататься все, даже те, кто близко не подпущен к издательским милостям. А ведь в ту пору опубликовать стихи, пусть и в коллективном сборнике, которые злые языки называли «братскими могилами», означало перейти в совсем иную категорию народонаселения. Ты — печатающийся поэт, и этим все сказано. Встретив Володю в ЦДЛ, я сказал:

— Срочно неси стихи для сборника!

— У меня нет...

— Если нет новых, давай что-нибудь старое, проверенное. Казакова велела у тебя взять обязательно. Заслужил!

— Ребята, ну не пишу я стихов!

— На прозу перешел? Ладно, тащи прозу. Выберем абзац позатейливей и разобьем «лесенкой», сойдет за верлибр.

— Нет, ребят, я никогда ничего вообще не писал...

— Как так? Вообще?

— Вообще.

— Минуточку... А зачем же ты с нами?...

— С вами интересно, вы забавные, да и выпить у вас всегда можно, даже если денег нет...

— А ты вообще кто?

— Я? Технолог на картонной фабрике.

Вот тогда я и подумал, что, в сущности, можно всю жизнь слыть поэтом, не написав ни строчки. И созрел замысел рассказа, даже рассказика под названием «Мастер лирической концовки». Но я все как-то откладывал этот сюжет. Мелковат.

2. Серпентарий талантов

Честно говоря, каждый писатель чем-то похож на огуречную лиану, покрытую множеством цветков, большинство из которых так никогда и не будут оплодотворены пчелиным трудолюбием литератора и не вырастут до размеров полноценного художественного зеленца. Возможно, именно такая участь ждала и сюжет про мастера лирической концовки, если бы не одно обстоятельство. Много лет назад во время вечерних прогулок вдоль знаменитого Орехово-Борисовского оврага я рассказал этот сюжет другу и соседу Геннадию Игнатову. Ему история понравилась, и всякий раз, когда я начинал томиться в рассуждении, чего бы такого написать, он мне с пневматическим упорством указывал на полузабытый сюжет про мастера лирической концовки, казавшийся мне мелким. Душа примеривалась к «Братьям Карамазовым». Но всякий небезнадежный писатель однажды догадывается, что он не Достоевский. «А что?!» — вдруг подумал я, и через полтора года сюжет для небольшого рассказа превратился в роман-эпиграмму, по нашим ленивым временам довольно большой.

Сочинял я новую вещь, уединившись в Доме творчества «Переделкино», в узком, как пенал, номере с письменным столом и личным умывальником. Правда, остальные удобства были общими, в конце длинного коридора. Но в 1947 году, когда советская власть построила литераторам этот приют талантов, наш Дом творчества являл собой образец головокружительного комфорта, ведь большинство граждан жили в тесно населенных коммуналках, да еще по несколько человек в комнате. Мы сами, папа, мама, мой младший брат и я, довольно долго теснились в двенадцатиметровой комнате заводского общежития, выстаивая очередь в места общего пользования. Тяжко, а порой и нестерпимо. Впрочем, когда я в какой-то гостинице обнаружил возле спальни ванную комнату с двумя раковинами, дабы половые партнеры или супруги не стесняли себя очередностью умывальных процедур, у меня в сердце появилось сомнение. В самом деле, куда заведет нас комфорт, делающий тебя полностью независимым от живущего рядом человека? И хорошо ли это?

Но в описываемую эпоху комфорт в нашем социалистическом Отечестве только проклевывался, и в Переделкине счастливый литератор оказывался наедине со своими творческими замыслами. Были, конечно, некоторые неудобства. Слева за стеной стрекотал на машинке, словно строчил из станкового пулемета, прозаик Н-й, — автор многотомной производственной эпопеи «Стропила уходят в небо». А справа неслись из-за перегородки страстные стоны: это кавказский поэт Ц-я шумно восполняет дефицит женского разнообразия, характерный для его далекой горной республики. В коридоре пьяный поэт П-в бил критика Ш-о, косо посмотревшего на него за ужином. Но это все мелочи в сравнении с морозной тишиной и белым кружевом зимнего парка за окном. Остроумец Михаил Светлов, сам любивший бывать здесь, назвал как-то Переделкино «серпентарием талантов».

Кстати, поэт-фронтовик Николай Константинович Старшинов, которому я по молодости носил в альманах «Поэзия» стихи, рассказал мне отличную байку про Светлова. Старшинов, вернувшись с войны по ранению, поступил в Литературный институт и, поучившись немного, решил показать плоды вдохновений кому-то из советских классиков. Позвонил Светлову, тот радушно пригласил его к себе в Дом творчества, попросив по пути купить бутылочку водки. Михаил Аркадьевич выпивал прилежно, ежедневно, чего не скажешь о творческом усердии. В его квартире на стене висел плакатик «График — на фиг!». Вторую половину жизни он в основном шутил. Когда его спросили, как он со своим острым языком пережил 37-й, поэт ответил: «Я, знаете ли, в 36-м так сильно напился, что протрезвел только в 53-м». Старшинов помчался на Киевский вокзал, сел в пригородный поезд, но просьбу мэтра не выполнил: стипендия давно кончилась. И вот он, благоговея, вступил в номер, похожий на пенал, да еще с умывальником. Живут же классики!

— Проходи, Коленька, садись. А где водочка? Я ее за окно повешу...

— Понимаете, Михаил Аркадьевич, я на станции зашел в сельпо, а там какая-то плохая водка была...

— Запомни, Коленька, водка бывает только хорошая и очень хорошая. Ладно, знаю я вас, молодежь. Сам сбегал, купил, да еще пивка прихватил. Водка без пива — деньги на ветер. А вот и закуска — от обеда осталась. Ну-с, по маленькой, и за работу!

Выпили. Старшинов достал тетрадку и стал читать. Классик внимательно слушал, останавливал, поправлял, хвалил, поругивал, советовал, в общем, готовил литературную смену, не забывая подливать водочку и пиво. В какой-то момент студент почувствовал, что его мочевой пузырь на пределе, заерзал и неловко спросил, где тут туалет...

— Зачем тебе туалет? — удивился автор «Гренады».

— Да вот... пиво...

— Что за глупости! Вон — раковина. Не надо никакого туалета...

«Потрясающе! — восхищался много лет спустя Николай Константинович. — Я прожил жизнь, а больше никогда не встречал такого гостеприимства. Вы только, Юра, подумайте: принял, напоил, накормил, три часа слушал мои стихи да еще разрешил справить нужду в свой рукомойник!»

Кстати, как раз в ту пору, когда я писал «Козленка...», в Доме творчества обитал другой Николай Константинович — Доризо, автор бессмертной песни «Огней так много золотых на улицах Саратова...». А я каждое утро после завтрака перед тем, как сесть за работу, часа два бегал на лыжах по переделкинскому лесу. И вот стою я меж знаменитых колонн, натираю деревянные полозья лыжной мазью, а Доризо в шубе и высокой серебристой каракулевой шапке, подаренной, видно, гостеприимными кавказцами, за мной грустно так наблюдает и говорит со вздохом:

— А знаете, Юра, я в вашем возрасте тоже очень любил лыжи. У меня даже разряд был...

— В чем же дело? Давайте бегать вместе!

— Нет, после одного случая я с лыжами покончил.

— А что за случай?

— Могу рассказать...

— Очень интересно!

— Это случилось в начале 1950-х. Я поехал в Малеевку писать поэму...

Надо бы пояснить: Дом творчества «Малеевка», расположенный в Рузском районе в старинной дворянской усадьбе, был продан в 1990-е литфондовским ворьем Сбербанку за смешные деньги, но, наверное, с хорошим откатом. Места там заповедные и даже сейчас не людные, а полвека назад это был медвежий угол дальнего Подмосковья, почти тайга. И вот молодой спортивный Доризо, женатый тогда на певице Гелене Великановой, встал после обеда на лыжи и помчался по зимнему по лесу. Только через пару часов он остановился перевести дух, огляделся и понял, что заблудился. Зимой темнеет рано. А мороз к вечеру окреп, залютовал: где-то за минус двадцать. В небе обозначилась лимонная долька месяца. Проклюнулись звезды. Издалека донесся протяжный вой. После войны в Подмосковье развелось много волков, они резали скот, нападали на людей, потому-то за шкуру убитого серого разбойника платили сто рублей при средней зарплате 400–500. Доризо запаниковал, заметался, наконец в сгущающихся сумерках нашел санный след и помчался что есть духу. Лес кончился, и он увидел на краю поля избушку со светящимися маленькими окнами. Теряя сознание от радости, Николай Константинович вскарабкался на крыльцо и забарабанил в дверь.

— Кто там? — не сразу ответил встревоженный женский голос.

— Я... пустите... замерзаю...

— Не пущу! Мужа дома нет, а тут у нас разные ходят... Поздно!

— Умоляю... Я заблудился... На лыжах...

— Какие лыжи? Ночь на дворе.

— Я ноги отморозил!

— Сам-то откуда?

— Из Дома творчества «Малеевка».

— Будет врать-то! Это ж от нас тридцать верст.

— Клянусь! Я заблудился. Я поэт.

— Какой еще поэт?

— Доризо.

— Не знаем таких.

— Я песни пишу.

— Какие песни?

— Разные...

— Тогда пой! Если сам сочинил, должон наизусть знать. Посмотрим, какой ты поэт!

И заиндевевший Доризо, хрипя мерзлым горлом, запел. Жить-то хочется.

Огней так много золотых
На улицах Саратова,
Парней так много холостых,
А я люблю женатого...

— Хорошо. Душевно. Еще пой!

Почему ж ты мне не встретилась,
Юная, нежная,
В те года мои далекие,
В те года вешние?
Голова стала белою,

Что с ней я поделаю?
Ты любовь моя последняя,
Боль моя.

Наконец, где-то на десятой песне, хозяйка поверила, сжалилась, впустила окоченевшего поэта в дом и спасла. Утром на колхозном грузовике, закутав в тулуп, его, полуживого, отвезли в «Малеевку».

— С тех пор на лыжах я не хожу! — грустно закончил рассказ Доризо.

С Николаем Константиновичем я дружил до самой его кончины. В 2011 году, незадолго до смерти, он прислал к нам в «Литературную газету» свою поэму про Павлика Морозова. При всем добром отношении к автору и его благородном желании заступиться за память несчастного оболганного пионера, печатать поэму было нельзя по причине ее полной склеротической невнятности. Но вот что интересно: рифмы в стихах оказались как на подбор точными и даже затейливыми. Видимо, профессиональные навыки гаснут в мозгу в последнюю очередь.

3. Гомер у телефона

Вернувшись с лыжной пробежки, я сразу садился за стол, набивал табаком любимый «бриар» (я тогда курил трубку) и включал мой 386-й компьютер, привезенный с собой на зависть собратьям, которые по старинке лязгали на пишущих машинках. Надо сказать, в работе я охотно использовал разные байки и происшествия, их часто рассказывали друг другу насельники Переделкина. Собственно, и весь роман вырос из писательского фольклора. Особенно мне помог Александр Давидович Тверской. Тучный, краснолицый, энергичный матерщинник, он занимался в правлении продовольственными пайками, директора магазинов, к которым были для прокорма прикреплены литераторы, перед ним просто трепетали. Зайдя к нему в кабинетик на третьем этаже Дома литераторов, возле библиографического отдела, можно было увидеть, как он, багровея, орет в трубку: «Как это праздничный заказ с чавычой? Да вы хоть понимаете, с кем имеете дело? Только семга! Это же идеологическая диверсия! Полкило в каждый заказ. Я звоню в горком!... Ах, вы поищете! Когда найдете — доложите!»

Книжек он давно не писал, некогда. И вот в 1984 году в связи с 50-летием СП СССР к правительственным наградам представили большую группу писателей, и Тверской твердо рассчитывал на орден «Знак Почета», а получил медаль «За трудовую доблесть», что привело его в бешенство. «Я весь Союз писателей кормлю, а мне — какую-то медальку!» — ревел он, и его лицо наливалось черной кровью. В итоге — обширный инфаркт, в одночасье сделавший его инвалидом. Он выкарабкался, но похудел вдвое и жил теперь только в Доме творчества, в покое и на воздухе. Ему в порядке исключения, за заслуги, выделили комнатку, за которую он платил 100 рублей в месяц — и это с питанием.

Кстати, подобное исключение сделали тогда же для Арсения Тарковского, а чуть позже для Михаила Рощина, перенесшего жестокий инсульт. Часто наезжал и подолгу жил в Переделкине поэт-фронтовик Эдуард Асадов, потерявший на войне зрение. Он пользовался невероятной популярностью среди непритязательных поклонников поэзии, хотя продвинутая, как теперь говорят, публика считала его сентиментальным рифмоплетом. Однако редкая советская мать не читала своей подросшей дочери его стихи про трагедию брошенной девушки, которая имела неосторожность утратить невинность до брака:

А может, все было не так бы,
Случись это в ночь после свадьбы!

Асадов носил черную повязку, закрывавшую его вытекшие глаза и вдавленный изуродованный нос, он и дышал с громким всхрапывающим сопением. Обычно поэт сидел в номере, сочиняя стихи, или прогуливался по коридору, а в хорошую погоду быстро шагал туда-сюда по аллее, куда его отводила гардеробщица или приехавшая навестить поклонница. Шел поэт всегда ровно, не оступаясь, не натыкаясь на деревья и скамейки, сказывался многолетний опыт. Кстати, почитательницы к нему ездили постоянно, и все время разные. На вид это были увядающие дамы, сохранившие призывную выпуклость форм и девичью мечтательность в лицах. Иногда они оставались ночевать или даже гостили по несколько дней, благоговейно ухаживая за своим кумиром и вызывая недоуменную зависть иных, совершенно здоровых и полноценных обитателей Дома творчества. Некоторые, самые любопытные, ввечеру на цыпочках подходили к обитой черным дерматином двери и прислушивались, чтобы понять, чем же так влечет к себе дам инвалид войны.

— Ну что там? — спрашивали другие любопытствующие.

— Кажется, стихи читает...

— И только-то?

— Через дверь не видно.

Надо отметить, никогда ни одна поклонница не заставала соперницу, словно прибывали и убывали они по какому-то жесткому расписанию. Какой-то график заездов явно существовал и строго соблюдался. В Доме творчества имелось два телефонных закутка, откуда писатели могли позвонить. Обычно к переговорным пунктам выстраивалась очередь из двух-трех-четырех писателей, но если скапливалось человек десять, значит, в одной из будок засел Асадов, а это всерьез и надолго. Очевидно, он обзванивал многочисленных поклонниц и согласовывал график посещений. Желающих позвонить гардеробщицы честно предупреждали: не стойте, там Асадов! Если же уставший ждать писатель пытался постучать или даже открыть дверь, мол, пора и честь знать, потревоженный обольститель начинал издавать такие громкие и грозные всхрапы, что нетерпеливец обычно отступал.

Увидев меня среди томящихся в очереди, Тверской обычно подмигивал:

— Что, опять наш Гомер своих Пенелоп охмуряет? Мастер! Пойдем лучше, Юрочка, погуляем!

И мы отправлялись с Александром Давидовичем бродить по Переделкину. Из-за заборов высились крыши писательских дач, почти у каждой Тверской останавливался и объяснял:

— Здесь живет прозаик Х-й. Лауреат Сталинской премии. Автор романа «Из рейда не вернулись». Полное г-но. Посадил поэта Васильева.

— За что?

— Паша наставил ему рога. Он донос в НКВД настрочил, а ему Трудового Знамени дали... Сволочь!

Некоторые рассказы Тверского мне пригодились для романа:

— Дача поэта С-ого. Стихи у него — г-но. Десять лет не платил за аренду, газ и электричество. Когда его пришли выселять за долги, отстреливался спьяну из наградного «браунинга». Получил «Веселых ребят».

— Что?

— Орден «Знак Почета». Дерьмо!

— Дача драматурга О-на. Пьесы у него — г-но. А вот жена та еще штучка. Раздевается, включив свет и отдернув шторы. Давай подождем — скоро начнется.

«Козленок...» был первой вещью, которую я писал на компьютере, а не на машинке. Синий экран 386-го агрегата, купленный в магазине с литературным названием «Фермоза», вызывал у меня трепет, почти мистический, я осваивал программу «редактор», как молодой сапер опасную профессию. Нажимая непривычную комбинацию клавиш, я втягивал голову в плечи, ожидая подвоха. Роман был на три четверти написан, когда я перешел с компьютером на «ты» и поплатился. Неловкий удар по клавиатуре — и весь текст канул в электронную бездну, а на синем экране выступила какая-то марсианская тарабарщина. Я срочно вызвал моего соседа, опытного программиста Гену

Игнатова, убедившего меня сесть за «Козленка...», и взмолился: «Спасай!» Он забрал технику домой, бился неделю и развел руками: роман начисто стерт, исчез. И тут я вдруг испытал облегчение. Текст утратился как раз в тот момент, когда я устал от замысла, разочаровался и уже сожалел, что стал писать «Козленка...». Настроение, знакомое каждому, кто пытался сочинять. Но Гене сюжет страшно нравился, и он отвез мой компьютер — «железо» — уникальному специалисту, тот бился месяц и вытащил текст из какой-то слепой виртуальной кишки, и Гена, торжествуя, привез мне «железо» с возвращенным человечеству романом. С тех пор я всегда сохраняю написанное, причем по нескольку раз. На всякий случай.

С некоторой натяжкой этот эпизод моей творческой биографии можно сравнить со знаменитой историей, когда редактор «Современника» Некрасов, едучи в санях, обронил сверток с рукописью романа Чернышевского «Что делать?». Бедный чиновник, нашедший потерю и принесший на квартиру Некрасову, получил, как и было обещано, 50 рублей серебром — большие по тем временам деньги. Спасший меня уникальный специалист ограничился бутылкой хорошего виски.

4. Золотой минимум начинающего гения

Забегая вперед, скажу, что читателям сразу полюбился мой веселый роман, ведь он словно с помощью увеличительного стекла дал возможность увидеть нравы писательской тусовки и окололитературной среды, которые со сменой эпох совершенно не изменились. «Козленок...» пошел в народ. Одна преподавательница обратила внимание, что студенты в группе стали меж собой разговаривать на каком-то странном сленге, повторяя в разных комбинациях дюжину фраз:

1. Вестимо.

2. Обоюдно.

3. Ментально.

4. Амбивалентно.

5. Трансцендентально.

6. Говно.

7. Скорее да, чем нет.

8. Скорее нет, чем да.

9. Вы меня об этом спрашиваете?

10. Отнюдь.

11. Гении — волы.

12. Не варите козленка в молоке матери его!

— Что это такое? — спросила она.

— Золотой минимум начинающего гения! — ответили студенты.

— Какого еще гения?

— Вы не читали «Козленка в молоке»?

Преподавательница, следившая за новинками литературы исключительно по «Новому миру», ничего о моем романе не слышала, а когда прочла, стала его горячей поклонницей и пропагандисткой, оценив прежде всего образно-иронический стиль, справедливо причисленный Владимиром Куницыным к гротескному реализму.

Однако сознаемся: писатель — всего лишь карандаш, которым эпоха выводит необходимые ей слова. Можно ощущать себя охренительным демиургом, замыкаться в замок из слоновой и даже мамонтовой кости, но именно эпоха «затачивает» тебя, условно говоря, с красного или синего конца и, помусолив, утыкает в чистый лист бумаги. Твоя задача — не сломаться под ее нажимом. Литератор, который не ощущает или не понимает этой направляющей силы времени, пишет книги, никому не интересные. И про них забывают раньше, чем разойдется тираж.

Позвольте, можете спросить вы, при чем же здесь описанная в романе нереальная ситуация, когда человек, не сочинивший ни единой строчки, весь литературный багаж которого заключается в папке с чистыми листами, при помощи откровенно плутовских ухищрений становится всемирно известным писателем? «Оглянитесь вокруг!» — отвечу я. Разве мало в советской и постсоветской литературе писателей, чьи имена известны всем, но чьи книги, или, как теперь принято выражаться, тексты, мы с вами никогда не читали. А если и пытались, то быстро упирались в дилемму: или это — полная галиматья, или мы с вами ни черта не смыслим в литературе. Премии, звания и прочие искусственные лавры ничего не меняют. Разве Светлана Алексиевич, получив Нобелевскую премию за русофобский лепет, стала от этого большим писателем? Нет, как была, так и осталась провинциальной конъюнктурной журналисткой, за успехи в пропаганде и агитации награжденной в 1984 году «Веселыми ребятами» — орденом «Знак Почета». Просто конъюнктура радикально поменялась: была советской, а стала антисоветской.

Существует два основополагающих принципа взаимоотношений между (употребляя птичий язык современного литературоведения) отправителем коммуниката и реципиентом, то есть, попросту говоря, между автором и читателем. Первый принцип таков: «Читатель всегда прав». Доведенный до крайности, он оборачивается так называемым бульварным чтивом: «Тихо застонав, она ослабла в его крепких загорелых руках и через мгновение почувствовала внутри себя что-то большое, твердое и горячее, которое...» Второй принцип: «Писатель всегда прав». Доведенный до абсурда, он оборачивается той самой папкой с чистой бумагой, каковую в моем «Козленке...» все принимают за роман-эпопею. В самом деле, писатель, которого невозможно прочесть, в сущности, мало чем отличается от писателя, который ничего не написал. Мы живем в эпоху литературных репутаций, нахально пытающихся заместить собой собственно литературу. Когда начинаешь листать сочинение лауреата очередной «Большой книги» или «Букера», неизменно испытываешь чувство, будто тебя зазвали на конкурс красоты, а на подиум выгнали прыщавых имбридинговых дегенераток с гнилыми зубами. Единственное, на что лауреатам хватает сил и воображения, так это придумать себе дурацкий псевдоним.

Увы, постмодернистская реальность легко распространяется и на другие сферы нашей жизни. Мы слушаем певцов, лишенных голоса и даже слуха. Нашу жизнь определяют политики, за всю свою деятельность не принявшие ни одного верного решения. А консультируют их ученые, не замеченные ни в одном сколько-нибудь серьезном исследовании. Мы с вами страдаем от реформ, даже не понимая, в чем они заключаются, а не понимаем мы этого благодаря подробным телевизионным комментариям. Современное ТВ, как справедливо сказано, это изобретение, позволяющее заходить к нам в спальню тем людям, которых мы не пустили бы даже на порог своего дома. А как вам нравятся «властители дум», утонченные творческие персонажи, старательно выполняющие функции козла-провокатора, ведущего стадо на заклание? Обычно таких называют «совестью русской интеллигенции», хотя ни к русским, ни к интеллигенции они отношения не имеют.

Более того, агрессивные мнимости крепко, как друзья, взялись за руки и не пускают в свой круг действительно одаренных конкурентов. Был со мной такой случай. Сергей Степашин пригласил меня в Кремлевский дворец на концерт, посвященный 10-летию Счетной палаты. Разумеется, все фанерные звезды отечественной эстрады были в сборе и пели, как могли и умели. А умеют они плохо, да и голос, как ни «вытягивай» с помощью электроники, изменить качественно невозможно. Буйнов никогда не запоет как Бочелли. В общем, сижу — тоскую. И вот где-то между прыгающим Газмановым и дрыгающим Сукачевым возникла совсем не заслуженная артистка, которая так спела «Чертово колесо», что ее вызывали еще дважды, хотя остальные исполняли всего по одной песне, включая Аллу Пугачеву, похожую на упитанную старушку, впавшую в детство. Голос у неведомой артистки был великолепный, с удивительным тембром, неповторимыми оттенками, и владела она им в совершенстве. Как же ее фамилия? Сейчас вспомню.

— Кто такая? — спросил я у Степашина.

— Ага, понравилась?

— Еще бы!

— Случайно на каком-то мероприятии в провинции услышал. Гениальная девушка! Не представляешь, как трудно было засунуть ее в этот кремлевский концерт. Держали круговую оборону, как панфиловцы... Ну, Счетная палата тоже не простая организация!

Прошла неделя, мы с женой ужинали при включенном телевизоре, что гораздо хуже чтения за обедом советских газет. Я нажимал кнопки пульта, перепрыгивая с одного канала на другой, как пресыщенный эротоман с грешницы на грешницу, и вдруг наткнулся на тот самый кремлевский концерт.

— Перестань жевать! — приказал я жене. — Сейчас ты узнаешь, что такое настоящее пение!

С трудом дождавшись, когда, наконец, отпрыгает Газманов, я поднял палец:

— Слушай!

Однако на сцене засипел и задрыгал конечностями пожилой Гарик Сукачев, загримированный под малолетнего хулигана.

— Можно жевать? — с иронией спросила жена.

— Жуй! — разрешил я и метнулся к телефону. — Как же так, Сергей Вадимович? Неужели ничего нельзя было сделать?

— Счетная палата тоже не всемогущая... — вздохнул он.

Больше я никогда не слышал эту удивительную певицу, даже ее фамилию не запомнил, хотя имена безголосых эстрадных кривляк мне вбили в голову так же прочно, как в армии номер моего автомата Калашникова.

— Рядовой Поляков!

— Я!

— Номер вашего автомата?

— Э-э-э... Сейчас вспомню.

— Наряд вне очереди.

— Ну, товарищ старшина...

— Два наряда вне очереди.

Увы, в искусстве, прежде всего в литературе, существуют заговор и круговая порука бездарей. Нет, я отнюдь не сторонник теории заговора. Я очевидец успешной практики этого заговора. Хору безголосых не нужен солист. И возникает парадокс: талантливому человеку добиться признания гораздо труднее, нежели бездарному. В этой ситуации вовсе не фантастична история выгнанного со стройки малограмотного Витьки Акашина, которого два приятеля, заключив спьяну пари, «заделали» всемирно известным писателем. Некоторые авторы писем упрекали меня в неоригинальности сюжета, мол, позаимствовал я его из рассказа Аркадия Аверченко «Шутка мецената». Тут впору сослаться на пресловутую «интертекстуальность», ее задолго до постмодернистов открыл русский народ, обмолвившись поговоркой: «Плоха песня, не похожая ни на какую другую песню». В самом деле, оригинальные сюжеты, как известно, можно по пальцам пересчитать, а избранная мной коллизия вообще бродит по мировой литературе давным-давно. Собственно, даже «Ревизор» о том же самом: «Есть другой Юрий Милославский. Так тот уж мой...»

Но с гоголевских времен ситуация значительно переменилась как в жизни, так и в литературе. Что я имею в виду? А вот что. Вообразите: приехавшим по именному повелению настоящим ревизором оказывается все тот же Иван Александрович Хлестаков! Вообразили? Не правда ли, очень современно? Мы преступили в нашей жизни некую крайне опасную черту. Собственно, отсюда и название романа. Запрещение варить козленка в молоке матери его — табу из древнего Моисеева кодекса. Существует множество исторических и этнографических объяснений этой заповеди, но старая мудрость обычно трактуется расширительно. А что, разве, вступив в борьбу с природой, мы не варим козленка в молоке матери его? А что, разве швырнуть людей в палочный социализм, а потом, когда они смягчили и приспособили этот уклад под себя, погнать их той же палкой в дикий капитализм... Разве это не значит сварить козленка в молоке матери его? А деятель культуры, который, вместо того чтобы «милость к падшим призывать», требует «раздавить гадину», имея в виду подавляющую часть обездоленного населения, — разве он не сварил козленка в молоке матери его? Иногда, прогуливаясь по дорожкам Переделкина, я встречал замечательного писателя Фазиля Искандера, погруженного в свои сумеречные грезы. Несколько раз я хотел окликнуть его и спросить: «Зачем вы-то подписали то кровожадное воззвание?» Теперь он умер — и спросить не у кого...

Многие авторы писем замечают, что читать роман очень весело, но по окончании становится грустно.

Увы, это стойкая традиция российской сатиры, восходящая скорее не к «пародийному модусу повествования», а к невеселой отечественной реальности, в чем все мы, каждый по-своему, виноваты. Потому-то я и не стал совсем уж скрываться за столь модной сейчас «авторской маской», а вывел самого себя на страницах романа в качестве эпизодического лица, и без особого, как вы заметите, снисхождения. Что же касается главного организатора всей этой литературной аферы, от имени которого и ведется повествование, то мало-мальски внимательный читатель увидит: нигде на всем пространстве романа он ни разу не назван — ни по имени, ни по фамилии, нет и описания его внешности. Полагаю, смысл этого авторского ухищрения (кстати, в техническом смысле довольно трудоемкого) понятен. Мы живем в эпоху, когда антигероем может стать каждый.

Вот и все, о чем я хотел предуведомить читателей. Остальное, надеюсь, будет понятно из книги. Ведь, как утверждал критик-табулист Любин-Любченко: «Каков текст — таков контекст!»

5. Бумагу украли!

На этом я поставил точку в марте 1997 года, когда написал предисловие к «Козленку...» специально для третьего тома собрания моих сочинений, которое выпускало «ОЛМА-Пресс» — одно из первых в стране крупных частных издательств. Его основали два выпускника философского факультета МГУ, оба выходца с Украины — Олег Ткач и Владимир

Узун. Полные молодой раскрепощенной постсоветской энергии, они быстро обгоняли по объемам и доходам хиреющих прямо на глазах гигантов советской книжной индустрии. Почему? Трудно объяснить в двух словах. Сошлюсь на один лишь пример из своего писательского опыта. В 1990 году «Советский писатель» решил выпустить том моего избранного, куда должны были войти повести «Сто дней до приказа», «ЧП районного масштаба», «Работа над ошибками» и «Апофегей». Вдруг выяснилось, что на мою позицию в тематическом плане не хватает бумаги, что само по себе выглядело странно, ибо выделена она была. Я удивился, но мне объяснили: кризис административно-плановой экономики. «Мы очень хотим издать вашу книгу, но без бумаги не получится!»

Выход из тупика был найден. В ту пору в стране уже вовсю бурлило кооперативное движение, жестко и расчетливо задавленное в начале 1990-х монополистами и компрадорами, сориентированными на импорт, сырьевую экономику и полную зависимость от Запада, за что Данте поместил бы Ельцина с Гайдаром в круге ада, где парятся предатели своего Отечества. Но у меня был армейский приятель Жора Улановский. Мы с ним сидели вместе в карантине, а потом, работая в Бауманском райкоме, я его выручил, помог без выговора восстановить комсомольский билет, утраченный во время дембельской пьянки. Он как раз занялся типографским бизнесом и по-дружески достал под мою книгу вагон бумаги, имевший как бы две цены — символическую, государственную, и реальную — рыночную.

Собственно, на этой разнице, по-научному марже, и поднялись первые наши миллионеры. Пользуясь служебным положением или связями, они брали сырье по казенной цене, а продавали по рыночной. Жора, конечно, купил бумагу по рыночной. Он-то знал, что моя предыдущая книга «Сто дней до приказа», выпущенная в 1988 году «Молодой гвардией», разошлась молниеносно и стояла в «обменниках» на самой высокой, золотой полке. В ту пору в борьбе с книжным дефицитом, а заодно и с черным рынком, была придумана система книгообмена. В магазинах оборудовали витрины, где любой библиофил мог выставить для обмена принадлежащую ему книгу. Для удобства издания разделили на несколько категорий в соответствии с востребованностью. Так вот, «Сто дней до приказа» относились к высшей категории: на них можно было выменять любую редкую книгу. Поэтому Жора планировал не только покрыть убытки, но и заработать.

Вдруг вагон его бумаги бесследно исчез со склада «Советского писателя». Я помчался к директору издательства Владимиру Николаевичу Еременко, между прочим, отцу моего давнего товарища прозаика Володи Еременко, но руководитель лишь развел руками, мол, бардак в стране, и в знак дружеского расположения напоил меня чаем с сушками. Деньги за бумагу Жоре, конечно, вернули, но исходя из госцены, а это на порядок меньше потраченных средств. Понятно, что такие издательства, где бесследно пропадают вагоны, где не понимают своей выгоды, не могли соперничать с нарождающимися частными предприятиями.

Скромный офис «ОЛМА-Пресс» размещался возле метро «Менделеевская». Самое большое помещение было отведено под стильно обставленный кабинет главного редактора. Олег Ткач, обладатель черного пояса карате, подтянутый, пружинистый, ходил беспрерывно из угла в угол и вел с авторами высокоинтеллектуальные беседы о жизни, Отечестве и творчестве, заканчивавшиеся обычно вопросом о размерах гонорара. Когда называлась сумма, Ткач лучезарно улыбался, просил подождать пять минут и скрывался за смежной дверью. Там в небольшой спартанской комнате с зашторенными окнами сидел за пустым столом Узун, бывший десантник, массивный, как забывший диету боксер-тяжеловес. Перед ним лежал большой калькулятор с разноцветными клавишами. Олег сообщал ему запрошенную сумму, Володя хмурился и стенобитными пальцами тыкал в крупные кнопки, что-то складывая, вычитая и деля, потом хмуро смотрел на полученный результат и говорил: «да» или «нет». В зависимости от этого Ткач, вернувшись к автору, подтверждал условия или продолжал вести высокоинтеллектуальную беседу до тех пор, пока писатель не соглашался на более скромные условия оплаты.

В «ОЛМА-Пресс» меня привел Александр Гурвич, впервые выпустивший «Козленка» в свет в своем издательстве «Ковчег». Он вступил в партнерские отношения с Узуном и Ткачом, после чего разочаровался в книжном деле и бросил это занятие. А Гурвичу рекомендовала мою рукопись, если не ошибаюсь, Алла Шевелкина, переводчица с французского языка. Она в свое время способствовала выходу во Франции в издательстве «Ашет» моей повести «Парижская любовь Кости Гуманкова», имевшей там успех. В связи с этим «Ашет» заказал мне новый роман и выдал под чернильницу аванс — шесть тысяч франков, — деньги по тем временам огромные, во всяком случае, для меня. На пятьсот франков (чуть меньше ста долларов) можно было всей семьей нормально жить месяц, даже два. Для сравнения: за 500-страничный том избранного издательство «Республика» в 1994 году заплатило мне всего сто долларов.

Помню, передав от французов двенадцать больших бумажек с портретом Делакруа, Алла, смущаясь, попросила у меня в долг три тысячи франков: мол, начала ремонт в квартире и не рассчитала. Я, разумеется, выручил, а она, совсем уж смутившись, сказала, что больше десяти процентов мне дать не может. «Каких процентов?» — не понял я. «Ну как же... Если бы ты положил деньги в банк, то получал бы до 17 процентов годовых, а я могу дать тебе только десять». — «Алла, ты спятила! Какие счеты между друзьями?! Ты же не берешь с меня за посредничество с французами. А могла бы...» — «Не могла...» — тихо ответила она. Мы стояли и смотрели друг на друга, как два советских ископаемых в предчувствии неумолимо надвигающегося ледникового периода, который скоро изменит все — и фауну, и флору, и даже границы континентов...

Итак, получив аванс, я уехал в Дом творчества «Переделкино» и плотно сел за «Козленка...», испытывая то подъем, то апатию, то отвращение к написанному. О том, как рукопись чуть не канула в электронную прорву, я рассказал выше. Еще раз спасибо моему другу Гене Игнатову, теперь, увы, уже покойному. Каждый литератор, если он, разумеется, не графоман или изготовитель чтива, ставит перед собой, садясь за письменный стол, какие-то задачи. Я не исключение. Во-первых, мне всегда хотелось написать вещь в духе Ильфа и Петрова, плутовской, сюжетный роман, настолько насыщенный юмором и острыми словцами, что читать его можно, даже раскрыв наугад. Задача трудная, почти невыполнимая, но тот, кто ставит планку на полтора метра, никогда не перепрыгнет два пятьдесят.

Во-вторых, меня просто бесило то, что происходило в стране в целом и в нашей писательской среде в частности. Действительность напоминала шабаш местечковых недотыкомок. А как писатель может отомстить действительности? Только запечатлев ее во всей чудовищной красе. В-третьих, на смену безрезультатно насаждавшемуся соцреализму пришел столь же искусственно внедрявшийся постмодернизм, замешанный на тупом антисоветизме, свойственном потомкам пламенных революционеров. Все это я и попытался вместить в мое новое сочинение, которому дал подзаголовок «роман-эпиграмма». Это была пародия на постмодернизм, который сам формировался как пародия на прежнюю литературу. Никто не мог предположить, что пародия на пародию будет иметь такой читательский успех.

...Вечером стук машинок в номерах Дома творчества прекращался: компьютером тогда пользовались еще немногие. Писатели после ужина сходились выпить и поговорить о том, что творится в Отечестве и литературе. В те времена главной проблемой было не нарваться на паленый алкоголь. Знаменитая классификация Светлова больше не соответствовала жизни: наряду с хорошей и очень хорошей водкой появилась и плохая, даже опасная для жизни. Прозаик Михаил Попов, хлебнув зелья, второпях купленного на станции, потом неделю ходил по стенке, он почти утратил зрение. Пили, разумеется, в своем кругу, широта общения, когда деревенщик мог обнять кафкианца, осталась в недавнем прошлом.

Литераторы резко раскололись на либералов и почвенников, сторонников и противников Ельцина, причем разлом отчетливо прошел по «пятому пункту», так называли в советских анкетах графу «национальность». Были, конечно, исключения, но они погоды не делали. Вероятно, в пору исторических сломов и катаклизмов в национальных общинах срабатывает некий еще не изученный групповой инстинкт, импульс, определяющий выбор племенного пути. Видимо, такой же по сути импульс заставляет километровый косяк килек в океане внезапно развернуться и плыть в обратную сторону. Что там думала себе еще минуту назад каждая отдельно взятая рыбешка, куда собиралась плыть, уже не имеет никакого значения. Решает косяк.

И картина мира у каждого из обособившихся литературных групп была теперь своя. Помню, поднимаясь в номер, я встретил на лестнице Аллу Гербер, и она как бы в пространство, но так, чтобы я слышал, горько произнесла:

— Умер Бродский. Двадцатый век кончился.

В ответ я, тоже в пространство и тоже чтобы она слышала, ответил:

— А я думал, двадцатый век кончился, когда умер Шолохов...

Она посмотрела на меня как на дауна, попытавшегося выговорить слово «трансгенно-модифицированный». С тех пор мы никогда с ней не общались.

Вскоре Алла Шевелкина, близко дружившая с писателем Александром Кабаковым, вызвала меня на важный разговор и сказала примерно так:

— Юра, учти, в интеллигентных кругах тебя подозревают в ксенофобии. Это очень серьезно!

— Почему? Разве я хоть раз высказывал или писал что-то в этом роде?

— Нет, но ты все время подчеркиваешь, что ты русский, называешь себя патриотом и несешь в статьях Ельцина.

— А разве быть русским и быть ксенофобом одно и то же? Кстати, Ельцин, к сожалению, русский. Среди нас тоже уродов хватает.

— Не отшучивайся! Ты отлично понимаешь, что я имею в виду. Ты должен как-то оправдаться. Иначе тебе перекроют кислород.

— Пусть попробуют! А если в вашем понимании патриотизм и ксенофобия — одно и то же, значит, у вас в интеллигентных кругах совсем съехала крыша.

— Юра, я говорю серьезно!

— А я, Алла, говорю еще серьезнее!

После этого наши пути как-то разошлись, а жаль.

6. Прототипы

Вскоре Алла холодно вернула мне долг. А русско-еврейская тема в романе отразилась в линии Медноструева — Ирискина, друзей, ставших лютыми врагами. Прототипами отчасти послужили писатели-фронтовики Григорий Бакланов и Юрий Бондарев, бывшие друзья и однокурсники по Литинституту. Первый активно поддержал либеральные реформы и даже возглавил Российское отделение Фонда Сороса, а второй гениально сравнил перестроечный СССР с самолетом, который взлетел, не зная, где сядет, и гневно отказался от ельцинского ордена к юбилею. Кстати, Бакланов стал прототипом Альбатросова в другом моем романе, «Гипсовый трубач». Но, отдавая черты и поступки реального Бакланова моим сомнительным героям, я продолжал вполне уважительно относиться к нему как к писателю. Когда в начале нулевых я оказался с ним в тройке соискателей итальянской премии «Пенне», то призвал своих сторонников голосовать за Бакланова, к тому времени уже тяжко болевшего. К негодованию прозаика Слаповского (он был третьим), премию получил Григорий Яковлевич, пусть земля ему будет пухом.

А вот прототипом Ольги Эммануэлевны Кипятковой послужила известная поэтесса Екатерина Шевелева. Она за свою долгую жизнь выпустила полсотни книг, сочинила такие известные песни, как «Серебряные свадьбы», «Уголок России, отчий дом...». Ныне почти забытая, она была в советские годы влиятельной литературной дамой, могла войти в кабинет, где стояла самая главная «вертушка» Союза писателей, сказать:

— Жора, мне надо позвонить Юре!

Жора, как вы понимаете, — это первый секретарь СП СССР, член ЦК КПСС и Верховного Совета СССР Марков, а Юра — это Юрий Владимирович Андропов, шеф КГБ, позже генсек ЦК КПСС. И действительно звонила:

— Юр-Юр, привет, это Катя Шевелева...

Когда-то она работала в комсомоле и знала почти всех отцов державы еще по годам тревожной и чувствительной молодости. А с Андроповым ей довелось посещать одно литобъединение в Рыбинске, ведь шеф КГБ тоже писал стихи. Возможно, они даже целовались. Из всей молодежи Шевелева почему-то выделила именно меня и, если звонила, обращалась так же:

— Юр-Юр, это Катя Шевелева. Слушай, зверь, надо поговорить!

У нее был беглый советский английский, и однажды она сопровождала как переводчица Хрущева в поездке по Индии, где объяснялась на своей версии языка Шекспира, видимо, более внятной индусам, чем оксфордская. Никита Сергеевич нежно звал Шевелеву Горчицей. В самом деле, она была резкая, едкая, с обостренным чувством справедливости. При этом охотно пользовалась всеми номенклатурными благами и часто, к зависти коллег, каталась за границу, откуда привозила стихи, исполненные презрения к капитализму и ностальгии по Стране Советов. Это на нее ехидный Александр Иванов написал пародию, где были и такие строчки:

Боже мой, куда бы обратиться,
Чтоб не ездить больше за границу!

Поэтический дар у нее был скромный, к тому же растраченный в основном на общественную работу и борьбу за мир, но несколько хороших стихотворений в ее сборниках найти можно. Екатерина Шевелева и стала главным прототипом «бабушки русской поэзии», хотя обостренный интерес к молодым темпераментным поэтам позаимствован у другой литературной львицы того времени...

Летом 1995-го я, закончив «Козленка...», отправил рукопись в «Ашет», но получил холодный отказ: французов не заинтересовала сатира на ельцинскую Россию, которая, напялив общечеловеческие ценности, напоминала доярку в трико от Юдашкина. Тогда, как, впрочем, и сейчас, на Западе ценились насмешки и издевки над советской эпохой, особенно над Сталиным. Помню, меня поразило, с каким сладострастным торжеством Василий Аксенов в киноромане «Московская сага» описывал запор, случившийся у вождя. Можно подумать, у самого Василия Павловича проблем с кишечником никогда не было.

Я дал почитать рукопись Гурвичу и, зная неторопливость издателей, ждал ответа недели через две. Вдруг вечером следующего дня он позвонил мне и сказал, что через полчаса подъедет к моему дому на Хорошевском шоссе. В его «Ладе», припаркованной у мемориального камня на месте гибели Валерия Чкалова, мы и подписали договор. Саша рассказал, что читал ночь напролет и хохотал, мешая спать жене. Только вот жаль, взгрустнул он, вся эта уморительно смешная история интересна тем немногим, кто так или иначе связан с литературой. Он ошибся: первый тираж романа разлетелся мгновенно, и сразу пошли переиздания.

Именно Александр Гурвич выдвинул в 1996-м «Козленка...» на соискание «Русского Букера», учрежденного двумя годами раньше. Роман попал даже в длинный список. Странно, ведь я всласть порезвился над вымышленной «Бейкеровской премией», которую мой герой Витек Акашин («акаша» в эзотерике — что-то вроде информационного поля Вселенной) получил за толстую папку с чистыми листами. Правда, в короткий список роман уже не допустили. И хотя «Козленок...» имел шумный читательский успех, превзойдя по тиражам издания всех тогдашних букеровских лауреатов вместе взятых, критика книгу почти не заметила. Либералы, как и предупреждала Алла Шевелкина, попросту перекрыли мне кислород. А патриотам я показался слишком насмешливым. «Юра, почему вы все время иронизируете, ведь страна гибнет?!» — укорял меня Валентин Распутин, на лице которого я ни разу не видел подобия улыбки.

Впрочем, бывали исключения: «Козленка...» перепечатал в «Роман-газете» Валерий Ганичев, в прошлом партийно-комсомольский деятель, ставший истовым православным почвенником. Когда в конце 1990-х мы очутились в Иерусалиме, в Храме Гроба Господня, он прямо на пороге пал на колени и пополз к святыне, стуча лбом об пол с такой костяной силой, что даже видавшие виды местные монахи удивленно переглядывались. Какие свои грехи замаливал бывший номенклатурщик, можно лишь догадываться. Но в любом случае благодаря «Роман-газете» «Козленок...» разошелся по библиотекам страны...

В 1997 году в моем собрании сочинений «Козленок...» выходил пятым или шестым изданием, что по тем временам, когда русская проза была вообще не востребована, казалось чем-то сверхъестественным. На сегодня количество переизданий романа-эпиграммы, включая переводы, перевалило за тридцать, а это — твердое второе место в отечественной литературе конца XX и начала XXI века. Первое уверенно занимает знаменитый роман Владимира Богомолова

«Момент истины», который я сам перечитывал раз пять. Но если брать в расчет только книги, написанные после 1991 года, «Козленок...» — абсолютный чемпион, оставивший позади даже популярных в те годы Пелевина и Сорокина с их соответственно делириумной и фекальной прозой. Увы, приходится самому напоминать об этом факте, так как объективности от критиков я давно уже не жду.

В 2001 году «Козленок...» впервые был переведен на иностранный язык — сербский. Вышел он в издательстве «Цептер». Да, в том самом «Цептере», который выпускает кастрюли и сковородки. Я познакомился и с хозяином фирмы, оказавшимся сербом с характерной южнославянской фамилией, а псевдоним Цептер он взял для того, чтобы товар лучше расходился в Европе, где немецким именам доверяют как-то больше. Цейс, Цеппелин, Цеткин, Цептер... Он пригласил нас отужинать в своем особняке в центре Белграда, лежавшего в руинах после американских бомбежек. В окне виднелся за высоким забором большой темный дом без признаков жизни. «Это вилла Милошевича...» — тихо объяснила моя переводчица Радмила Мечанин. Бывший президент Югославии в те годы уже томился в казематах Гаагского трибунала, где и умер при странных обстоятельствах. Презентация «Козленка...» была многолюдна, широко освещалась в прессе. Выступали видные местные писатели и удивлялись, мол, насколько точно русский автор изобразил ситуацию, царящую в современной сербской литературе. Схожие оценки я слышал потом в Будапеште, Братиславе, Шанхае, Баку, Варшаве, Армении и далее по глобусу...

7. «Козленок...» под судом

В начале 1998 года мне позвонил Вячеслав Шалевич, художественный руководитель недавно созданного Театра имени Рубена Симонова. Своим неповторимым вальяжным басом он сообщил, что хочет поставить «Козленка...» на сцене. Срочно нужна инсценировка! Но я еще помнил, как три года меня безрезультатно мучили и морочили в Академическом театре имени Маяковского с постановкой «Апофегея», о чем подробно рассказано в эссе «Драмы прозаика». В итоге вышел «пшик», точнее — «пшиш». Не желая повторять бесплодных усилий, я предложил: пусть театр сам закажет инсценировку опытному драматургу. Шалевич почему-то выбрал Елену И., литературную даму с гриппозным лицом и голоском отличницы. Мне она была известна как хорошая поэтесса, ставшая победительницей телепередачи «Стихоборье», которую я в 1994–1996 годах придумал и вел на канале «Российские университеты». В качестве приза мы при поддержке «Союза реалистов» выпустили сборник ее стихов «Лишние слезы» — милую исповедь тонкой горожанки, чья лирическая героиня любит одного, спит с другим, а замужем за третьим.

Но как автор инсценировки И. меня страшно разочаровала: выдала такую непрофессиональную ерунду, что я просто оторопел, возмутился и все переделал. Потом, правда, кое-что добавил в пьесу, взяв из текста романа, Эдуард Ливнев — постановщик. Тогда я жутко злился и даже при встречах с Еленой воротил нос в сторону, но теперь я благодарен: именно во время переписывания ее отчаянной халтуры мне впервые пришла в голову мысль засесть за оригинальную пьесу, что я и сделал, сочинив через год «Левую грудь Афродиты».

Успех спектакля превзошел все ожидания. Актеры Игорь Воробьев (Витек) и Инна Глухих (Анка) стали на Арбате людьми легендарными, их узнавали и говорили вслед: «Из “Козленка...” пошли!» Некоторое время роль рассказчика исполнял в качестве приглашенной звезды Валерий Гаркалин — тогда спектакль играли не в маленьком зале Театра Симонова, а, например, в огромном киноконцертном зале гостиницы «Космос». И свободных мест не оставалось. Сидели в проходах. Всего сыграли около пятисот пятидесяти шести спектаклей. Наверное, все пьесы авторов «новой драмы», вместе взятые, столько раз сыграны не были.

Однако 28 декабря 2014 года на сцене сварили последнего «Козленка...». Некоторые зрители, видевшие спектакль не раз и не два, встав для прощальных аплодисментов, не сдержали слез. Но ничего не поделаешь: Шалевич не смог или не захотел уберечь свое детище от поглощения Театром им. Вахтангова. И хотя Минкульт обязал вахтанговцев наиболее популярные спектакли симоновцев перенести на свою сцену, «Козленка...», несмотря на зрительскую любовь и аншлаги, в репертуар не взяли. Почему? К большому искусству это отношения не имеет: просто мы в «Литературной газете» покритиковали как-то худрука Римаса Туминаса за отсутствия интереса к современной России и отечественной драматургии. Вот мстительный литвин и сквитался. Однако не успел я погоревать, «Козленок...» возродился, как феникс из пепла, на сцене Хабаровского драматического театра, а потом и в отличной антрепризе, которая кочует теперь по нашей огромной стране, радуя зрителей.

С «Козленком...» связана и еще одна странная история, и она не хуже самого романа-эпиграммы характеризует нравы эпохи. В конце 1990-х, будучи руководителем сценарной группы первого отечественного мегасериала «Салон красоты», я познакомился с режиссером Валерием Харченко, который жаждал снять кино про «Козленка в молоке». Он даже нашел продюсера, готового вложиться, но тот, ознакомившись со сметой, удивился и стал разбираться, откуда нарисовалась столь большая сумма. Режиссер осерчал на такое крохоборство, когда речь идет об искусстве, и уговорил меня уйти от жадного продюсера: доводы показались убедительными. Вскоре неугомонный Харченко познакомил меня с новым продюсером Кириллом Мозгалевским, в ту пору мужем актрисы Театра сатиры Алены Яковлевой, дочери народного артиста Юрия Яковлева. Тем временем в самом Театре сатиры разворачивалась интрига вокруг моей комедии «Хомо Эректус». Но это отдельная история, подробно изложенная в эссе «Драмы прозаика».

Так вот, Кирилл купил у меня права на экранизацию «Козленка...», и работа закипела. На роль главного героя пригласили Анатолия Лобоцкого, прославившегося ролью французского журналиста в фильме Владимира Меньшова «Зависть богов». Название это, кстати, придумано мной, а вот как оно очутилось в титрах фильма, снятого по сценарию Мареевой «Последнее танго в Москве», можно прочитать в моем эссе «Геометрия любви». Вскоре Харченко дал Мозгалевскому смету будущего сериала. Вы будете смеяться, но Кирилла тоже изумила сумма прописью, он начал задавать постановщику вопросы, на которые ответа не получил. Режиссер вспылил, обозвал его скупердяем и стал убеждать меня, разорвав с продюсером контракт, поискать более покладистого финансиста для проекта. Но, во-первых, я уже подписал договор, получил деньги и заканчивал сценарий, во-вторых (и это главное), у меня появились насчет Харченко некоторые сомнения. Как говорят англичане, если двое сказали, что ты пьян, ложись спать. Где гарантия, что третий продюсер также не усомнится в щепетильности режиссера? Я остался с Мозгалевским.

И тут началось невообразимое. Харченко на свой страх и риск продолжил съемки фильма, параллельно ища источники финансирования и засылая ко мне уговорщиков с посулами и угрозами. Кирилл меж тем пригласил в постановщики Владимира Нахабцева, сына знаменитого кинооператора, работавшего с Андреем Тарковским, набрал знаменитых актеров — Спартака Мишулина, Алену Яковлеву, Андрея Ильина, Юрия Васильева, Ольгу Аросеву и других. На роль Витька позвали Александра Семчева, болезненно тучного и вялого, но в ту пору очень популярного из-за крутившихся на ТВ рекламных роликов. Я пытался возражать, но кто же слушает автора! Позже, увидев полуживого Семчева в МХТ имени Чехова в роли Лариосика, я убедился в своей правоте. Казалось: вот-вот явится тень взбешенного Булгакова и отстегает худрука Табакова по улыбчивым щекам. В итоге Витек стал ахиллесовой пяткой фильма. Но у ленты был еще один недостаток, написанные мной четыре компактные серии Кирилл по коммерческим соображениям раздул до восьми. Продюсер — хозяин-барин. Начались съемки, в разгар которых у Нахабцева тяжело заболела жена, и он выпал из творческого процесса. Тогда Мозгалевский потянул режиссерский штурвал на себя...

Возникла странная ситуация: одновременно в Москве снимались два сериала по роману «Козленок в молоке», причем каждая команда считала, что все права на экранизацию принадлежат именно ей, а конкуренты — просто наглые самозванцы, заслуживающие наказания. Харченко решительно обратился в суд, предъявив ксерокопию договора, по которому я уступал ему якобы все авторские права. Оригинал контракта был, по его словам, похищен при ограблении автомобиля, что подтверждал милицейский протокол, составленный на месте преступления. По копии договора провести экспертизу моей подписи было невозможно. Но зато нашлось множество свидетелей, из рук которых я буквально брал «Паркер», чтобы подписать злополучный контракт.

Начались судебные заседания, напоминавшие плохую комедию. Я уверял суд под присягой, что никакого договора с Харченко никогда не подписывал и никаких денег от него не получал, но судья смотрела на меня с пытливой неприязнью. Вскакивал отвергнутый режиссер Харченко и рыдающим голосом кричал: «Юрий Михайлович, побойтесь Бога! В аду гореть будете!» Даже секретарь суда, блеклая, как пещерное растение, дева, смотрела на меня с гадливым ужасом. Наш супостат приводил на заседания массовку из осветителей, грузчиков, бывших помрежей и каких-то студийных бомжей. Они по команде скандировали: «По-зор, по-зор!» Судья требовала от нас с Кириллом доказательных документов, а нашему оппоненту во всем верила на слово. Вдруг Мозгалевский, исхитрившись, добыл в милиции копию протокола, где никакой договор, якобы похищенный из машины, не упоминался. Сперли приемник, сигареты и бутылку водки. Но судья даже не приобщила протокол к делу. Все шло к катастрофе...

Однако советская система образования научила меня анализировать факты. Не зря же большинство советской интеллигенции отвергло научный коммунизм именно из-за его нелогичности: если социалистический способ производства лучше капиталистического, то почему в наших магазинах нет ни хрена? И мы с Кириллом стали рассуждать: у такой вопиющей необъективности суда должна быть объективная причина. Детерминизм. Огромную взятку судье мы даже не рассматривали: скупость Харченко на «Мосфильме» вошла в поговорку. Наконец, случайно выяснилось, что ему удалось заручиться поддержкой очень влиятельного депутата К., в прошлом ельцинской правой руки. Он-то и давил на суд. Я уже тогда был главным редактором «ЛГ» и смог добиться встречи с К. Смутно представляя себе процесс создания фильма, он долго не мог понять причину конфликта:

— Но ведь это его сценарий!

— Но роман-то мой...

— А сценарий его.

— Как же вам объяснить...

Зная интерес К. к сырьевой сфере, я постарался привести убедительный пример из добывающей отрасли.

— Допустим, у меня есть нефть.

— Много? — оживился депутат.

— Не важно. Если кто-то мою нефть перегнал в бензин, кому принадлежит бензин?

— Он заплатил за нефть? — строго уточнил К.

— Ни копейки!

— Тогда бензин ваш. А как же договор? Он мне показывал.

— Липовый ксерокс.

— Точно?

— Абсолютно.

— За такое отстреливают.

— Вот! А он почти выиграл дело, потому что судья....

— Понял я, понял... М-да, конечно, мне часто привирают, но так нагло даже Чубайс не дурил!

Депутат снял трубку спецсвязи и сказал:

— Это я. Тут вот, знаешь, какое дело...

На следующем заседании судья смотрела на меня с таким лучезарным восторгом, будто именно со мной пережила свое самое яркое и многократное женское счастье. А Харченко, наоборот, сидел серо-зеленый, уставившись в пол. Видимо, накануне от К. к нему заходили с упреком. В течение десяти минут все было кончено, авторские права на мой роман признали-таки за мной. Какое счастье!

Восьмисерийный фильм «Козленок в молоке» был снят в срок и неоднократно демонстрировался по ТВ в России и за рубежом, но чаще всего почему-то в Израиле. Наверное, потому что там советской творческой интеллигенции живет гораздо больше, чем в других местах.

8. Ворчание папы Карло

Собственно, на этом я хотел завершить рассказ. Однако, готовя к печати для моего 10-томного собрания сочинений «Козленка...» и сверяясь с рукописью, точнее, с правленой распечаткой, сделанной в 95-м на старинном игольчатом принтере, я обнаружил, что несколько фрагментов не вошли в конечную версию. Почему я их выбросил? Уж и не помню. Но я следую завету великого Льва Толстого: текст можно совершенствовать, только сокращая, а никак не дописывая. Должен заметить, у всех моих повестей и романов несколько редакций, от семи до десяти. Обычно процесс сочинения похож у меня на изготовление Буратино из грубого полена: сначала топор, затем долото и стамеска, наконец, наждак — сперва грубый, зернистый, потом раз от раза шкурка становится все деликатнее. Работа долгая, порой вызывающая желание все бросить и уйти в поля или к цыганам, но долг перед недостижимым совершенством удерживает за письменным столом. Зато самое большое удовольствие для меня, исключая сердечные трепеты и содрогания, пройтись по готовому роману «нулевкой», мягкой и нежной, как замша.

Увы, не все в нашем цеху так же относятся к своему делу. Лет двадцать назад я разговорился с одним литератором-ровесником о том, кто и как работает над замыслом и рукописью. Он поделился своим опытом:

— Я беру закладку в три листа, вставляю в каретку, печатаю — «Первая глава» — и погнал...

— А зачем тебе закладка? — изумился я.

(Для тех, кто произрастал в компьютерную эру, придется пояснить: закладка состояла из трех-четырех листов чистой бумаги, переложенных копиркой. Кстати, писчая бумага стоила недешево, не всегда бывала в продаже, и ее старались расходовать экономно.)

— Что значит — зачем? — удивился он. — Жалко же бумагу! Приходится писать сразу набело в трех экземплярах. Два для издательства, последний себе в архив.

Поверьте, написать роман сразу набело — это как спуститься в метро с завязанными глазами, поймать чью-то руку и, сняв повязку, выяснить: перед тобой именно та женщина, какую ты искал всю свою жизнь. По теории вероятности, возможно, конечно, и такое, но ни о чем похожем я никогда не слышал. Понятно, что книги, написанные таким «экономным» способом, долго не живут, да и вообще не живут: читать их — мука. А кому охота мучиться за свои же деньги? Но должен заметить, во времена моей советской литературной молодости авторы, сразу писавшие набело, являлись скорее исключением. Наоборот, даже самый малоодаренный сочинитель старался всеми силами улучшить свой опус. Если не получалось, а книга уже стоит в тематическом плане, на подмогу приходили опытные редакторы, умевшие из беспомощного нагромождения слов, загнанных в абзацы, как в Освенцим, сделать нечто терпимое. Не шедевр, конечно, но читать можно, если ничего другого под рукой нет.

Ситуация катастрофически ухудшилась с появлением интернета и возможности мгновенно, нажатием кнопки свой черновик сделать достоянием публики, то есть опубликовать в блоге или ЖЖ. Напомню, в XIX веке даже личные письма сочинялись с черновиками. Сочинения в школе, кто помнит, мы тоже писали с черновиками, на экзаменах для этого выдавались специальные листки. И правильно: набело только национальность в пятом пункте анкеты указывали, и то часто ошибались. А книгу к выпуску при советской власти, как правило, готовили несколько лет (бывало, и десятилетий), и у автора, хочешь не хочешь, оставалась масса времени для улучшения написанного. Торопливость мешала даже классикам. Вспомните упреки современников позднему Достоевскому. Очевидная неряшливость проявлялась даже в сочинениях талантливых, но неутомимых советских скорописцев вроде Константина Симонова, а позже Юлиана Семенова, чьи книги шли на ротатор с колес. Это все замечали, осуждали и посмеивались, иногда зло:

— Алло, это полковник Симонов?

— Да, а в чем дело?

— Хотел у вас узнать, сколько нужно написать, чтобы стать генералом?

— А кто это звонит?

— Поручик Лермонтов.

Но времена и нравы изменились. То, что раньше казалось халтурой, теперь выглядит как каллиграфия эпохи Цин. Ныне, расставив толком запятые, не выпутавшись из придаточных предложений, не связав сюжетных линий, авторы ставят точку, если не забудут, считая свою работу законченной, а ведь она только началась. К сожалению, блогерская невнятная торопливость очень быстро перекочевала в литературу.

Почему бы и нет? «На мой “пост” про вчерашнюю пьянку было столько “лайков”! Чем же я не писатель?» Ничем. С писателями вас роднит лишь то, что мастера слова тоже любятназюзюкаться до сартровской тошноты. Литературному мастерству, как и музыке, надо долго учиться. Вы же не лезете на сцену Большого театра, чтобы спеть в «Тоске», лишь потому, что дома, выпив, горланите в застолье! Умение писать по-русски, да еще и неграмотно, вовсе не повод, чтобы стать литератором. Нет же, становятся, точнее, объявляют себя писателями.

И вот неостывшие черновики с пылу с жару идут в печать. Если добавить, что издательства из экономии сократили до минимума штат редакторов и корректоров, то можно себе представить уровень будущей книги. Скажу более: современная литература вообще порой выглядит как черновики, в которые завернули несвежую селедку. К тому же нынешним «собашниковым», точнее — «шабашниковым», вообще все равно, что выпускать в свет. Они же торгуют, в сущности, яркими обложками, а что там внутри, не так уж важно, главное, чтобы купили. Понимаю, со стороны мои слова могут показаться ворчанием, даже брюзжанием литературного пенсионера, завидующего той легкости, с какой теперь пишет молодежь. Но это не так. С чего бы мне и кому завидовать? Мои романы, пройдя десяток редакций, потом выходят десятки лет десятками переизданий. А блогерский текст, даже получив «Большую книгу», исчезает бесследно, как ложная беременность после отхода газов. С меркантильной точки зрения нам, писателям старшего поколения, даже выгодна некачественность молодой генерации, на этом фоне мы выглядим мастерами, даже если не являемся таковыми.

Но мне жаль тех немногих по-настоящему талантливых молодых авторов, что никогда не станут виртуозами слова, так как их убедили, будто выразить себя можно «тремя аккордами». Нельзя! Не бывает русской художественной прозы, которую можно перевести на английский с помощью школьного словарика. В искусстве можно самовыразиться только через мастерство. Других путей нет. Тот, кто утверждает обратное, или глупец, или мошенник.

Однажды по этому поводу я даже разразился стихотворной инвективой. Вот она:

Даром мы юность потратили,
К черновику наклонясь.
Ах, молодые писатели,
Вы не похожи на нас!
Как плодовито-отзывчивы
И коллективно-новы,
Как на зоилов обидчиво
Стаей бросаетесь вы!
И потешаясь над букою,
Бросшим в свой письменный стол,
Вы за фуршетного «Букера»
Смените племя и пол.
В кайф вам тусить и пиариться
Да в интернете галдеть.
С вами тягаться — запариться,
Лучше в тени посидеть,
Слушая, как вы из «ящика»
Властных язвите жучил.
Вроде почти настоящие...
Кто б вас писать научил!

Впрочем, во всем сказанном есть что-то пенсионерское, резонерское. Заболтался. Виноват! Простите! Так вот, возвращаясь к теме: просматривал я черновик «Козленка в молоке» и наткнулся на один выброшенный фрагмент, показавшийся мне интересным с сегодняшней точки зрения. Им-то и закончу эти заметки.

9. Жертва нового мышления

...Президент Рейган с женой Нэнси собрался с визитом в Москву, на родину нового мышления, к другу Горби. Более того, Рональд пожелал пообщаться с нашей творческой интеллигенцией, еще недавно изнывавшей под железной пятой цензуры. Местом встречи избрали Центральный дом литераторов с его роскошным Дубовым залом, огромным готическим камином и витражами в стиле модерн. А что? И помещение красивое, и американское посольство под боком, и в соседнем дворе за заборчиком расположен районный отдел КГБ. На всякий случай.

Но Белый дом сразу честно предупредил наш МИД: президенту США, страдающему аденомой простаты, крайне необходима туалетная комната недалеко от места общения с советскими интеллектуалами. И тут пришло страшное, чреватое международными осложнениями известие: ближайший туалет располагается там же, в ресторанном Дубовом зале, однако на втором этаже, под потолком из черного дерева, рядом с библиотекой, куда старый заокеанский лидер по крутой лестнице подняться никак не сможет, а лифта никакого нет.

Сначала хотели срочно строить лифт, но отказались от намерения, так как до визита на высшем уровне оставалось всего несколько дней. Потом решили изменить место встречи, но Рейган уперся: хочу в ЦДЛ, там Пастернак, Даниэль и Синявский страдали. Как они страдали, официанты до сих пор помнят: еле коньяк с закусью успевали подтаскивать. Начали объяснять, мол, и Дом архитекторов — тоже очень достойное место, а в Доме кино вообще шашлык в мини-мангалах на шипящих угольях подают. «Нет, — отвечают янки, — тогда придется отменить визит...» Как это отменить? Раиса Максимовна себе по такому случаю целый гардероб пошила и ювелиркой из Алмазного фонда усилилась, чтобы великосветскую старушку Нэнси уесть. Наши кагэбэшники тоже были категорически против: только установили прослушку, разместили в Театре киноактера, напротив, спецназ, оборудовали на высотном здании снайперские гнезда. Мало ли что, не каждый день в СССР американский президент приезжает.

Стали искать более простое решение и нашли: взгляд начальства пал на каморку возле парткома, прямо за Дубовым залом, где легендарный парикмахер Абрам Семенович стриг писателей уже без малого полвека. (Конечно, не в парткоме, а в каморке.) Комнатка была маленькая, едва вмещала кресло, зеркало, раковину, шкафчик со свежими простынками да настенный ремень, чтобы править опасную бритву. Возможно, при графах Олсуфьевых, живших в особняке до революции, в этот закуток на ночь запирали любимого мопса, чтобы не мешал, ведь на месте нынешнего парткома прежде располагалась спальня с будуаром графини.

Абрам Семенович перебрался в столицу, надо полагать, сразу после революции. В нэп у него была своя большая парикмахерская на Тверской, но он, осознав веянья железной эпохи, вовремя переметнулся в более безопасную трудовую категорию индивидуалов-надомников и обосновался подле графской опочивальни. Осторожно взявшись за писательский нос и соскребая со щеки вместе с мыльной пеной щетину, он сопровождал бритье бесконечными бытовыми и литературными сплетнями, излагая их на дивной смеси русского языка, идиша и суржика.

— Вы знаете, только что брил Евтушенко. Не поверите: опять разводится. Бросает свою шиксу. Чтоб я так жил!

Через умелые руки Абрама Семеновича прошло несколько поколений советских литераторов. Цену он никогда не называл, каждый клиент платил ему по совести, а писатели, за небольшим исключением, люди широкие. Говорят, Анатолий Сафронов, хоть и слыл антисемитом, меньше червонца ему никогда не давал. Однажды не оказалось мелочи, и он бросил четвертной, знай, мол, нас, казаков! Одни, постриженные, шли в Кремль получать Сталинские премии, другие — на Лубянку давать чистосердечные признания о связях с троцкистами. Третьи, побритые, причесанные и проодеколоненные, влекли к ресторанному столику, а потом еще куда-нибудь молодых актерок и балеринок. Могли себе позволить, ведь писатели тогда зарабатывали столько, что и не знали, куда потратить. Благо есть для таких случаев прекрасные дамы, бездонная статья любых расходов. Но вот беда: у одного классика оказалась очень бдительная супруга, в юности служившая дознавательницей в ЧК. И он, бедолага, в отчаянье, получив очередную Сталинскую премию и напившись в Кремле, бил вдребезги весь свой антикварный фарфор и хрусталь. Нет, не из пустого озорства. Просто новый ставить в квартире и на даче было уже некуда.

Абрам Семенович всегда был в курсе не только разводов, интрижек или запоев того же Фадеева. Он владел и политической информацией, которой охотно делился, и, возможно, не только с клиентами:

— Нет, вы слышали? Солоухин хотел передать свою рукопись за границу. Думаю, этого поца ждут большие неприятности.

Без лести, Абрам Семенович был такой же достопримечательностью Дома литераторов, как вырезанный из дерева в натуральную величину писатель Михаил Пришвин, сидевший на пенечке в холле.

Однажды Сергей Михалков, бреясь у Абрама Семеновича, рассказал, как ездил в Париж получать из рук президента де Голля премию «Маленький принц» за лучшее произведение для детей. Перед церемонией ему предложили пройти, если есть желание, в левое крыло Елисейского дворца и поправить височки у личного парикмахера главы Французской республики.

— И вы таки пошли?

— Конечно, пошел.

— И что он вам сказал, этот куафер? — ревниво поинтересовался мастер.

— Он с-с-спросил м-меня, — по обыкновению заикаясь, ответил Михалков, — к-к-к-какой идиот с-с-стрижет вас в Москве? Ш-ш-ш-утка!

И вот ради укрепления советско-американских отношений не пощадили даже такой культурно-исторический реликт, как Абрам Семенович. Роковое решение было принято и доведено немедленно до жертвы. Несмотря на мольбы несчастного парикмахера и заступничество классиков советской литературы, включая Сергея Михалкова, цирюльню без пощады прикрыли в течение часа. Что ж вы хотите, большая политика! Георгий Марков, утешая изгнанника, обещал выхлопотать ему всесоюзную персональную пенсию, как полярнику. Но тот был безутешен.

Тем временем из срочно доставленного самолетом фаянсового импорта в комнатке в лучших скоростных традициях первых пятилеток сооружали чудо-сортир, соответствующий всем мировым сантехническим стандартам. Кроме того, в унитаз вмонтировали этакий хитрый датчик, определяющий по напору струи, каковы ресурсы облегчающегося организма и сколько ему осталось жить. Конечно, за недостатком времени никаких канализационных труб подвести не успели — и суперунитаз был рассчитан всего на одно, максимум два посещения высокого гостя. Однако Рейган так увлекся беседой с русскими мыслителями, что про нужник, который стоил принимающей стороне столько нервов, даже не вспомнил. Через два часа Рональд отбыл к себе в Спасо-Хаус, довольный и полный впечатлений. Визит американского президента, по всеобщему мнению, прошел очень успешно, в результате чего СССР в одностороннем порядке разоружился, перебрал в охотку общечеловеческих ценностей и развалился.

Итак, Рейган улетел, а начальство несколько месяцев не знало, что делать с одноразовым отхожим местом, на которое ухлопали столько валютных рублей. Разобрать такую красоту рука не поднималась. Подвести трубы и пустить в vip-сортир писательскую общественность тоже не получается: надо вызывать археологов и вскрывать исторический фундамент. В сложной ситуации оказался и сам Абрам Семенович: никто ему не запрещал вновь приступить к привычному промыслу, но стричь Евтушенко, Вознесенского или завивать Ахмадулину, усадив на крышку унитаза, тоже, согласитесь, не комильфо. Он писал в инстанции, жаловался, требовал, угрожал уехать на историческую родину, в результате надорвал нервы и вскоре скончался от огорчения, став не первой и не последней жертвой нового мышления генсека Горбачева.

А в президентском нужнике уборщицы устроили себе чуланчик, куда складывали швабры, ведра и тряпки. Они и сейчас там хранятся...

Переделкино-Перепискино,
1997, 2017

Геометрия любви

1. Как я сдал мужиков

Никогда не думал, что стану автором «мужских» романов, интересных, впрочем, также и женщинам. Мне всегда казалось и кажется до сих пор, что членение литературы по половому признаку — нелепость. Однако, как писали в советских учебниках, «художественная реальность шире замысла автора». И вот как-то раз, вскоре после того, как моя семейная сага «Замыслил я побег...» увидела свет, произошел занятный эпизод. Во время пафосного юбилейного мероприятия один из тогдашних руководителей нашего государства, удивив охрану, изменил направление торжественного движения, решительно направился ко мне, отвел в сторону и тихо сказал:

— А знаете, вы в «Побеге» прямо-таки про меня написали!

Потом он внимательно посмотрел мне в глаза, давая понять, что сообщенная информация совершенно секретная и разглашению не подлежит, и, вернувшись к своим квадратным телохранителям, ушел рулить страной. Впоследствии я неоднократно слышал подобные признания от своих чиновных и бесчинных читателей, и это навело меня на мысль: в душе самого образцового семьянина таится брачный беглец. А один мой давний приятель сказал даже так:

— Ты, Поляков, сдал нас, мужиков, с потрохами!

Кстати, это выражение — «сдал» — преследует меня чуть ли не с самого начала моей литературной работы. Сначала вроде как я «сдал» в повести «ЧП районного масштаба» (1985) комсомол. Потом в повести «Сто дней до приказа» (1987) — армию. Затем в «Апофегее» (1989) — партию. Далее в «Демгородке» (1993) — демократию. Позже в романе «Козленок в молоке» (1995) — писательское сообщество. В «Небе падших» — молодой русский капитализм. И вот, наконец, сочинив «Замыслил я побег...», сдал мужиков, как таковых. Ну, просто какой-то литературный Азеф из меня получается...

Сначала это выражение меня немного задевало, как и тот факт, что критика успех каждой моей новой вещи неизменно объясняла «конъюнктурой». Мне, правда, не совсем понятно, какой «конъюнктурой» я мог руководствоваться, когда в 1980-м писал «Сто дней до приказа», увидевшие свет в журнале «Юность» лишь в 1987 году? Вряд ли я мог предвидеть, что Руст приземлится на Красной площади, и всесильная военная цензура впадет в немилость, как будто именно она пропустила странноватого немецкого летуна в самое сердце Отчизны.

Или возьмем мой «Демгородок» — ехидную сатиру на дорвавшийся до власти постсоветский либерализм. Эта повесть-памфлет писалась в 1991-92 годах, а вышла в журнале «Смена» в те дни, когда танки расстреливали Белый дом, словно специально — к черному дню нашей демократии. Она вызвала бурное сочувствие читателей и бешенство тогдашнего главного ельцинского администратора, а я надолго попал в список демократически ненадежных литераторов, где, кажется, остаюсь и до сих пор. Но кто мог предположить, что Ельцин обычный конфликт между исполнительной и законодательной властями додумается разрешить с помощью пальбы по парламенту? Если мои книги — конъюнктура, то, согласитесь, это какая-то мистическая и от воли автора явно не зависящая. Так можно договориться и до того, что пророки тоже — конъюнктурщики, ибо озвучивали Царя Небесного. Конечно же, речь о другом: важнейшей составляющей частью художественного дара является интуитивная способность совпасть с главным интересом своего времени. Не просчитать, а именно совпасть, повинуясь необъяснимому внутреннему императиву, или порыву Деятели культуры, в частности, литераторы, такой способностью не обладающие, всегда будут барахтаться в патоке официоза или в нечистотах вечного сопротивления — в том, что и называется конъюнктурой.

Со временем я понял и еще одну вещь: критики часто мстят писателям за то, что настоящая литература ходит совсем не теми стежками-дорожками, которые намечают для нее теоретики художественного процесса. Вот ведь и постмодернизму отводилась роль главной творческой магистрали, или, как еще выражаются, «мейнстрима». А вышло что-то вроде тропки к дачному сортиру. Литератор, добившийся у публики успеха, не запланированного и не предсказанного критикой, непременно будет обвинен в конъюнктуре, даже если изложит свой замысел с помощью индейского узелкового письма. Да и леший с ними: критики по сути своей очень напоминают (за редким исключением) лакеев, допивающих остатки из хозяйских бокалов, но воображающих себя при этом дегустаторами, а то и виноделами. Когда сами критики пытаются писать прозу или стихи, ничего, кроме конфузов, из этого не получается. Почитайте прозу Курицына, Басинского, Арбитмана... Смех! Сосчитать, сколько раз обернулась вокруг себя балерина на сцене, и самому крутить фуэте — не одно и то же.

А вот словечком «сдал» я со временем стал гордиться, ибо в это слово на самом деле читатель вкладывает совершенно особый смысл — признает, что тебе, как автору, удалось выйти на некий новый, непривычный, удивляющий, даже шокирующий уровень душевной искренности, социальной достоверности и художественной убедительности. Предвидя чье-то раздражение, все-таки скажу: главная миссия художника и заключается в том, чтобы «сдать» свое время, своих современников да и себя самого, то есть сказать читателям такую правду, какую они сами себе не смеют или еще пока не умеют сказать. Только умоляю, не путайте эту правду жизни с откровенной чернухой, когда вам рассказывают не о жизни, а об отходах жизнедеятельности организма или общества. Разумеется, писатель на белый свет может взирать отовсюду, даже из унитаза, но в таком случае у читателей складывается ложное впечатление, что наш мир населен исключительно задницами и гениталиями. А разве ж это так?

2. Двухобщинная литература

Есть и еще одно немаловажное обстоятельство: у нас в стране сложилась двухобщинная литература. Воображаю, как напружились любители высчитывать процент инородческой крови в белом теле отечественной словесности. Погодите возмущаться или, наоборот, потирать руки. Я о другом, я о том, что наша литература расколота. Это, кстати, известно всем. Разделение на архаистов и новаторов, либералов и охранителей было всегда. Все знали, что, скажем, публицист Сергей Сергеевич Смирнов — либерал, а поэт Сергей Васильевич Смирнов — охранитель. Причем, по произведениям понять, кто есть кто, порой невозможно. Например, Осип Брик (тот самый!) в сталинские годы писал пьесы о пользе опричнины, в чем, кстати, был прав. Но все, конечно, понимали: это он так маскирует свое свободомыслие. Когда же Анатолий Софронов сочинял бытовую комедию, асимметрично откликаясь на зов партии, то все знали: на самом-то деле он откликается на зов своего черного верноподданного сердца. Хитроумная советская власть умудрилась и трепетную либеральную лань, и упертого патриотического быка впрячь в электротелегу государства. И ничего — тащили, время от времени взбрыкивая...

Но в 91-м разошлись по своим стойлам — и образовались две общины, вроде «ватников» и «укропов» на Украине. Была у нас и своя литературная гражданская война, но она ограничилась тем, что русский патриот Осташвили во время заседания литературной группы «Апрель» разбил очки либералу Курчаткину, а потом как-то странно повесился в тюрьме. Помните?

Итак, в нашей словесности две общины. Переходные и гибридные формы, а также профессиональных перебежчиков туда, где сейчас лучше, я опускаю. Первая община, назовем ее по старинке «почвеннической», многочисленная, но малозаметная в информационном пространстве. Она продолжает считать литературное дело частью общенародной жизни, готова служить разумному государству и нести ответственность за сказанное и написанное. В этой общине есть свои «фракции». Одни презирают советский опыт как чуждый, делая исключение для гигантов вроде Шолохова, Леонова, Твардовского, Белова, Астафьева... Другие, напротив, считают, что именно под «серпом и молотом» родная словесность достигла горних высот. Есть в этой общине и центристы, к коим принадлежит автор этих строк.

Я убежден, что писатель, не испытывающий зависимости от самочувствия народа, страны, не связывающий с ними свою человеческую, а также творческую судьбу — это не писатель в нашем, русском понимании слова. Это какой-то иной вид филологической деятельности, возможно, зачем-то и необходимой. Тот, кто не знает этой болезненной связи, даже «присухи», и тем не менее посвятил себя словесному творчеству, отличается от настоящего писатели, примерно так же, как кик-боксер от купца Калашникова. Но должен оговориться: наличие такой внутренней связи с почвой — важное, однако не исчерпывающее условие успешного творчества. Человек, который, пошел в литературу лишь на том основании, что любит Родину, обречен. Обилие таких авторов в почвеннической общине — ее главная проблема. Союзу писателей России смело можно вернуть довоенную аббревиатуру ССП. Но расшифровывается она теперь так: Союз самопровозглашенных писателей. Ведь писатель не тот, кто пишет, а тот, кого читают. Увы, патриотической макулатурой можно нынче Ангару перекрывать.

Вторая община, назовем ее по-постмодернистски «интертекстуальной», не такая уж и многочисленная — особенно в провинции. Сложив «длинные списки» Букера, «Большой книги», «Национального бестселлера» и «Носа», добавив сотню сетевых самописцев, вы получите почти полный состав общины отечественных «интертекстуалов». Зато они почти монопольно владеют информационным пространством и премиальным тотализатором. Таким способом в 1990-е годы власть их отблагодарила за помощь в разрушении и демонтаже советского наследия. Да и банковский капитал, поддерживающий премиальные проекты, у нас, мягко скажем, далек от патриотических идей. Авторы, принадлежащие к этой общине, а среди них есть и талантливые, воспринимают творчество как сугубо личное дело: что-то среднее между мелким семейным бизнесом и альковными изысками, о чем охотно болтают в Сети. «Интертекстуалам» тоже дорого наше Отечество, но не земное, реальное, а вербальное, так сказать, русская «словосфера». Они Пушкину за талант прощают даже «Клеветников России». В них есть что-то от пассажиров круизного лайнера, даже не подозревающих, что на судне имеется еще и кочегарка с чумазыми матросами. Да и куда идет судно, им тоже, в сущности, безразлично, главное — при крушении не утонуть вместе с этим гигантским корытом.

Не случайно иные лидеры «интертекстуальной» общины уже перебрались на постоянное жительство за рубеж, продолжая оттуда активно участвовать в литературной и политической жизни России. Напомню, первые две волны русской литературной эмиграции были связаны с мировыми катаклизмами. Третья — состояла из тех, кому не только было скучно строить социализм, но и обидно, что им не позволяют говорить об этом вслух и писать в книгах. Аксенов и Войнович, например. А вот свежие писатели-эмигранты четвертой волны — это особая статья: они не перенесли того, что их точка зрения перестала быть господствующей, как в 1990-е. Утрату монополии в сфере борьбы идей они сочли оскорблением, катастрофой и уехали. Быков, Улицкая, Акунин...

Если же говорить об идеологии «интертекстуалов», то они чаще всего «подзападники», в отличие от «западников», которые искренне мечтают «объевропить» русскую цивилизацию. Не путать также с «прозападниками», желающими видеть РФ почетным членом НАТО. «Подзападники» попросту хотят, чтобы Россия легла под Запад. Я немного огрубляю и спрямляю, но важна суть. Любя русскую «словосферу», «интертекстуалы» относятся к земной жизни Отечества свысока, даже брезгливо. Так, возвращение Крыма стало для них досадным пятном на репутации русской словесности. Теперь приходится отвечать перед мировым сообществом не только за травлю

Пастернака, лихо подставленного в ходе спецоперации ЦРУ, но и за «вежливых людей». При этом, повторюсь, они искренне любят русское Слово. Впрочем, человек, который лишь из любви к литературе решил стать писателем, тоже обречен. Филологическая подготовка не заменит талант, как виагра не заменит страсть. Поэтому графоманией «интертекстуалов» можно запрудить Темзу. Да, пожалуй, заодно и Сену...

Остается добавить, эти две общины между собой почти не общаются, друг друга не читают и знать не желают. Недавно в поликлинике я встретил знакомца моей литературной молодости — критика, статьи которого я все эти годы почитывал. Он из видных «интертекстуалов». Разговорились. Критик очень удивился, узнав, что после «Ста дней до приказа» я за 30 лет написал, оказывается, еще с десяток повестей и романов. В ответ не без ехидства он поинтересовался, видел ли я очень смешную комедию моего однофамильца и тезки, идущую на аншлагах в Театре Сатиры? Узнав, что автор пьесы сидит перед ним, приятель моей молодости впал в онтологическое огорчение. По его понятиям, я с моими взглядами вообще не мог написать что-то путное, не говоря уж о сатирической пьесе, над которой хохочет зал.

— Твоя? — удивился он, пожав плечами. — Надо будет тебя как-нибудь почитать...

И на том спасибо!

Если я скажу, что писатели почвенной общины пытливо и зорко следят за творчеством «интертекстуалов», то, конечно, слукавлю. Тем не менее это так. Слаб человек — хочется узнать, за какие такие тексты его собрат, а точнее, «соврага» по перу, получил очередную премию и два-три миллиона рубликов под чернильницу. Поэтому все-таки «почвенники» лучше знают, что пишут «интертекстуалы», которые своих художественно-эстетических оппонентах, по-моему, даже понятия не имеют.

И хотя «интертекстуалы» постоянно ругают Кремль за утеснения, за несуществующую цензуру, охотно участвуют в антиправительственных акциях, вроде Болотной площади, российской власти по большому счету всегда были ближе писатели-либералы. Почему? Да потому, что государство у нас издавна — «главный европеец» в стране. Но это лишь часть ответа. При власти во все времена вертится немало людей без определенного образа мыслей, но с вполне конкретной целью — преуспеть. Естественно, беспощадная к расхитителям Отечества проза в духе покойного Распутина вызывает у таких чиновников раздражение. Они же во власть пошли не страну выручать. Конечно, если бы министров пороли по субботам и выдавали зарплату талонами на питание, мы бы имели у рычагов сплошь бескорыстных патриотов. А так... Ну, какая моногамия в борделе?

Кроме того, у отцов державы всегда теплится иллюзия, что прикормив и приручив диссидентов, они получат дополнительную опору. А патриотов, что их ласкать, они и так рядом, как верный пес у ноги — только свистни. Наконец, самое главное: патриоты гораздо требовательнее к власти, ибо их интересует судьба Отечества и народа, а не режима. Дай волю, они тебе еще и «залоговые аукционы» припомнят. А либерал и его литературный клон — «интертекстуал» к слабостям верхов относятся с пониманием. Если развеять болотный туман и гуманитарное сопение, останется лишь личный интерес, как правило, слабо увязанный с интересами Отечества.

Ветчины хочу, ветчины,
Небывалой величины...

Так когда-то спародировал Юрий Левитанский строчки Вознесенского:

Тишины хочу, тишины.
Нервы, что ли, обнажены?

3. Тонкая материя любви

Почему я последовательно «сдал» комсомол, армию, партию, демократию и писательское сообщество, объяснить сравнительно легко. Эти сферы жизни были наиболее закрыты, табуированы или мифологизированы — поэтому мое вторжение в запретные сферы и вызывало в обществе шок... Увы, наш читатель не был избалован даже самой обычной художественной достоверностью, ибо соцреализм и диссидентская литература изображали тогдашнюю жизнь одинаково лживо. Только в первом случае это была ложь обеляющая, а во втором случае очерняющая. Поэтому некоторое время можно было удивить читателя простодушной честностью, на которую, кстати, способны только начинающие литераторы, фонтанирующие личным опытом. Это я с Божьей помощью и сделал, опубликовав в «Юности» свои первые повести.

Причем удивление общества было настолько сильным, что и теперь, спустя без малого двадцать лет, я встречаю людей, увлеченно обсуждающих мои ранние вещи — «ЧП», «Сто дней», «Апофегей»... Среди этих памятливых читателей попадаются персонажи, невообразимо переменившие свою участь, ставшие владельцами, как говорится, заводов, газет, пароходов. Помню, как-то, вроде бы, во Франции, меня пригласил на обед бывший соотечественник, давно уже перебравшийся на ПМЖ в Евросоюз. Судя по всему, на дурно пахнувшие ваучеры он взял в 1990-е в обезумевшей России какой-то металлургический гигант, потом его то ли продал, то ли обанкротил — и теперь пожизненно отдыхал на Лазурном берегу в окружении детей от трех браков. Оторвавшись от устриц, он вдруг строго посмотрел на меня и произнес:

— А все-таки вы не правы!

— В чем же?

— Вот у вас в «ЧП» выведен полудурком заворг райкома Чесноков. Разве так можно! Ведь заворг — это особый человек, на нем лежала вся работа, он начальник штаба, он мотор... Я-то знаю, я был заворгом в Стерлитамакском горкоме комсомола...

Спрашивается, что им, обладателям поместий на Лазурном Берегу или Рублевке, до моей давнишней «антикомсомольской» повести, ушедшей на дно Истории вместе с утонувшей советской Атлантидой? А поди ж ты! Помнят и обсуждают... Искусство, видимо, таит в себе нечто более могущественное, нежели то, что сконцентрировано в деньгах и во власти, которые правят сегодняшним днем. Искусство же повелевает памятью нации, а в особо выдающихся случаях — памятью человечества.

Но спустимся с горних высот великой литературы в предгорье моего скромного творческого опыта. Начиная с повести «Апофегей», меня, как литератора, не менее, а, может, даже и более социально-политической проблематики стала волновать тонкая материя любви, из которой, по сути, скроена и сшита вся наша жизнь. Страсть, привязанность, семья, дети — именно из этого шьется судьба, строится жизненный дом, тот, что кажется вечным, а потом вдруг в одночасье без всякой видимой причины рушится. Почему? Что-то было не так с самого начала, в фундаменте? А может, в несущих балках завелся некий особый жучок — «бракоточец». Так покажите, покажите, как он выглядит! Или же другая ситуация: человек, полагавший жить в этом доме до своего смертного часа, неожиданно убегает из него прочь, в чистое поле. От чего он убегает — от опостылевших брачных стен или от себя самого?

Вообще, семейный союз двух человек — странная конструкция, она может развалиться в пору тихого благоденствия от шанелевого ветерка, поднятого прошелестевшей мимо женской юбкой, а может защитить тех же двоих от бешеных ударов исторической бури. Как это произошло в начале 90-х, когда обрушился привычный, спертый советский мир, и на его обломках в мгновение ока выросли душные крокодиловые джунгли «новой России». Сколько я перевидал в переломные годы молодых интеллигентных женщин, которые со швабрами в руках в опустевших ночных барах и офисах спасали свои внезапно обнищавшие семьи! А их любимые мужья тем временем надеялись перележать ненавистные перемены на диванах. Одного из таких «диваноборцев» я вывел в моей комедии «Женщины без границ». Он и по сцене-то разъезжает на диване, к которому приделал колеса и мотор. У «диваноборца», кстати, имеется своя убедительная жизненная теория: «Зло победить нельзя. Его можно только перележать... Гайдара перележал. Мавроди перележал. Ельцина перележал. Березовского перележал. Сейчас вот Абрамовича долеживаю...».

Но были и другие мужчины, наделенные особым даром превращения любого жизненного мусора в деньги. Нет, такой не покорился, он быстро разбогател и вдруг взглянул на единственную спутницу с брезгливым недоумением, как на свой некогда единственный, давно залоснившийся инженерский костюмчик. И началась эпоха мужского сексуального реванша, лихорадка эротического приобретательства, чрезвычайно интересная для литератора и печальная для приличных семейных женщин. Когда меня упрекают в том, что в моих постперестроечных сочинениях слишком много эротики, я отвечаю: «Не моя вина, что на смену социализму в России пришел не только дикий капитализм, но и не менее дикий сексуализм!» Наш мужчина расставался с регламентированным советским прошлым по-крупному, словно бы он стал персонажем жутко непотребного фильма, снятого порнографом-монументалистом. Именно таков герой моего романа «Небо падших» Павел Шарманов, он даже бизнес начинает с того, что сдает под интимные свидания возбужденным парочкам пустые кабины самолетов из авиационного музея, который по службе охраняет. Он и гибнет, участвуя в странной криминально-эротической игре со своей главной женщиной, наделенной, кажется, всеми достоинствами и пороками одновременно.

Кстати, дамы в долгу тоже не остались: в страну на тонких лесбийских ножках вбежал феминизм, а затем брутально зашел и мужской стриптиз с продолжением на дому...

4. Тапочкин и Джедай

В середине 90-х, после «Демгородка», я решил реализовать сюжет, который болтался в моей пассивной литературной памяти чуть ли не с начала 80-х. История такова: мужик, задумавший сбежать от жены к любовнице, собирает вещички и невольно вспоминает прожитое — хорошее и плохое. Обычное дело, ведь вещи — это запечатленная жизнь. Недаром их называют «пожитками». По первоначальному замыслу воспоминания в конце концов так растрогали беглеца, что он решил остаться в семье, более того — отправился на кухню, чтобы к возвращению супруги с работы приготовить романтический ужин. Вот такая незамысловатая история. Но первичный сюжет отличается от окончательного произведения примерно так же, как яйцеклетка от взрослой дочери, одетой в свадебное платье.

Постепенно рассказ преобразовался в повесть, а та стремительно распространилась в роман, даже в семейную сагу, вобравшую в себя, кроме конкретной адюльтерной ситуации, историю нескольких поколений семьи Башмаковых да еще и судьбу страны за последние тридцать лет. К концу работы я вдруг понял, что пишу, простите за некорректность сравнения, свой «Тихий Дон». Только между двумя женщинами мечется не пассионарный Григорий Мелихов, а слабовольный «Тапочкин». И герои подхвачены не кровавыми вихрями русской революции начала века, а мусорными ветрами буржуазной реставрации конца XX столетия.

Кстати, такая глобализация замысла закономерна: чтобы понять, почему к середине 1990-х, в разгар безбашенного российского капитализма, мой герой превратился в «эскейпера», надо знать, как он жил в системе советских ценностей, с кем дружил, к чему стремился... А «эскейпер», как читатель уже понял, есть человек, избегающий принятия любых ответственных решений и движущийся по жизни как бумажный кораблик в ручье. Но почему, спросите вы, автора так заинтересовал именно этот человеческий тип — «эскейпер»? Не современный, скажем, Павка Корчагин — отважный Рыцарь Джедай, гибнущий в горящем Белом доме, но так и оставшийся всего лишь персонажем второго плана. А потому что не Джедаи, а Тапочкины определили участь нашего Отечества в конце XX века. Люди, не способные принимать решения, есть всегда, но если их количество в социуме переходит некую опасную черту, общество становится безвольным и бессильным перед вызовами времени. Не случайно, конечно, и на вершину политической власти вынесло тогда эскейпера и геополитического клоуна Горбачева, который, в отличие от моего Башмакова, оказался вдобавок глуп и непорядочен. Еще неслучайнее и другое: вокруг не нашлось никого, даже среди бравых военных, кто попросту свернул бы ему шею, хотя большинство отлично понимало, куда он тащит страну. Единственный, кто смог вышибить Горби из политики, — это дуболом Ельцин, умевший брать на себя ответственность и принимать решения. Но то была ответственность и решительность пьяного водилы КамАЗа. Остальное известно...

Читателю, наверное, интересно будет узнать, что я довольно долго мучился с концовкой романа. Их было несколько. И я склонялся к довольно необычной развязке: Тапочкин, не способный выбрать между женой и любовницей, от безысходности превращался... в калихтового сомика, который, собственно, ради этого и появился в романе. Кстати, увлечение Башмакова рыбками я описывал с удовольствием и знанием дела: в детстве и отрочестве аквариумоводством было моей страстью, я регулярно ездил на Птичий рынок, заводил экзотические породы рыбок. Однажды я не сменил вовремя воду, а когда вернулся из пионерского лагеря, обнаружил: вода испортилась, аквариум затинился, а все мои рыбки сдохли. Все, кроме трех калихтовых сомиков. Вот и Вета с Катей, войдя в опустевшую квартиру, обнаруживают аквариум с грустноглазой рыбкой и никак не могут понять, куда же девался их горячо любимый муж-любовник, а он печально смотрит из-за кустика валлиснерии и ничего уже не может им объяснить. И это к лучшему...

11 - 2579

Однако, все обдумав, я решил: такая развязка больше подходит писателю-мистику, а мне, реалисту, хоть и гротескному, не подобает выпутывать героя из сложной жизненной ситуации сверхъестественным способом в духе Гофмана и Кафки. Я как-то уже ссылался на слова моего учителя Владимира Соколова: «Стиль у автора появляется не тогда, когда он знает, как должен писать, а когда он понимает, как писать не должен. И я оставил Тапочкина, сорвавшегося с балкона, висеть между небом и землей, чем, собственно, он и занимался (в переносном смысле) всю жизнь.

В результате, редкая моя встреча с читателями обходится теперь без вопросов: а не сорвется ли Башмаков вниз, сумеют ли соединенными усилиями жена и любовница спасти этого милого никудышника? С одной стороны, такие вопросы меня раздражают, ибо, подвесив героя, я, как мне думалось, переосмыслил и развил образ гоголевского Подколесина, тот, как вы помните, выпрыгнул от марьяжных сомнений в окно. Однако горячее участие читателей в судьбе Тапочкина косвенно подтверждает, что мне удалось написать чрезвычайно живой, волнующий образ. А это очень важно для сочинителя! Ведь новое слово в литературе — это, прежде всего, новый, живой герой. Те, кто полагает, будто новаторство заключается в том, чтобы писать тексты без точек и запятых, а также превращать фекалии в участников событий, ошибаются. Новизны в этом не больше, чем счастья в лотерейном билете.

Однажды я зашел в свою сберкассу на Хорошевском шоссе, где меня хорошо знали. Заглянул в окошечко, кассирша меня узнала, всполошилась:

— Ой, одну минуточку, у нашей управляющей к вам очень важный вопрос!

Она убежала и вскоре вернулась с начальницей, строгой немолодой блондинкой.

— Юрий Михайлович, ну как же так? — набросилась на меня блондинка.

— А что такое?

— Мы тут с девочками переругались. Башмаков жив или нет? Он ушел от жены?

— Не знаю...

— Как это вы, автор, и не знаете! А нам, читателям, в таком случае что делать?! — нахмурилась управительница.

В общем, идя навстречу озабоченным читателям, я решил в романе «Грибной царь» дорассказать, чем закончилось висение моего «эскейпера» на балконе. Жена и любовница общими усилиями втащили его в квартиру, и Башмаков после мучительных колебаний остался... с обеими.

5. Внимание на экран!

Еще меня часто спрашивают о том, как я отношусь к 8-серийному телевизионному фильму, снятому по роману «Замыслил я побег...» режиссером Мурадом Ибрагимбековым. Фильм неплох, хотя, по-моему, тот диалог жанров, который возможен в литературном произведении, будучи перенесен в кино, оборачивается безжанровостью и сбивает с толку зрителей. У меня, кстати, большой опыт по части экранизаций, начиная с нашумевшего фильма

«ЧП районного масштаба» Сергея Снежкина. Вместе с «Маленькой Верой» Василия Пичула эта лента в 1988-м стала символом перестроечного кино: и в смысле смелости, яркости и в смысле злого, скоропортящегося мифотворчества по отношению к советской цивилизации. Как говаривала моя покойная бабушка, вспоминая дореволюционную молодость: «При царе жили хорошо, но был гнет!» Вот и Мурад, воссоздавая доперестроечное время, руководствовался не столько моим романом, сколько теми идеологическими штампами, которые сформировались в постсоветский период, когда он формировался как художник. Некоторые сомнения возникли у меня, когда я отсматривая рабочие материалы, обратил внимание на то, что во всех комнатах райкома ВЛКСМ, где служит герой, висят исключительно портреты Карла Маркса.

— Слушай, — спросил я. — А почему у тебя везде Маркс?

— А разве его там не было?

— Нет, конечно... Может, в 20-30-е и вешали, а в мое время уже нет.

— А кого же вешали?

— Ну, в зале заседаний висели, конечно, портреты Ленина, Брежнева, а в рабочих комнатах — плакаты Олимпиады, афиши Веселых ребят», «Машины времени», «Песняров»...

— Да ты что?! Не знал...

— А ты в райкоме разве ни разу не был? — подозрительно спросил я.

— Нет.

— Подожди, но ты же выезжал за границу?

— Выезжал.

— Но ведь характеристику для выезда утверждали на бюро райкома после собеседования.

— А мне домой приносили! — весело сознался Мурад, отпрыск влиятельного в советском Азербайджане творческого клана Ибрагимбековых.

Это, конечно, хорошо, что в молодости он избежал гримас комсомольской бюрократии. Например, мою жену в 1977 году, когда я служил в армии, не выпустили в Польшу: она не смогла ответить на вопрос, в чем суть принципа демократического централизма. Но дело в том, что из знания вот таких деталей, подробностей и даже нелепостей эпохи и складывается достоверная художественная картина времени. Иначе можно скатиться до такой версии XVIII века, которую я своими глазами видел и своими ушами слышал, случайно наткнувшись на сериал про благородных девиц:

— Князь, я беременна...

— Я в шоке. Графиня, когда же вы залетели!

А таких неточностей в ленте у Мурада немало. Впрочем, в экранизации есть и удачные сцены. Сильно сыграл Башмакова-старшего актер Виктор Проскурин. Хороши: Екатерина Редникова (Катя), Михаил Полицеймако (Слабинзон), Юлия Новикова (Нина Андреевна), Сергей Плотников (Анатолич). Главная неудача, по-моему, — исполнение главной роли Башмакова Романом Яндыком. Актер явно не понял, кого играет, а режиссер не объяснил.

Когда фильм показали на Первом канале ТВ, я на собственном опыте убедился, что цензура благополучно пережила крушение «коммунистической деспотии». Вырезали достаточно невинные эротические сцены, что, впрочем, объясняется борьбой за общественную нравственность, основательно расшатанную тем же самым телевидением, которое на протяжении десятилетия любило порассуждать в утренних воскресных передачах о странностях однополой любви. Но из фильма выбросили еще и все сцены, посвященные странностям «путча» 1991 года и ельцинского переворота 1993-го. Вот такое демократическое кино.

С чувством известного самодовольства могу сообщить: почти все мои романы и повести экранизированы. Впрочем, я выразился неверно. Правильнее сказать: по мотивам моих сочинений снято разное кино. В одних случаях, как в фильме «Сто дней до приказа» Хусейна Эркенова, от первоисточника осталось не больше, чем от героя гражданской войны Сергея Лазо, брошенного японцами в паровозную топку. В других случаях режиссеры отнеслись к литературному материалу с большим пиететом. Это, прежде всего, сериал «Козленок в молоке», снятый Кириллом Мозгалевским. Очень хорош фильм «Апофегей» Станислава Митина. Удалась вторая экранизация «Неба падших», осуществленная Валентином Донсковым, и сериал по «Грибному царю» Михаила Мамедова. Иногда бывает так: ждешь удачи от мастера, а она приходит от начинающего. Как-то ко мне пришел молодой режиссер Алан Догузов, сын выдающейся осетинской драматической актрисы, и сказал: «Я влюбился в вашу пьесу «Одноклассница», хочу снять фильм, но денег у меня на покупку прав нет. Дайте шанс!» Я дал. В результате вышел отличный фильм «Соврешь — умрешь». Но такого, чтобы можно было воскликнуть: «Это я, я на экране!», — пока еще не случалось. И скорее всего, никогда не случится, ибо от экранизации следует ждать не подобия (оно в принципе невозможно), а соответствия. И еще экранизации, даже не очень успешные, расширяют круг моих читателей. А если, посмотрев фильм, люди еще вдобавок говорят: «Книга лучше!» — это не только комплимент автору, но и лишнее подтверждение неправоты Ленина: из всех искусств важнейшим была и остается литература, а театр, кино, телевидение — всего лишь живые тени изящной словесности.

И вот еще: «Побег» переведен на многие языки, но наибольший успех обрел в Китае, где был признан лучшим переводным романом 2003 года, из чего я делаю вывод: проблема Человека Убегающего актуальна не только для русских, простите, россиян, но и для китаян. Кстати, когда китайский переводчик приступал к работе, я у него поинтересовался: «Профессор Джан, а есть ли в вашем языке достаточно эротической лексики для перевода некоторых сцен и линий романа?» Он посмотрел на меня с мудрой иронией и ответил: «Юрий Михайлович, в нашем языке столько эротической лексики, что и Генри Миллеру не снилось!» И вот еще прелюбопытный факт: ЦК КПК заказал у пекинского издательства «Народная литература» пять тысяч экземпляров моего романа и распространил среди чиновников, связанных в своей работе с Россией. Там сочли, что информация, которая содержится в «Побеге», дает о том, что случилось в нашей стране за четверть века, гораздо более обширную и глубокую информацию, нежели любая книга по страноведению, а уж тем более политологические фантазии специалистов.

6. Консервированные прототипы

Закончив «Побег», я решил, что закрыл, как говорится, «семейную» тему, и сел сочинять маленький рассказ, сюжет которого мне подсказал один забавный эпизод. Как-то раз меня пригласили на ТВ — поучаствовать в «Большой стирке» Андрея Малахова, только-только появившейся тогда в эфире. В этом треп-шоу, если помните, участники какого-нибудь житейского конфликта на глазах миллионов зрителей бурно, чуть не до драки, обсуждали свои кухонно-постельные проблемы, а приглашенные эксперты потом оценивали ситуацию, давая мудрые советы и рекомендации по примирению.

Такими экспертами в тот раз оказались певец Валерий Меладзе и я. Мы, сидя в закулисной засаде, по монитору с возмущением следили за семейной драмой — ее содержание прочитавшим повесть «Возвращение блудного мужа» известно. Мы смотрели, обмениваясь мнениями, дружно возмущались наглостью разлучницы-секретарши, а потом вышли к публике и принялись искренне наставлять участников скандала на путь истинный. Лично я сказал какую-то прочувствованную речугу о мужской доблести, которая сводится к тому, чтобы сохранить брак любым способом, чуть ли не ценой собственной жизни. Страсть к стилистическим красотам иногда заводит писательское воображение туда, куда самих литераторов палками не загонишь!

И лишь после съемки, избавляясь от телемакияжа, мы со знаменитым певцом с изумлением обнаружили, что нас надули самым незамысловатым образом: в «гримерку» шумно ввалилась вся компания имитаторов: и брошенная жена, и закобелившийся супруг, и нахалка-секретарша, и сын, проклявший отца... Живо и профессионально они обсуждали, насколько удачно им удалось заморочить публику. Такие подставы тогда были еще внове, и мы с Меладзе позорно попались: вместе с миллионами простодушных невольников телеэфира приняли неузнаваемых актеров за жертв реальной семейной драмы. Оставалось проклинать свое простодушие, оставшееся в наших искушенных мужских душах, вероятно, еще с пионерских времен!

Рассказ, навеянный этим конфузом, как вы догадались, разросся в повесть. И снова, к недоумению автора, оказался историей мужчины, пытающегося уйти от жены к любовнице. Только на этот раз в лоно семьи его возвращает нравственный катарсис, пережитый во время треп-шоу. Такая зацикленность на одной проблеме меня несколько озадачила, но я смирился, ибо давно уже понял: на самом деле не писатель выбирает тему, а тема выбирает писателя. Кстати, все мои герои с самых первых книг живут и страдают в одном и том же несуществующем, но вполне типичном московском Краснопролетарском районе, поэтому все мои сочинения так или иначе взаимосвязаны, и я выпустил «Побег» и новую повесть под одной обложкой и общим названием «Возвращение блудного мужа». Получилась как бы дилогия.

Часто задают еще один вопрос: насколько описанное мной в книгах соответствует моей собственной жизни и моему личному опыту. Вопрос не простой и провокационный, если учесть, что писательские жены читают сочинения своих супругов исключительно как следователи по особо важным делам — в поисках улик, изобличающих былую, текущую или грядущую неверность. Чтобы не вдаваться в опасные подробности, особенно когда спрашивают в принародном эфире, я придумал такую лукавую формулу: «Мой личный опыт соотносится с моей прозой примерно так же, как тело танцора соотносится с танцем, который он исполняет». Красиво, согласитесь, но туманно. На самом же деле я почти никогда ничего не придумываю, ведь окружающая жизнь настолько богата необыкновенными событиями и колоритными личностями, что дело писателя — их разглядеть, изъять из реальности и перенести живыми в свои сочинения. Другое дело, что в поисках героев и ситуаций я «роюсь» не только в своей жизни, но и постоянно заглядываю в судьбы моих друзей, родственников, знакомых и даже случайных попутчиков и попутчиц. Кстати, ценнейшую информацию обычно сообщают женщины, одаривающие сочинителя пусть даже кратким благорасположением.

К сожалению, у большинства писателей прототип в процессе превращения в литературного героя тихо помирает, а читать книжки, где, словно зомби, разгуливают по страницам неживые персонажи, движимые усилиями авторской воли, сами знаете, неинтересно. Собственно, этим тайным даром сохранять жизнь прототипам и отличается хороший литератор от плохого. Нельзя просто так взять и переставить человека из реальности в текст, ничего не получится. Замечательно эту простоватую методу спародировали Ильф с Петровым, изобразив писателя, который, познакомившись в гостях с кустарем-одиночкой и приняв его за стопроцентного пролетария, тут же побежал вставлять нового приятеля в свой роман «А паразиты никогда». Видимо, прототипы, чтобы стать полноценными литературными героями, должны значительное время пожить во внутреннем мире писателя, теряя случайные и закрепляя в себе типические черты, пропитываясь авторской индивидуальностью.

И еще один секрет: литературные персонажи не заготавливаются впрок, как соленые рыжики к Новому году. В процессе сочинения они спонтанно востребуются из сонма себе подобных, обитающих в авторском подсознании. Кстати, по некоторым гипотезам, душа ребенка витает над «делающими детей» родителями, дожидаясь момента, когда можно юркнуть в свое будущее телесное обиталище. С литературными героями примерно то же самое. Вот и в повести «Возвращение блудного мужа» историю про то, как партийный начальник стал издавать порножурнал, я не придумал. Один мой товарищ, детский поэт, некоторое время руководивший парткомом Московской писательской организации, основал в начале лихих девяностых, чтобы прокормиться, общеизвестный сексапильный еженедельник. Он даже звал меня к себе на работу, принимая во внимание мои заслуги по реабилитации эротизма в советской литературе. (См. мою статью «Об эротическом ликбезе и не только о нем...» 1989 г., собр. соч., т. 5.) От приглашения я отказался, хотя тоже в ту пору не жировал. А вся эта пикантная коллизия пригодилась мне спустя десять лет, когда я описывал мытарства издательского труженика Саши Калягина... Вот ведь как!

7. Грибная история

Кстати, и грибная тема довольно долго никак не проявлялась в моих писаниях, хотя я с детства буквально болен «тихой охотой». Ужение, сиречь рыболовство, волнует меня гораздо меньше, а ружейного звероубийства мне и даром не надобно. Зато я неплохо разбираюсь в грибах. Когда я стал жить в Переделкине и регулярно выходить с корзиной в лес, обитатели писательского поселка поначалу были уверены, будто я собираю исключительно поганки, каковыми они, грибные невежды, считали фиолетовые, допустим, рядовки или еловые, скажем, мокрухи. Мне всегда очень хотелось сочинить что-нибудь грибное в хорошем смысле слова. И отголосок этого хотения можно уловить в моей пьесе «Халам-бунду, или Заложники любви», идущей ныне во многих театрах. Речь, конечно, о Косте Куропатове, изобретателе чудодейственного порошка фунговит, благодаря которому можно раз и навсегда решить проблему пищевого равенства человечества.

Но кроме грибных фантазий, в моей памяти уже много лет хранилась реальная история женщины, последовательно побывавшей замужем за двумя офицерами, учившимися в одном военном институте. Несмотря на то что они стали участниками своего рода эстафетного брака, отношения между ними остались товарищескими, предшественник даже давал преемнику некоторые советы по оптимальному режиму эксплуатации. Видимо, из-за своей бесконфликтности это житейское происшествие и томилось невостребованным в моем сюжетном депо. И вдруг в один прекрасный момент я сообразил, что друзья должны непременно покинуть ряды вооруженных сил, стать коммерческими компаньонами, жутко разругаться из-за этой женщины или денег и довести конфликт до смертоубийства, которое случится именно во время сбора грибов!

Если вы думаете, будто такое озарение родилось из ничего, как наша Вселенная, то глубоко ошибаетесь! Кровавая катавасия между соратниками осталась в моей голове, отколупнувшись от сценария, который мы когда-то, в середине 90-х, сочиняли вместе с замечательным режиссером Владимиром Меньшовым. Но так и не сочинили, потратив силы на споры о будущем России и некоторые традиционные русские излишества. Наш замысел, кстати, именовался «Зависть богов», и впоследствии именно так Владимир Меньшов назвал свой фильм, снятый по другому сценарию — «Последнее танго в Москве» Мареевой. Зависть богов как раз и заключалась в том, что главный герой, бывший афганец, погибает от руки своего боевого товарища именно в тот момент, когда наконец обретает большую настоящую любовь, как ни странно, в лице своей собственной тещи. Кстати, одна из причин сворачивания творческого процесса заключалась в том, что меня несколько смущала инцестная составляющая сюжета. Однако некоторое время назад, посмотрев очень смешную французскую комедию «Моя любимая теща» с Катрин Денев в главной роли, я лишний раз убедился в справедливости закона, открытого еще славянофилами в XIX веке: Запад всегда отстает от нас в замыслах, но всегда опережает нас в исполнении...

Все эти подробности я привожу исключительно для того, чтобы читателю стало понятнее, какими туманными и извилистыми тропами бредет писательское воображение от первообраза к конечному результату. Итак, я сел за «Грибного царя», задуманного, разумеется, как рассказ. О том, что рассказ превратился в повесть, а повесть распространилась в роман, читатель и сам уже догадался. Поначалу я ставил перед собой задачу от противного — хотел написать историю не амбивалентного «эскейпера», но русского пассионария, в данном случае советского офицера, победившего жестокое, абсурдное, безнравственное время, одолевшего эпоху первичного накопления, сделавшегося успешным и богатым. Конечно же, как выкормыша великой русской литературы, меня прежде всего интересовала нравственная цена вопроса, а именно: чем приходится платить в наше неправедное время за преуспеяние? Не мной замечено: материальное обогащение часто ведет к душевному оскудению.

Кстати, гриб, не создающий жизненно важный хлорофилл, а забирающий его у других растений, показался мне удачным социальным символом, отражающим взаимоотношения тонкого слоя богатых с толщей обделенных и обобранных. И я решил созорничать: всем своим персонажам я дал грибные фамилии. Да, да... А разве вы не встречали в лесу неприличный по форме и несъедобный по содержанию гриб, называющийся веселка? Называется он так, потому что с древних пор селяне и селянки, обнаружив его, разражались игривым смехом. Да и фамилию главного героя Свирельникова я образовал не от «свирели», а от «свирельника» — так в иных областях называют гриб-трутовик. Сперва даже трех наших президентов я переиначил по-грибному: Грибачев, Подъеломников и Паутинников. Но потом старинный товарищ Геннадий Игнатов, который первым читал мои рукописи, начиная со «Ста дней», убедил меня, что я вроде бы как испугался назвать властителей их настоящими именами и проявил малодушие. Тогда я проявил многодушие и, кажется, зря...

Но каково же было мое изумление, когда по мере написания романа меня помимо воли, все глубже и очевиднее стала затягивать все та же история мужчины, убегающего из семьи в «сначальную» жизнь. Да, теперь он убежал, извините, с концом. Но при этом унес с собой в новую участь все свои комплексы, проблемы и заморочки, как увозят из старой квартирки в новехонький пентхаус родных тараканов. Возмущенный таким навязчивым однотемьем, я даже на некоторое время отложил рукопись в сторону, точнее, забил файл. Но потом, поразмышляв, понял: если подсознание упорно возвращает меня все к той же нравственной коллизии, значит, так надо. Значит, я еще сам что-то не понял и в чем-то не разобрался, а следовательно, не объяснил это «что-то» моим читателям. Ведь подсознание зря ничего не делает, в отличие от сознания. И я решил: раз такое дело, надо расслабиться, как в известном анекдоте, и получать удовольствие. Судя по тому, что, выйдя в свет, «Грибной царь» стал бестселлером, заняв первые строчки в рейтингах, удовольствие получил не только я один.

Как я уже сказал, по «Грибному царю» режиссером Михаилом Мамедовым и продюсером Юрием Мацуком был снят одноименный 6-серийный фильм с Александром Галибиным в главной роли. Заняты там и другие интересные актеры — Елена Дудина, Наталья Тищенко... Лента, кстати, долго пролежала на полке, и я вполне бы мог повести речь о том, как нынешняя власть борется со свободой критического творчества. Но мне не нужны капроновые лавры борца с режимом. Пусть их носят те, кого Бог обделил вдохновением. Просто фильм снимался на средства фонда, который Лужков создал специально для поддержки загибавшегося в 1990-е отечественного кинематографа, а потом пакет фильмов выкупила прокатная фирма, впоследствии обанкротившаяся. Пока шли суды, все ленты лежали под спудом. Но лет через пять «Грибной царь» все же вышел на экраны и был хорошо встречен зрителями. В самом деле, он выгодно отличался от другой сериальной продукции, которая по большей части представляет собой тупую кройку по заданным лекалам. Моя жена Наталья не может смотреть телевизор вместе со мной. Если на экране в первой серии появляется счастливая, молодая и до оторопи порядочная мать с жизнерадостным ребенком, я говорю, перед тем, как уйти с кухни: «Ребенка отберут, а ее посадят в тюрьму...» Через полчаса жена входит ко мне в кабинет и спрашивает: «Откуда ты это знал?» От верблюда. Бездарный сценарист — это разновидность штамповочной машины. «А кто же тогда все это подстроил?» — подозрительно спрашивает она. «Сестра главной героини, которую родители почему-то привечали меньше...» «А чем все кончится?» «Тем, что в невинную сиделицу влюбится, прозрев, следователь, который ее на нары и отправил...» Через неделю, когда сериал завершен, все мои догадки подтверждаются. «Да ну тебя!» — в сердцах говорит жена.

Кроме того, на сцене МХАТа имени Горького Александром Дмитриевым была поставлена инсценировка «Грибного царя». Роль Свирельникова блестяще исполнил Валентин Клементьев. Этот спектакль МХАТ возил в Китай. Трехтысячный зал был полон, разумеется, актеры играли на русском, а по бокам сверху вниз бежали субтитры. «Китайцы читают свои иероглифы и хохочут. Потом по окончании ко мне подошел один местный житель, владеющий русским, и сказал: «Какой вы счастливый человек». Я спрашиваю: «А что такое?» — «У вас в России, — объясняет, — можно со сцены обличать коррупцию». Я говорю: «Минуточку, у вас же расстреливают за коррупцию». А он грустно так: «Да, у нас за это расстреливают, но обличать со сцены — нельзя». Я говорю: «А у нас нельзя расстреливать за коррупцию. А обличать публично — можно!». И что лучше?

Не менее интересной оказалась сценическая версия романа, поставленная в Оренбургском драматическом театре. А критика? Критики, как я уже замечал, не любят романы, которые нравятся читателям. Это такая профессиональная болезнь...

8. Треугольная жизнь

Вот так у меня и сложилась трилогия. Я назвал ее «Треугольная жизнь». Почему — ясно: треугольник — самая, наверное, распространенная фигура в геометрии любви. В 2008 году вышел толстый том с очень стильной обложкой: на черном фоне легкий абрис обнаженной женской фигуры, напоминающей бокал с торчащей из него соломинкой, а на дне бокала — маслинка...

Вскоре случилось заседание совета по культуре при президенте России. Обычно такие мероприятия происходят в большом старинном зале с огромным круглым столом, чтобы проще было обмениваться мнениями, иногда очень острыми, касающимися состояния российской культуры. Редко, но бывает, когда кто-то из членов совета заводит речь не про общественные, а про свои личные проблемы. Однажды Эдвард Радзинский довольно напористо попросил президента: мол, скажите, чтобы мне дали на первом канале ТВ авторскую передачу. Дали, но членом совета по культуре историк-беллетрист вскоре быть перестал.

Когда заседание заканчивалось, Путин обычно вставал и обходил стол, пожимая членам совета руки.

В этот момент кто-то передавал главе страны письма, прошения, проекты, режиссеры и актеры — диски с новыми фильмами, художники — каталоги своих выставок, писатели — книги. Вот и я тоже захватил с собой только что вышедшую «Треугольную жизнь» и долго соображал, какую дарственную надпись сделать — президент все-таки. Путин в тот день показался мне усталым, погруженным в тяжкие свои мысли. По-моему, как раз в ту пору решался вопрос: идти ему на третий срок или стать премьером, отдав ядерный чемоданчик Медведеву. Трудный выбор: с одной стороны, конституция, а с другой — исторический императив. И я написал: «Уважаемому Владимиру Владимировичу Путину от сочувствующего единомышленника. Ю. Поляков». Когда дошла очередь до меня, я протянул ему книгу:

— Вот, Владимир Владимирович, только что вышла.

— Интересно... — он взял, посмотрел сначала на обложку, а потом с пытливым недоумением на меня. — Хм, «Треугольная жизнь», хм...

— Я вам тут еще и написал... — сообщил я с развязным умилением, какое часто нападает на людей при общении с большими начальниками.

— От сочувствующего... Хм... — тут уж Путин глянул на меня испытующе. — Почитаем... — и двинулся дальше.

— Ты совсем обалдел! — зашипел на меня стоявший рядом осведомленный театральный деятель.

— А что такое?

— Ты ничего не знаешь?

— Конечно, знаю, он сейчас решает с выборами...

— При чем тут выборы! Они с Людмилой Александровной решили развестись!

И я понял, почему Путин так посмотрел на меня — сочувствующего...

Когда вышла «Треугольная жизнь», я решил: хватит писать о «мужских побегах», пора «закрыть тему». Но зарекаться не стоит: автор не отвечает за свои слова, слова отвечают за автора...

P.S. Зарок я нарушил в 2015 году, сочинив «Любовь в эпоху перемен».

2007, 2017

Драмы прозаика

1. Горкомовские кресла

В пору литературной молодости пьес я не писал. Даже не помышлял об этом. Драматурги казались мне небожителями. Я, начинающий поэт, забежав в ЦДЛ выпить пива, видел, как с антресолей Московской писательской организации величаво спускался председатель объединения драматургов Алексей Арбузов. И все вокруг шептали: «Смотрите, Арбузов!» Приезжал на белом «мерседесе», невероятном в Москве 70-х (второй такой имелся, кажется, только у Высоцкого), Михаил Шатров — автор пьес о Ленине. Лицо у него всегда было хмуро-брезгливое, словно он, озираясь, не мог смириться с тем, во что превратил великие замыслы Ильича наш неудачный народ. Совсем другое впечатление производил Виктор Розов, напоминавший доброго, лысого детского доктора, но и он был небожителем. Сама мысль сесть и сочинить пьесу казалась мне таким же странным намерением, как желание написать, скажем, конституцию. Написать-то можно, но какая страна захочет жить по твоей конституции? Точно так же не было надежды, что лохматый режиссер перенесет твою фантазии на сцену, люди с высшим актерским образованием выучат и будут декламировать твои диалоги, а художник измалюет краской полсотни квадратных метров холстины, чтобы отобразить коротенькую ремарку: «Нескучный сад. Входит Петр. Анфиса сидит на скамейке. Листопад». Остальное, казалось, вообще из области фантастики: купив заранее билеты, зал заполнят зрители и будут слушать, смеяться, плакать, хлопать, а в конце заорут: «Автора!» Тогда я в новом костюме выйду к рампе, поклонюсь и умру от счастья в театре, как и завещал великий Белинский.

Но жизнь любит сюрпризы. Нет, не я пришел в драматургию, она пришла ко мне. Пьесами, точнее сказать, инсценировками обернулись мои «перестроечные» повести: «ЧП районного масштаба», «Сто дней до приказа», «Работа над ошибками», «Апофегей». Это случалось как-то само собой: звонили из театра, спрашивали согласия (видимо, бывают странные прозаики, которые возражают против инсценировок!), а потом приглашали уже на премьеру. Именно так случилось с «Работой над ошибками», поставленной в 87-м в ленинградском ТЮЗе Станиславом Митиным. Спектакль шел на аншлагах, вызывая бурные споры учащихся и учительствовавших зрителей. Я участвовал в этих диспутах, нес прекраснодушный перестроечный бред и очень удивлялся, что у мудрых пожилых педагогов есть сомнения в конечной цели начавшегося ускорения. Станислав Митин впоследствии перебрался в Москву, стал кинорежиссером и через четверть века поставил фильм «Апофегей» с Марией Мироновой, Даниилом Страховым и Виктором Сухоруковым в главных ролях.

Впрочем, случались ситуации и позамысловатей. Так, первым инсценировать мою нашумевшую повесть «ЧП районного масштаба» вызвался Марк Розовский в своей студии. Он взял с меня честное слово, что я больше никому не отдамся, и надолго исчез. А тут вдруг с лестным предложением позвонил сам Олег Табаков, он как раз открыл свою «Табакерку» и искал что-нибудь остросовременное. Острее «ЧП» тогда, в 85, скажу без ложной скромности, ничего не было. Кстати, Олег Табаков и поныне любит все радикально новое, а точнее сказать, все то, к чему привешен яркий ярлык «новая коллекция». Однако настоящая новизна в театре — вещь редкая. Зато показательной новизной часто подменяют мастерство. Но искусство, как нож, нельзя вострить до бесконечности, лезвие однажды бесследно сточится, что мы и наблюдаем.

Верный данному слову, я бросился разыскивать Розовского и обнаружил его в писательском парткоме. Он платил взносы. Если когда-нибудь в Отечестве налоги будут платить так же аккуратно, как сдавали в свое время партийные взносы, страна накренится от изобилия. Помявшись, Розовский сознался, что горком ВЛКСМ одарил его театр-студию списанными креслами, и теперь ему неловко ставить что-то критическое о комсомоле. Сколько лет прошло, а отношение нашей либеральной интеллигенции к государству осталось тем же: вообще-то мы власть в принципе не любим, но если нам подарят просиженные кресла, потерпим.

В результате первым спектаклем «Табакерки» стало «Кресло» — сценическая версия «ЧП районного масштаба», о чем сей театр, скрепя сердце, вспоминает в каждый свой юбилей. Кстати, именно тогда мне впервые пришлось столкнуться с коварством театра как системы. Прочитав инсценировку, я горячо возразил против некоторых мест, искажавших, на мой взгляд, повесть. Ведь я-то хотел улучшить советскую систему, комсомол, в частности. А мои сценические интерпретаторы мечтали сломать ее и развеять по ветру. Автор инсценировки, носивший рукотворную фамилию Марин, жарко со мной согласился и обещал все исправить. Надо ли объяснять, что ни одно мое пожелание учтено не было. Это я и обнаружил, сидя на премьере и хлопая больше глазами, нежели ладошами. Вспомнив о гоголевских наставлениях господам актерам, я после премьеры простодушно объяснился с исполнителями. Кстати, в спектакле играли прекрасные актеры: юная, еще не заавгустевшая Марина Зудина, заслуженный «доброволец» Петр Щербаков, Игорь Нефедов, который перевоплощался в заворга Чеснокова с таким веселым азартом, что невозможно было помыслить о его скором самоубийстве. Участвовал в спектакле и «фьючерсная звезда» Евгений Миронов. Но его игру я как-то не запомнил. Актеры выслушали мои глупые, как я теперь догадываюсь, наставления, покивали и посмотрели на меня с усталым недоумением. Позже я понял: автор в театре беззащитен, как прохожий в зоне контртеррористической операции. И об этом мы еще поговорим.

Но первые огорчения оказались пустяком в сравнении с тем, что ждало меня в Ленинграде. «ЧП» задумали поставить в Александринке. Впервые попав в золоченый зал, мало чем отличающийся от Большого театра, я испытал чувство неловкости: «Неужели моя простая история об украденном комсомольском знамени будет сыграна здесь, среди этой имперской роскоши? Не может быть...». Но меня успокоили: по этой сцене и комбайны рожь косили, и бойцы строем ходили, и вредителей обезвреживали... Худрук Александринки знаменитый Игорь Олегович Горбачев пригласил на постановку молодую режиссерскую даму, искрившую буйными идеями, которые происходят от не перебродившего в голове вузовского курса истории театра. Начать она решила со сцены штурма графского дома революционными матросами, хотя в повести кратко сообщалось, что райком помещался в старинном особняке. Но театр был академический — и средств не пожалели: революционные толпы бурлили на многометровом заднике-экране. Сейчас этот «кинотеатр» стал обычным делом, даже смешно: зачем живого актера заменять проекцией? Но тогда — в середине восьмидесятых... Прорыв!

Мне тоже пришлось попотеть: год я буквально жил в «Красной стреле», переписывал сцены, переделывал диалоги, придумывал репризы, млел на репетициях: режиссерская дама иногда выпрыгивала из-за пульта, перемахивала оркестровую яму и показывала актерам, как надо играть тот или иной эпизод. Они слушали ее с плохо скрываемой иронией, как усатые фронтовики — еще не бреющегося лейтенанта. Опытный драматург сразу бы догадался: спектакль обречен, по крайней мере, с этой постановщицей. Но я был новичком и ничего не подозревал, хотя сидевший на репетициях Игорь Олегович Горбачев вздыхал, становясь все угрюмей. Однажды, когда на сцене два актера изображали воспитательный спор первого секретаря со злоумышленником, он вдруг тихо меня спросил: «Юра, как вы думаете, кто из них выше?» — «В каком смысле?» — «Ну, в ком росту больше?» — «В нем!» — я указал на молодого актера. «А вот и нет. Он на десять сантиметров ниже, а кажется высоким, потому что талантливей. Это театр...»

И вот по Ленинграду расклеены афиши, я иду по Невскому, останавливаюсь около тумб и читаю: «Юрий Поляков. ЧП районного масштаба. Премьера». Спешащие мимо бледнолицые северные красотки не подозревают, что могут запросто познакомиться с видным драматургом средних лет и попасть на премьеру по авторской контрамарке. Однако премьера отменилась: из обкома КПСС поступило мнение: «Не надо!» На Ленфильме Сергей Снежкин как раз начал снимать одноименное кино, и руководство решило: для колыбели революции двух «ЧП» многовато. Тогда я, конечно, почувствовал себя жертвой врагов перестройки, засевших в Смольном, но теперь думаю иначе: Горбачев (не Михаил Сергеевич, потихоньку сдававший страну), Игорь Олегович мог одним своим авторитетным словом спасти постановку, но не спас. Почему? Да уж больно слабый получился спектакль. Требовательное поколение! Так мне и не довелось выйти на поклон перед многоярусным зрителем Александринки.

Спустя четверть века я решил снова попытать счастье в этом легендарном театре и отдал новую пьесу худруку Владимиру Фокину, которого помнил еще любимцем московского комсомола, когда он поставил свой первый спектакль в «Современнике». Главную роль исполнял Константин Райкин. Зал ждал, что он, как и его всесоюзно остроумный папа, начнет хохмить, а он начал страдать. Аплодисменты! Кстати, в 1977 году, вернувшись из армии, я обнаружил, что мое место преподавателя-словесника в школе рабочей молодежи занято, и пошел на работу в Бауманский райком комсомола. Как раз готовилась очередная отчетно-выборная конференция, мне поручили курировать выступление делегата Константина Райкина. Курировать — значит писать речь для оратора. Когда вместо обязательных идеологических мантр я предложил вставить в текст слова о том, что у молодого искусства должно быть «лица необщее выраженье», он глянул на меня как на сторожевого пса, продекламировавшего стихи Бальмонта.

Но вернемся к Фокину. Через какое-то время я спросил: «Ну как пьеса?» Он затуманился и ответил: «Была читка, всем очень понравилось, много смеялись, хорошая работа...» «А?» — спросил я, имея в виду возможность постановки. В ответ он лишь вздохнул, как мужчина, которому перелистывание «Полейбоя» давно уже заменило женщин. Я его понял и посочувствовал. К отказам мне не привыкать.

Но двадцать пять лет назад, узнав об отмене премьеры «ЧП», я, конечно, закручинился, жалея напрасно потраченное время. И тут в «Юности» вышла моя повесть «Апофегей», имевшая бурный успех. Мне позвонил обаятельный завлит Театра имени Маяковского с пушкинской фамилией Дубровский. Он сообщил с сакральным придыханием:

— Вас хочет видеть Андрей Александрович Гончаров. Лично!

Я помчался и познакомился с этим замечательным режиссером, похожим на орла, поседелого в комфортабельной неволе. Гончаров объявил, что влюблен в мою повесть и непременно поставит «Апофегей» на сцене Маяковки, но... Это «но», облагороженное рассуждениями о тонкостях эстетического сопряжения прозы и сценического действа, сводилось, как мне стало со временем понятно, к одному: в повести слишком уж ехидно изображены партработники, а они ведь тоже люди! Далее без малого два года я приносил один вариант за другим, и каждый новый, по словам завлита с пушкинской фамилией, оказывался лучше предыдущего, но... И мне приходилось снова дорабатывать текст, постепенно накапливая в душе яд «антисценизма» или «театрофобии». Это уж кому как нравится.

Но тут грянул август 91-го. Я встретил его в Коктебеле, где украинские писменники, узнав о крахе ГКЧП, бегали по дому творчества с криками: «Крым наш!» Еще вчера они говорили исключительно по-русски, а тут перешли на мовояз, и наши споры о будущем многонациональной страны стали напоминать диалоги Тарапуньки и Штепселя, весьма популярных в СССР. «Бедные мы, бедные!» — вздыхал директор дома творчества с простой украинской фамилией Петров. Вскоре его посадили.

Еще не успели отликовать победившие демократы (совсем недавно они так же радовались, получив отпуск из СССР на ПМЖ за границу), а я, едва сойдя с самолета, бросился в Театр имени Маяковского к своим мучителям: мол, теперь-то можно все-все-все! И снова услышал «но». Только на сей раз сквозь умные рассуждения о сценическом инобытии прозаического образа сквозили иные печали и опасение: а не слишком ли мягко изображены в «Апофегее» номенклатурные монстры? Мы с ними, как с людьми... А ведь, в сущности, партия — преступная организация. Говорят, будет даже суд над КПSS. Опытные люди уже готовятся: один главный режиссер перед телекамерами сжег свой партбилет, правда, говорят, не настоящий, а дубликат, предусмотрительно сработанный в бутафорском цехе. В общем, я понял: Гончаров конечно, — великий режиссер, но с веком-волкодавом предпочитает не ссориться. Призрак горкомовских кресел всплыл в моем сознании, и я поклялся никогда больше близко не подходить к театру. Разумеется, в качестве автора.

2. За что Соленый убил Тузенбаха?

Никогда не говори «никогда». После выхода в 96-м моего романа-эпиграммы «Козленок в молоке» мне позвонил Вячеслав Шалевич и завел речь о постановке в Театре имени Рубена Симонова, что на Старом Арбате. Писать инсценировку, помня бездарно потраченные силы, я отказался, и ее поручили профессиональной драматургессе, но она выдала такую беззатейную халтуру, что пришлось садиться и переписывать, а точнее, сочинять пьесу по мотивам моего собственного романа. Итак, несмотря на зарок, мне довелось снова стать драматургом. Эдуард Ливнев доработал текст и поставил блестящий спектакль, который шел 17 сезонов и всегда при переполненном зале. 564 представления! Актер Игорь Воробьев, игравший Акашина, стал на Арбате легендарной личностью: завидев его, говорили: «Вон, Витек пошел!» Несколько лет главную мужскую роль исполнял Игорь Гаркалин, а спектакль играли в огромных, тысячных залах. Но «Козел», как его любовно звали актеры, пал жертвой околотеатральных интриг, о чем я написал выше.

Но и триумф «Козленка» вряд ли заставил бы меня всерьез заняться сочинением пьес, если бы я, как всякий нормальный человек, не ходил в театр. А что я мог там увидеть? Чаще всего — новаторски оскверненный труп классики. Как-то мы с женой отправились на «Трех сестер» и узнали, что Соленый застрелил своего любовника Тузенбаха за то, что изменщик решил жениться на «натуралке». Ей-богу! Можно было налететь в солидном театре на современную драму про обитателей городской помойки, которые, матерясь, мечутся между промискуитетом, вечностью и наркотой. Сплошь и рядом шли прокисшие антисоветские капустники в духе одноклеточного Коляды. В лучшем случае давали импортную комедию, очень смешную, но ее содержание намертво забывалось в тот момент, когда гардеробщица с моим номерком шла к вешалке, с которой начинается театр.

Непостижимо, но российский театр словно и не заметил жуткую социально-нравственную катастрофу, потрясшую Россию в 1990-е. Он прошел мимо нее, «не повернув головы кочан», как сытый банковский клерк проходит мимо побирающегося ветерана. Это нежелание признавать центральный конфликт эпохи — между обманувшими и обманутыми — фантастически нетипично для нашего театра. Всегда, и при самодержавном присмотре, и в самые подцензурные советские годы реальные, а не фантомные боли общества прорывались на подмостки. А ныне... Куда девалась, скажем, сатирическая комедия, жанр, уцелевший даже в 30-е годы и словно специально предназначенный для нашего гомерически нечестного и нелепого времени? Неужели спонсоры оказались страшнее следователей НКВД? Эту мину брезгливого равнодушия к реальности, въевшуюся в лицо отечественной Мельпомены, нельзя было прикрыть никакими «золотыми масками», канонизировать никакими госпремиями и триумфами. Самое грустное, что произошло это в годы, когда власть в кои-то веки дала российскому театру «вольную». Впрочем, в результате все оказались как бы «временно обязанными». Может, именно в этом суть проблемы? Конечно, конечно, были исключения, были настоящие, честные пьесы и блестящие режиссерские работы. Но я — о тенденции. Судьбы русского театра мы еще коснемся.

И тогда я решил попробовать сочинить пьесу, такую, какую сам, как зритель, хотел бы увидеть на сцене. Современную комедию. Так в 97-м появилась «Левая грудь Афродиты». Но ее ждала странная судьба. Я только собирался разослать пьесу в театры, а кинорежиссер Александр Павловский попросил почитать и... немедленно снял по ней двухсерийный телефильм с Ларисой Шахворостовой, Сергеем Моховиковым и Андреем Анкундиновым. Ленту показали по телевизору и «засветили» сюжет. Лишь несколько театров потом поставили мою комедию, так сказать, «испорченную» коварным кинематографом, и не пожалили — спектакли собирали полные залы. Но думаю, театры к ней еще вернутся. Подождем.

Тем временем я придумал новый сюжет — «Халамбунду». Но тут Станислав Говорухин, закончив работу над фильмом «Ворошиловский стрелок»», где я прописывал диалоги, сказал мне: «Давай напишем пьесу! Ульянов очень просит. Жалуется: ставить нечего: мат-перемат, чернуха и совокупления при отягчающих обстоятельствах...» Я согласился и предложил оттолкнуться от моих набросков к «Халамбунду»: конфликт «старых советских» с «новыми русскими». «Отлично! — кивнул Говорухин. — Старая советская квартира, орденоносный дед, никчемные дети, мятущаяся внучка, за которой ухлестывает нахрапистый бизнесмен. Но остальное надо придумывать заново!» Придумали. В моем архиве хранится первый вариант «Смотрин» с роскошно-нецензурными замечаниями Говорухина. Пьесу закончили в 2000 году и отдали, как договаривались, в Театр имени Вахтангова. Прочитав, Михаил Александрович грустно молвил: «Слишком остро. Меня не поймут...» и показал в сторону Кремля, где досиживал последние месяцы всенародно избранный дирижер немецкого оркестра. Да, экранный Ульянов, будучи Жуковым, не боялся даже Сталина! Впрочем, мне и потом приходилось сталкиваться с актерами, чей экранный образ отличается от жизненной позиции как шахид от хасида.

«Подумаешь! — хмыкнул Говорухин. — В Москве театров до хрена, даже если одни академические считать — пальцев не хватит!». Он стал предлагать наш горький плод другим, показывал своим влиятельным друзьям, реакция везде была примерно одинаковая: «Ну ты уж совсем!» А Марк Захаров даже замахал руками: «Ты с ума сошел!» У меня эти Корзубы (отрицательный герой в «Смотринах») на лучших местах сидят, а вы его мерзавцем изобразили! Не поймут. Обидятся...»

В конце концов, пьесу взяла отважная Татьяна Васильевна Доронина. Социальная жесткость и горькая ирония ее не смутили, а, напротив, вдохновили. Правда, по поводу Корзуба она заметила: «Какой-то он получился у вас симпатичный. А ведь это же конченый мерзавец!» Я согласился с этим мнением, но оставил все как есть. Спектакль ставил Говорухин. Это была его первая в жизни сценическая работа, и протекала она в бодрящем конфликте с руководством театра. Будучи председателем комитета по культуре Госдумы, он иной раз срочно уезжал на заседание и приказывал мне: «Репетируй без меня!» – «Я?... Как?... Я же не умею!» – «А что тут уметь? Ори на актеров и говори, что Станиславский их вообще убил бы!»

В канун премьеры все нервничали. Татьяна Васильевна предсказывала полный провал, намекая, мол, служение сразу двум богам (Театру и Политике) до добра не доводит. Заразившись сомнениями, Говорухин приказал мне придумать интригующее название, чтобы зритель валом повалил. Напомню: дело было в 2001-м, когда интерес к театру после варваризации 1990-х только начал восстанавливаться. Я предложил назвать спектакль «К нам едет олигарх!» «Неплохо, но думай еще!» – был ответ. Я напрягся и родил «Контрольный выстрел». Так назывался роман,

12 - 2579

сочиненный филологической старушкой, чтобы заработать на жизнь обнищавшей семье. «Пойдет!» — кивнул мэтр.

Есть два типа режиссеров. Первые (Говорухин из них) знают, чего хотят от писателя. Они будут ругаться, отвергать предложенное, стыдить, унижать, грозить разрывом и возвратом аванса, но как только ты выдашь требуемое, они в зависимости от характера тебя обнимут, поведут в ресторан или скупо похвалят, чтобы не избаловать «писарчука». А вот ко второму типу относятся те режиссеры, которые не знают, чего хотят. С авторами они обращаются как недееспособные мужчины с женщинами, требуя от несчастных чего-то невероятного, что вернет былые силы и способность к любви. С такими лучше не связываться. Результат всегда один: измочаленные нервы и выпотрошенное подсознание, а на выходе то же самое, что и на входе.

После генерального прогона Станислав Сергеевич закурил трубку и сказал: «Поляков, мы с тобой два м....ка, я старый, а ты молодой!» «Почему?» — удивился я. «У нас нет концовки, коды. Выстрела под занавес нет!» Всю ночь я ворочался, перебирая варианты, а под утро понял: в квартиру должен войти телохранитель олигарха и сказать: «Господа, машины поданы. Спускайтесь! Босс ждать не любит!» Это и есть контрольный выстрел. Не случайно первый исполнитель роли академика Кораблева народный артист Николай Пеньков всегда добавлял от себя: «Вот вам и контрольный выстрел. В лоб!» Хотя в тексте «лба» в помине не было. А какой замечательной бабушкой-писательницей, сочинявшей под псевдонимом Ричард Баранов (потому что все читатели — козлы), была народная артистка Луиза Кошукова! Когда она говорила: «Напьемся до синих зайцев!», — зрители падали под кресла. Талант актера — в чарующем преувеличении. Одаренный актер не только кажется выше ростом, но и выше, значительнее кажутся произносимые им слова. Однако едва драматург начинает писать в расчете на это «преувеличение», то выходит халтура. Такая вот странная вещь...

Премьеру приняли на «ура». «Интересно, она слышит эти овации?» — спросил ворчливо мэтр. «О да! У Татьяны Васильевны в кабинете радиотрансляция!» — с трепетом ответила завлит. Но Доронина сидела в глубине директорской ложи и загадочно улыбалась. Не только у Говорухина были методы выдавливания из соавтора результатов, но и у художественного руководителя тоже имелись свои хитрости, чтобы постановщика, утомленного общественной деятельностью, «завести» и, разозлив, подвигнуть на художественный рекорд. Так и вышло: вот уже пятнадцатый сезон в МХАТе имени Горького играют «Контрольный выстрел», а любой спектакль идет, пока на него идет зритель. В марте 2014 года давали благотворительный «Выстрел» в поддержку Крыма, вернувшегося в домой. На сцену вышел подводник Леша и не стал рассказывать, как непросто служится в Севастополе, как власть бросила ржаветь Черноморский флот, как даже русских книг не стало на незалежной Украине, а «только про то, какие все москали — сволочи...» И зал, встав, зааплодировал. «А я-то думал, все это давно устарело! — повернулся ко мне Говорухин. — Хорошо мы тогда с тобой написали!»

3. А у вас по-настоящему...

Окрыленный и кое-что понявший во время репетиций «Контрольного выстрела», я досочинил комедию «Халам-бунду» и показал Вячеславу Шалевичу, а он предложил ее продюсеру Юлию Малакянцу. Был приглашен режиссер Сергей Кутасов, и вышла роскошная антреприза с участием Сергея Никоненко, Кати Климовой, Дмитрия Харатьяна... Играли спектакль в больших залах, например, в Центре на Яузе — бывшем телевизионном театре. Как-то с друзьями мы сидели в ложе, и я, млея от авторского восторга, шептал: «Погодите, то ли еще будет во втором акте!» А во втором акте бесследно исчез один из персонажей — Костя, отец главной героини. Его текст актеры поделили по-братски, отчего на сцене начался антисюжетный ужас. Я ждал, когда зрители начнут свистеть, как на стадионе, если мазила-нападающий бьет мимо пустых ворот. Но зал, включая моих друзей, с интересом наблюдал за происходящим на сцене, хохоча над репризами. Едва сошелся занавес, я помчался в гримерку, чтобы устроить скандал, и узнал: исполнителя роли Кости в антракте увезли с сердечным приступом. Выбор не велик: выйти к публике извиниться или доигрывать как ни в чем не бывало. Они выбрали второе. Я понял и побежал в магазин за выпивкой — снять общий стресс.

Дальнейшая судьба этой антрепризы печальна и показывает, насколько хрупка судьба любой постановки. Это тебе не кино: снял, нашлепал копий и крути до одури. Один из основных исполнителей страдал запоями, недугом, более характерным для писателей, но встречающимся и среди актеров. Когда в третий раз он сорвал гастроли и обрек продюсера на серьезные убытки, проект прогорел и закрылся. Но пьеса вскоре была поставлена в МХАТе имени Горького Сергеем Кутасовым. В спектакле блистал народный артист Михаил Кабанов, игравший предводителя районного дворянства Лукошкина. Он загримировался под Никиту Михалкова, надел широкополую шляпу и говорил неповторимым амвонным тенорком Никиты Сергеевича. Едва Кабанов—Михалков появлялся на сцене и произносил несколько слов, зал заходился от хохота.

Пьеса «Халам-бунду» по сей день широко идет в России и СНГ. Посещая премьеры, я невольно исполнил наказ Гоголя — «проездился по России». Я увидел множество постановок хороших и разных. Но одна запомнилась особенно. Художественная руководительница, встретив меня у поезда, таинственно шепнула: «Юрий Михайлович, мы приготовили вам сюрприз!» Весь спектакль я томился в ожидании. «Сейчас, сейчас!» — интимно шептала мне худрукиня в темноте директорской ложи. Наконец сыграли предпоследнюю сцену. Многообещающе опустился занавес. «Что же они там такое придумали? — гадал я, — наверное, что-то фантастическое, если так долго меняют декорации. Может, саванну сооружают?» Занавес открылся, и актеры вышли на поклон. Последняя сцена, где молодые герои сливаются в пылком «халам-бунду», была просто выброшена. Сюрприз! «Ведь, правда же, так лучше?» — спросила худрукиня голосом женщины, сделавшей новую прическу. Я только вздохнул в ответ, ибо к тому времени понял: спорить с режиссером, как спорить с инспектором ГАИ. Бессмысленно. Прав тот, у кого полосатый жезл, а в театральном деле жезл всегда у постановщика. Но об этом мы еще поговорим...

На премьере «Халам-бунду» я познакомился с Александром Ширвиндтом. Он предложил мне написать что-нибудь для Театра Сатиры, и через год я принес ему «Хомо эректус, или Свинг по-русски». Пьеса его озадачила, но понравилась. Стали искать режиссера, кандидатуры появлялись и отпадали. Наконец, сговорились с худруком окраинного московского театра. Сделали распределение. Но случилось невероятное: артист, который должен был играть диссидента, ставшего депутатом-жуликом, отказался от роли по идейным мотивам, мол, пьеса — клевета на светлые идеалы демократии. Вообще, такие слова в устах актера звучат примерно, как рассуждения боксера о бесценности каждой клетки головного мозга. К идейно возбудившемуся артисту примкнули другие исполнители. Стало ясно: детей просцениума кто-то накрутил. Они обратились к Ширвиндту с петицией: пьеса Полякова не в демократических традициях театра. В общем, бунт на корабле.

Ширвиндт железной рукой подавил мятеж, сделал новое распределение, и состав получился звездный: Валентина Шарыкина, Алена Яковлева, Юрий Васильев, Ольга Вавилова, Светлана Рябова. Но тут, озаботившись своей либеральной репутацией, отказался от постановки окраинный режиссер. Поговаривали, Минкульт (им тогда руководил мой давний соратник по бюро Краснопресненского райкома

ВЛКСМ) обещал ему взамен финансовое вливание. Я к тому времени пришел в ЛГ и за позицию главного редактора расплачивался как драматург. Но об этом ниже. Итак, пьеса зависла на два года, первоначальный азарт стал угасать, а в театре, как в любви, отложенное желание ни к чему хорошему не ведет. Руководство при встрече улыбалось мне все шире, но в глаза смотрело все реже: верный признак агонии проекта. Появились и отпали несколько постановщиков.

Напоследок позвали Андрея Житинкина. Он взялся за дело решительно и быстро сбил пьесу в мощный спектакль. В отличие от Говорухина, заставлявшего меня сидеть на репетициях, Житинкин лишь позволил мне прочитать пьесу актерам: слушали без восторга. После читки ко мне подошла интеллигентная девушка, похожая на тихую мученицу сольфеджио, и прошелестела: «Мне поручена роль Кси. Проститутки... (Она покраснела.) Но в этом образе мне многое не понятно...» «Еще бы!» — подумал я в тоске, а потом навел справки: ко мне подходила Елена Подкаминская. Она недавно в труппе, ученица Ширвиндта, он возлагает на нее большие надежды. Катастрофа! В следующий раз я увидел актеров только на показе «для пап и мам». Особенно мне понравилась Кси, зажигавшая зал своим простодушным бесстыдством. Я склонился к Андрею и шепнул благодарно: «Молодец, что заменил Подкаминскую! Новая — что надо! Как ее фамилия?» «Подкаминская», — был ответ.

На заседании художественного совета, принимавшего спектакль, Ольга Аросева сказала:

— «Хомо эректус» — сатира, которую мы ждали в театре почти двадцать лет. Мечтали о такой сатире. Мы так долго ждали, что сразу и не поняли, что это она! Чуть не упустили такой материал... Остается поблагодарить автора за пьесу и долготерпение!

Кстати, ничего странного тут нет. Сатиру часто принимают за клевету, а клевету, наоборот, за сатиру. А то, что мой совсем не развлекательный «Эректус» собирает зрителей не меньше, чем коммерческий «Слишком женатый таксист» Куни, идущий на той же сцене, подтверждает известный факт: современникам нужна современность! На сегодняшний день сыграно более 300 спектаклей. Покажите мне хоть одну «новодрамовскую» пьесу с такой судьбой! Не покажите. Кстати, много лет спустя я случайно перемолвился с одним из участников бунта на корабле, назовем его «Ф». «Что же вас так тогда смутило? — спросил я. — "Совесть русской интеллигенции" пришла на свинг со студенткой, которая приторговывает собой? Разве в жизни такого не бывает? Я же видел вас в постмодернистской чернухе. Вы там такое вытворяете, что можно смело писать в афише: детям до 30 лет не рекомендуется!» «Э-э! — махнул рукой Ф. — Там-то все понарошку, а у вас по-настоящему!» Он невольно сформулировал коренное отличие постмодерна от реализма.

На премьерном фуршете Александр Ширвиндт в своей неповторимой манере сказал:

— Юра Поляков принес нам пьесу, будучи отцом. А смотрел премьеру, будучи уже дедом!

— Дважды дедом, — добавил я.

— Напиши нам еще что-нибудь!

— А вы поставите, когда я буду прадедом?

Для Театра Сатиры я вскоре написал пьесу «Женщины без границ», которую поставил сам Ширвиндт. Впрочем, начинал работу другой режиссер, но не справился, ибо зеленый змий в режиссерском деле не помощник. Играли в спектакле замечательные актеры: Светлана Рябова, Зиновий Высоковский... Идет она и в других театрах, но с трудом. Видно, опять виноват мой реализм. В этой пьесе, рассказывая о запутанной личной жизни нашей современницы, я довольно деликатно затронул лесбийскую тему, изъезженную постмодернизмом вдоль, поперек и наискосок. Но, видимо, воздействие слова, идущего от жизни, а не от литературной игры, воздействует на людей значительно сильнее. И то, что у Виктюка всего лишь изыск, у меня — культурный шок. Худрук одного театра, расположенного в казачьей области, сказал мне: «Эх, как же мне нравятся ваши «Женщины без границ»! А поставить не могу. Народ у нас строгий, правильный. Могут и ногайками выпороть!»

Однажды вечером мне позвонила взволнованная Светлана Рябова, исполнявшая роль нашей современницы, запутавшейся в своей личной жизни.

— Юрий Михайлович, не знаю, что делать!

— А что такое?

— Я поссорилась с Зиновием, и он во время спектакля в меня плюет...

— В каком смысле?

— В буквальном. Что мне делать?

— Плюньте на него...

4. Мастера и самовыраженцы

Но поговорим, наконец, о том, что же происходит с нашим театром. Он, по-моему, оказался пленником ложно понятой новизны и вседозволенности, застрял в своего рода «дне сурка» и не может оттуда выбраться. А как выберешься, если под обновлением языка понимается матерщина, под творческой дерзостью — генитальная развязность, под остротой подразумевается мучительная, как зубная боль, неприязнь к собственной стране. Многие режиссеры уверены: театр — это своего рода «майдан», место неадекватной самореализации, где можно воплотить любую самую бредовую грезу. Зрителям дозволено при этом присутствовать, критикам разрешено хвалить, а вот несогласных объявляют мракобесами. «Передовой» театр — это культ, у него есть свой телец — «Золотая маска». Имеется и символ веры — неверие в Россию как самобытную цивилизацию.

Любой, отказывающийся молиться на новизну как цель, становится изгоем. Но ведь есть разная новизна. Сделать хуже, чем предшественники, тоже новизна, но зачем она такая? Недаром ехидный Михаил Булгаков язвил, что Мейерхольд погиб под трапециями с голыми боярами, рухнувшими во время репетиций «Бориса Годунова». В новизне, как и в голизне, важны мера, пропорция! Иначе нож сточится. Помните? Кстати, послереволюционный театральный авангард и его кураторы в Наркомпросе очень напоминают нынешних обновителей сцены. Одно время Театральным отделом (ТЕО) заведовала жена Зиновьева — она же сестра Троцкого. Об этой даме, провизоре по образованию, с бешенством, облагороженным сарказмом, вспоминал Владислав Ходасевич. Почитайте! Так вот, тогдашние кураторы ТЕО считали «Дни Турбинных» не столько злостной белогвардейщиной, сколько устарелой «чеховщиной», по недоразумению пережившей революцию и гражданскую войну. То ли дело «Оптимистическая трагедия»! И где она теперь, эта «новая драма» тех буйных лет? А Булгакова ставят и будут ставить. Чтобы быть современным, надо оставаться немного старомодным.

По-настоящему самовыразиться в искусстве можно только через мастерство. Как-то я был в Пскове на «круглом столе», посвященном состоянию российского театра. Вел дискуссию президент Путин. Вместо серьезного разговора, как всегда, просили помочь материально, полагая, что единственное, чего им не хватает для полной творческой нирваны, так это — денег. Перед «круглым» столом Путин обошел реконструированный театральный комплекс, стоивший казне почти миллиард рублей, и остался доволен. Эдакий олимпийский объект в ведомстве Мельпомены. Потом была премьера «Графа Нулина». Неюные тети, выряженные пионерками, пели дурными голосами, бормотали и глумливо декламировали пушкинский текст. Потом, конечно, разделись. Оставшиеся на премьеру московские и губернские начальники сидели с лицами, искаженными двумя сильнейшими чувствами: ужасом от спектакля и радостью, что этот кошмар по занятости не увидел «сам». Реакция могла быть непредсказуема, ведь такой «Граф Нулин» — то же самое, что тараканьи бега на новеньком олимпийском стадионе. Больше всего запомнилась безысходная тоска в глазах псковских театралов, пришедших на премьеру.

Нет, я не против нового прочтения Пушкина. Я — за. Но где здесь новое прочтение? Взрослые дяди и тети, переодетые в пионеров, — это же фишка конца 80-х. Ни один советский капустник не обходился без мужиков, которые, дрыгая голыми волосатыми ногами, изображали под хохот коллег танец маленьких лебедей. Воля ваша, но новаторство многих современных режиссеров — это волосатые ноги маленьких лебедей. Не более. Кстати, нарядить героя в костюм «не по эпохе» почему-то считается признаком новизны. Но если углубиться в историю театра, выяснится: до XIX века актеры играли классику в костюмах своего времени. Агамемнон мог выйти к зрителям в камзоле и парике. Скрупулезное воссоздание давней эпохи на сцене стало открытием, прорывом, революцией. А теперь, обув Гамлета в кроссовки Nike, изнемогают от чувства собственной гениальности. Смешно!

Семен Франк считал: любая революция влечет за собой варваризацию, которой подвергается, прежде всего, творческая интеллигенция. Сегодня в кино, драматургии, литературе, журналистике орудуют уже два поколения людей, не владеющих профессией в должном объеме. Увы, современные драматурги не умеют строить сюжет, диалог, не понимают, что герои должны говорить по-разному, отличаться лексикой, интонацией, ритмом речи, что сценическое слово отличается от трамвайной брани. Свой непрофессионализм они почему-то называют новаторством. Такое уже было, и не раз. В начале прошлого века не умевших рисовать, но желающих быть художниками, именовали «матиссятами». На любое критическое замечание они отвечали: «А как же Матисс?» Видимо, новодрамовцев следует называть «беккетятами»...

Когда я вел на канале «Культура» передачу, мы как-то в эфире с одной модной критикессой, красившей волосы в сиреневый цвет, обсуждали хит сезона — новодрамовский спектакль. И я сознался, что не понял ничего из того, что увидел на сцене.

— А вы и не могли ничего понять. Это же доаристотелевская драматургия...

Но Аристотель тут ни при чем. На самом деле происходит вот что. Автор прочел пьесу (точнее то, что он считает пьесой) друзьям, обрел восторг критиков, неискренних, как продавцы гербалайфа, получил премию, желательно заграничную, и на этом все заканчивается. В репертуар такие пьесы если и попадают, то не задерживаются. Зритель не идет. Кстати, сегодня пьесы в обычном смысле, как законченные литературные произведения, почти не пишутся. «Новая драма» — это скорее «драматургический материал». Есть вино и есть винный материал. Спутать невозможно. Но такая ситуация вполне устраивает режиссеров: их самовыражение не сковывается ничем — ни жанром, ни сюжетом, ни характерами, которых попросту нет. В итоге нынешний театр напоминает мне лабораторию, где занимаются не научным исследованием, а придумыванием диковинных по форме пробирок.

Я бы вообще сценические инсталляции не стал именовать театрально-драматическим искусством.

Это другое, это, скорее, индивидуально-провокативное творчество (ИТП). Творчество? Конечно! Люди сидят, что-то придумывают, озаряются, объявляют друг друга гениями. Индивидуальное? Разумеется! Человек жаждет выразить свою индивидуальность, иной раз неадекватную. А цель? Цель — провокация. Плодоносный эпатаж. Питательный скандал. Эстетические переживания зрителей интересуют авторов меньше, чем судьба ушастых обезьян Амазонии. Многие молодые талантливые люди в душе понимают, что делают не то и движутся не туда. Но художник нацелен на успех. Он видит, за что дают «Золотую маску», за что вывозят на фестивали, за что поддерживают грантами. Ему кажется, это веселая игра, никак не связанная с судьбами людей и страны. Какие проблемы? А проблемы-то серьезные. Вот, к примеру, разбомбили в Славянске молокозавод — и не стало в городе молочных продуктов. Все понимают: надо срочно восстановить производство. При разрушении национальных культурных кодов катастрофа сначала не заметна. Но проходит десятилетие, и родители удивляются: почему дети какие-то странные? Мы их учим разумному-доброму-вечному, а они как зверьки с другой планеты. Ответ прост: дети выросли в мире, где, в частности, вместо настоящего театра ИТП...

Напомните какому-нибудь «самовыраженцу» о воспитательной роли сцены. Он вас поднимет на смех, хотя отлично знает: театр всегда воспитывал. Античный показывал гражданам полиса, к чему ведут нарушения табу — тогдашних норм общественного поведения. Позже на площадях ставили «миракли» по евангельским сюжетам и учили христианскому миропониманию. В нашей российской традиции сцена уподоблялась проповеднической кафедре. А нынешний передовой театр хочет избавиться от любых социальных «нагрузок», сохранив с обществом лишь одну скрепу — финансовую. Талант тоже не обязателен, главное — верность своему «классу», своей тусовке и умение присосаться к бюджетному вымени. В этом, кстати, «самовыраженцы» достигли заоблачного мастерства.

Но при всем знойном желании жить за счет казны и быть независимыми от общества современный российский театр жестко идеологизирован, куда жестче, чем советский. Называется эта идеология «агрессивной толерантностью». Она исключает патриотичность, уважение к традиционным и национальным ценностям, художественную адекватность, социальную и нравственную ответственность. Эта идеология, заметьте, не приемлет как раз те качества, что сделали русский театр мировым явлением. Насаждается она, поверьте, достаточно жестко. Как говорится, чужие здесь не ходят. Некоторое время назад один питерский худрук принял к постановке мою «Одноклассницу», но ему объяснили, что с пьесой Полякова его на «Золотую маску» никогда не пригласят, а с пьесой Улицкой примут немедленно. Думаете, он испугался? Нет, нисколько. Он смелый человек. Просто ему очень хотелось попасть на «Золотую маску»...

Должен ли театр развлекать? Конечно, но не как цирк. Театральное действо должно быть интересно зрителю. Почему у Шекспира реки крови и горы любви? Да потому, что ему надо было переманить народ с площади, где тому показывали бородатых женщин и представляли душераздирающие средневековые комиксы. И Шекспир словно говорил: «Мужики, идите ко мне, я вам расскажу страшную историю про принца Датского. Вообразите, этот парень сначала заколол отца своей невесты, и та сошла с ума. Но это еще не все! Он прирезал родного дядю, а тот отравил своего брата, отца нашего принца, и женился на его вдове, матери все того же Гамлета. Там у меня много всякого. Приходите!» Зритель приходил, платил, а ему предлагали заодно поразмышлять на тему: «Быть или не быть?» Современный драматург оказался в похожей ситуации: ему надо оторвать зрителя от телевизионного мыла, вытащить из стереопустоты формата 3D.

Будучи прилежным учеником великих, я тоже в меру отпущенных мне способностей пользуюсь этим приемом. Я говорю: «Вы хотите узнать, как меняются женами? Тогда приходите ко мне на “Хомо эректус”!» Люди приходят, но речь-то на сцене не о свинге, а о более серьезных вещах. Не раз, сидя в зале на этом спектакле, я наблюдал одну и ту же ситуацию. Минут через двадцать после начала первого акта какая-нибудь строгая дама средних лет громким шепотом бранит своего спутника: «Куда ты меня привел? Я не могу смотреть на это безобразие!» И уводит беднягу. А в начале второго акта обычно молодой мужик с пивным животом говорит подруге: «Не-а, свинга точно уже не будет. Пошли отсюда!» И они тоже уходят. Остальные, увлеченные интригой, сидят, затаив дыхание. Занимательность — вежливость писателя. Но большинство «передовых» драматургов этого просто не умеют. Ошарашить — да, взбесить — да, утомить — да. Увлечь — нет. Угодив на спектакль младореформатора Богомолова, чувствуешь себя застрявшим в тоннеле метро, куда прорвалась канализация. Но в отличие от узника зафекаленной подземки можно встать и выйти из зала, что люди и делают.

Станиславский назвал свой театр «художественно общедоступным», имея в виду, конечно, не цены на билеты. Речь о другом: театр должен говорить со зрителем на одном языке. При внешней очевидности это очень не просто. Куда легче бредить на личном эсперанто. Эксперимент и метафизику превращает в искусство и делает увлекательным только дар. Однако само слово «талант» исчезло из околотеатрального обихода как графа «национальность» из паспорта. Чувствуя свою художественную недостаточность, многие хотят отгородиться от зрителя с его неоспоримым критерием «интересно — не интересно» железным занавесом, а не четвертой стеной. И вот уже пьесу не ставят, а просто читают в узком кругу «трансляторы», окончившие ГИТИС.

Есть ли выход из сложившейся ситуации? Думаю, есть. Веками в театре центральной фигурой был драматург, именно автор определял происходящее на сцене. Потом началась эра режиссерского театра. С конца XIX века мы видим усиление режиссерского диктата. Сначала постановщик определял (и то отчасти) игру актеров, ансамбль. Затем он стал влиять на решение пространства, костюмы, музыкальное оформление. Наконец ему стало тесно в рамках выстроенной пьесы. Я неоднократно сталкивался с ситуацией, когда режиссер ради хронометража сокращал текст в первом акте, а во втором терялась мотивация поступков. Когда я обращал на это его внимание, он смущался, дескать, мы как-то уже отвыкли, что у драматурга все продумано... В результате сложилась «новая драма», которая не является жанром литературы. Это не пьесы в строгом смысле слова, это темы для режиссерских импровизаций, иногда оригинальные, чаще — вздорные. Но если в пьесе нет диалогов, нет характеров, нет интриги, нет проблем, нет языка, кроме мата, постановщику остается придумывать «новаторскую» форму, чтобы оправдать отсутствие смыслов. Однако с помощью косметики можно подправить недостатки лица. Отсутствие лица не подправить никакой косметикой, даже той, которой пользуются в морге. Разумеется, в прошлое вернуться нельзя, но на какое-то время на сцене снова главными должны стать драматург, писатель. Подчеркиваю: драматург, а не «новодрамец». «Что» снова должно стать важнее «как». Профессионально написанная пьеса, адресованная зрителю, а не соратникам по эстетическому помешательству, способна ограничить бесплодный произвол режиссеров и помочь выскочить из затянувшегося «дня сурка».

5. Нарушитель конвенции

Сюжет «Одноклассницы» я таскал в голове лет десять. Впрочем, ничего особо оригинального я не придумал. “Традиционный сбор” Розова?» — спросил кто-то, прочтя пьесу и намекая на преемственность темы. «Нет, — ответил я. — “Двадцать лет спустя” Дюма-отца». И это нормально. Как говорится, плоха та песня, которая не похожа ни на какую песню. Новое — это понятое старое. Собрать десятиклассников 1961 года в 84-м, когда им стукнуло сорок, и собрать выпускников 1984 года в 2007-м — не одно и то же. Да, в обоих случаях прошла целая жизнь. Но в первом случае она уместилась в благословенном застое, а во втором совпала с жестокой революционной ломкой мироустройства. Выпускник 61-го не мог стать олигархом, а выпускник 84-го — мог. Это было поколение, угодившее в эпоху глобальной перемены участи, и мне захотелось собрать их вместе, чтобы они поглядели друг на друга, а зритель — на них. Но у меня не было того, что называется «ходом». Ну, встретились, ну, поохали, как изменилась жизнь и они сами вместе с нею... А дальше? Достоевскому в поисках сюжетных поворотов помогали газетные разделы судебной хроники. Мне помог телевизор. Я увидел сюжет о несчастном генерале Романове, взорванном в Чечне и потерявшем почти все человеческие свойства, кроме обмена веществ. Так в пьесе появился Иван Костромитин, любимец класса, умница, смельчак, воин-интернационалист, раненый в Афганистане и ставший «теловеком», как с пьяным прямодушием назвал его поэт-алкоголик Федя Строчков. И сюжет сразу закрутился.

Авторы склонны к самообольщению, но есть какая-то внутренняя жилка, которая безошибочно трепещет, если вещь получилась. Я сразу почувствовал: «Одноклассница» удалась. Однако реальность оказалась сурова, мне вернули пьесу 13 московских театров.

Одни без объяснений, вторые с лестными отзывами и сожалениями, что планы сверстаны на пятилетку вперед, третьи сокрушались, что такого количества хороших сорокалетних актеров, нужных для постановки, в труппе просто нет, а приглашенная звезда нынче стоит дорого — не девяностые на дворе. И то — правда. В 2000 году покойный ныне Леонид Эйдлин, экранизируя «Халам-бунду», собрал за смешные деньги фантастический ансамбль: Вера Васильева, Лазаревы, отец и сын, Светлана Немоляева, Елена Коренева, Виталий Соломин, Владимир Назаров, Полина Кутепова, Виктор Смирнов, Ирина Муравьева... Сегодня за такие деньги лысину Гоши Куценко не укупишь.

Почему пьеса не увлекла ведущие московские театры, в репертуаре которых зачастую вообще нет современной русской темы? Напомню: Малый театр поднимался на пьесах остросовременного драматурга Александра Островского. Художественный театр начинался с актуальных пьес Чехова, Горького, Андреева, Найденова. «Современник» — это Рощин, Розов, Арбузов, Володин, Вампилов. А где нынешние властители зрительских дум? Не считать же таковым Дурненкова с его дихлофосными сумерками. Почему так случилось?

Попробуем разобраться. В 90-е разговор о главном конфликте эпохи был опасен для власти, ломавшей страну через колено. Либеральная творческая интеллигенция, самый чуткий флюгер Кремля, это уловила и учла. А дальше заработали классовые интересы, ведь худруки, лишенные строгого партийного присмотра, превратились в рантье, живущих с доходов от своего зрелищного бизнеса. Не случайно в современном российском законодательстве то, что делают деятели культуры, называется услугой. Я не шучу! В России буржуазный театр появился раньше буржуазии. Удивительная ситуация: фабриканта Алексеева (Станиславского) судьбы униженных и оскорбленных волновали больше, чем, скажем, наследников «комиссаров в пыльных шлемах» Олега Табакова и Марка Захарова. Режиссеры, в прежние времена не прощавшие советской власти малейшей оплошности, рыдавшие над каждой слезинкой ребенка, не заметили, что после 1991-го в Отечестве появились толпы беспризорных неграмотных детей. Худруки и в самом деле стали так похожи на рантье, что им не хватает только серебряной цепочки с ножницами — стричь купоны.

Но вот общество осознало, наконец, глубину своего нравственного падения, а власть поняла, что без морали не бывает модернизации. Государство напомнило театральному бомонду о гражданской и воспитательной функции творчества. И по рядам «худрантье» пробежал нервный ропот. Так во времена СССР роптали директора гастрономов, узнав, что новый начальник главторга взяток не берет. Пока. Так что моя «Одноклассница» не подошла многим столичным театрам прежде всего по классовому признаку. «Мы разноклассники!» — как справедливо заметил пьющий, но думающий поэт Федя Строчков.

Есть и еще важная причина неприятия моих пьес. На встречах читатели часто спрашивают: не мешает ли моему творчеству «Литературная газета», которую я возглавляю без малого 15 лет? Нет, не мешает, даже помогает, и вот почему. Если литератор занимается только писательством, отгородившись от реальной жизни, он очень скоро становится однообразным, скучным, даже мертвым. Это как писать пейзажи, не выезжая хоть бы изредка на пленэр. Облака в конце концов станут похожи на вату. Классики отнюдь не чудили, когда покидали письменный стол ради земных трудодней. Лев Толстой руководил своим родовым «колхозом» в Ясной Поляне, Дюма-отец пытался выращивать ананасы под Парижем, Чехов лечил крестьян и обозревал жизнь каторжников, Горький готовил революцию, Некрасов издавал журнал, Дельвиг с Пушкиным затеяли «Литературную газету»... Это важно! Жизнь без писателя обойдется, писатель без жизни — нет.

Но если лечение крестьян и выращивание ананасов носит, так сказать, внеидеологический характер, то руководство периодическим изданием, хочешь ты того или нет, — идеология. У газеты или журнала всегда есть направление, и определяет его главный редактор, разумеется, настоящий, а не фуршетный.В мае 2001 года «Литературная газета» поменяла направление, превратилась из оголтелого либерального издания в просвещенное патриотическое. Газетное дело — политика, даже если речь идет о делах и людях минувшей эпохи. Ах, какой крик в либеральных кругах подняли, когда ЛГ отметила юбилей крупнейшего предреволюционного публициста Михаила Меньшикова! А когда к столетию Анатолия Сафронова мы напечатали сочувственную статью об этом незаурядном драматурге, Дмитрий Быков едва оправился от потрясения. Кроме того, возглавив ЛГ и поменяв направление, я нарушил еще одну конвенцию. С конца 80-х в информационном пространстве была выстроена тщательная виртуальная картина культурной жизни России. И от реальности она отличалась куда больше, чем передовая статья «Правды» от будней страны.

В этой картине был МХТ имени Чехова, но не было МХАТ имени Горького. Радовали читателя Аксенов и Бродский, но канули в небытие Юрий Бондарев и Юрий Кузнецов, был Андрей Сахаров, но не было Ростислава Шафаревича, была Лия Ахеджакова, но не было Татьяны Дорониной и т. д. В виртуальных полях паслись тучные общечеловеческие коровы, о которых можно было говорить только хорошо или очень хорошо. И вот вдруг ЛГ нарушила это договорное благолепие. После публикации в рубрике «Кумирня» фельетона «Прогнувшийся» ко мне на каком-то мероприятии подошел Макаревич и спросил навзрыд:

— За что вы меня так не любите?

Ему даже в голову не пришло, что кто-то может иметь критический взгляд на его песни или передачу о жратве «Смак», которую он вел в ту пору на ТВ. Его убедили: он совершенство. И вдруг... Кто виноват? Конечно, главный редактор! «Худрантье» брал в руки пьесу не драматурга Полякова, а нарушителя конвенции, главреда или, если хотите — «главвреда» Полякова, непонятно зачем испортившего «Литературную газету», приятную прежде во всех отношениях.

А вот другой «случай», как говаривал дед Щукарь. Театральный критик Анна Кузнецова показала «Одноклассницу» директору Театра Ленинского комсомола Варшаверу. Прочитав, тот просиял, и вот почему. Все, конечно, помнят трагедию, случившуюся с актером Николаем Караченцовым — человеком уникального темперамента. Помню, когда он выступал на Совете творческой молодежи в ЦК ВЛКСМ, от его страстных слов, смысл которых не всегда был ясен, вибрировал и подпрыгивал графин с водой. И вдруг — автокатастрофа, неподвижность, коляска, полунемота, но при этом страстное желание остаться на сцене родного театра, играть, а значит — жить. Сначала театр хотел даже заказать пьесу для актера «с ограниченными возможностями». И вдруг приносят вещь, словно специально написанную для этой труднейшей ситуации: главный герой недвижно сидит в коляске, молчит и только в финале хохочет, будучи при этом главным героем всего действа. Директор обрадовался: «Очередь за билетами выстроится до Кремля! Вот вернется из командировки Захаров и начнем репетиции!» Вернулся Захаров, тоже загорелся, но, узнав, кто автор пьесы, погрустнел — от природы печальное лицо его вовсе померкло:

— Поляков? Никогда!

— Почему?

— А вы «Литгазету» почитайте!

Пересказываю коллизию со слов очевидцев, не сомневаясь в достоверности. На то есть основания. Одно время я вел на канале «Культура» информационно-аналитическую передачу «Контекст». Чтобы быть в курсе художественной жизни, я ходил на премьеры, вернисажи, презентации, творческие вечера... Однажды побывал в «Ленкоме» на спектакле «Пер Гюнт». Из зала я выходил со странным чувством:

Ибсен, конечно, гений, но живем-то мы в России, про которую в этом театре, кажется, совсем забыли. Буржуазия! Кстати, именно «Ленком» одним из первых вписался в рынок и на заре 90-х в своем помещении открыл SPA-центр «Бич-клаб», название которого я использовал в пьесе «Хомо эректус». В «Сукин клуб», если помните, ходит Маша. И вот на следующий день я готовлюсь к эфиру, сижу в кресле, меня обмахивают гримерными кисточками. Вдруг влетает бледный редактор и говорит взволнованно:

— Юрий Михайлович, начальство очень просит не ругать «Пер Гюнта»!

— А с чего начальство взяло, что я собираюсь ругать «Пер Гюнта»?

Оказалось, Марк Анатольевич дозвонился до самого высокого руководства, отдыхавшего в теплых краях, и пожаловался, что видел, с каким лицом выходил «этот Поляков» из зала, а значит, предстоит эфирный погром, которого он, человек пожилой и ослабленный вдохновениями, не переживет. Кстати, я и не собирался разносить премьеру, ибо спектакль был из тех, которые не за что ни хвалить, ни ругать. Но какова бдительность! Да, дорогой читатель, репутации иных творческих небожителей добываются с помощью вполне земной суеты и связей, наподобие тех, которыми так гордилась мачеха Золушки. Помните у Шварца? Один писатель-классик, лауреат всех премий, начиная с квартальной, узнав, что готовится суровый разбор его очередного романа, каждый раз объявлял себя смертельно больным. Но едва сердобольный редактор снимал из номера строгую рецензию, заменив ее теплым прощальным откликом, классик выздоравливал. Жив он и поныне.

В общем, «Одноклассница» стала первой моей пьесой, которая пошла сначала в провинции. Я слетал на премьеры в Тобольск, Владикавказ, Владивосток, Ереван. Еще куда-то. Аншлаги. Выхожу, как грезилось в молодости, на сцену, беру за руки героев-любовников, и мы с поклоном идем к рампе. Вдруг дают свет в зал... Ничего не понимаю! Кажется, осветили ночной росистый луг. А это блестят слезы в глазах зрителей. «Ну, да, конечно, а на театральном подъезде еще тысячи курьеров топчутся! — улыбнется иронический читатель. — М-да, зазвездел наш Юрий Михайлович...» Если и зазвездел, то совсем немного, а если и прихвастнул, то чуть-чуть. Как без этого в искусстве? Но мы живем в эпоху Интернета. Кликните «Вечерний Владивосток», «Правду Кавказа» или «Армянские вести», прочтите, что писали там о моих премьерах, а потом радуйтесь или скрежещите зубами, что «нарушителя конвенции» любит зритель!

Впрочем, «Одноклассница» добралась вскоре до столицы. Я где-то столкнулся с главным режиссером Театра Российской Армии Борисом Морозовым.

— Есть что-нибудь новенькое? — спросил он.

— Есть, — ответил я, соображая, почему не показал ему «Одноклассницу» раньше.

— Пришли!

Придя домой, я тут же отправил пьесу. А не показал я ему «Одноклассницу» раньше из-за того, что там довольно иронически изображен военкомовский чиновник, который приносит парализованному ветерану Афгана к сорокалетию протезы: сначала — руку, потом — ногу. Я решил: военные все равно не пропустят. Но вежливые люди в погонах оказались гораздо терпимее к инакомыслию, нежели наши либеральные худрантье. Кстати, с Б. Морозовым в начале нулевых я вел переговоры о постановке «Халам-бунду». Он взял у меня пьесу, а позвонил через полгода, когда уже шли репетиции на сцене МХАТа им. Горького, и поезд, как говорится, ушел. Итак, вечером того же дня я отправил ему «Одноклассницу», а рано утром раздался звонок, и я услышал голос Морозова:

— Никому больше не отдавайте! Начинаю репетиции. Я двадцать пять лет после «Смотрите, кто пришел!» не ставил современных пьес. Ждал. И дождался...

«Однокласница» вот уже почти десять лет идет в Театре Армии на аншлагах. Ко мне подходила зрительница, смотревшая спектакль в пятый раз. С таким же успехом пьесу играют по всей стране. Вы думаете, ее отметили хоть какой-то премией? Ничуть. Повторю: современное театральное пространство — «майдан», где чужие не ходят. Я и тут стал нарушителем конвенции. Ведь мои пьесы — живое отрицание модной идеологемы. Суть ее проста: социально-нравственный театр умер, массовый зритель атомизировался, настало время лаборатории и эксперимента, большие залы может собрать только Куни в хлорвиниловом переводе Мишина. Нынешняя драматургия — дело камерное, в зале достаточно десятка единомышленников. Не больше. А лучше пьесу вообще не ставить, прочитал по ролям в узком кругу, и вся недолга. Да и актера следует теперь называть «транслятором». Я не шучу и не впадаю в гротеск. Так оно и есть! Но мои пьесы идут от Калининграда до Владивостока, годами собирают полные залы, играются по нескольку раз в месяц и дают сборы. Ведь это надо как-то объяснить, вписать в теорию театра для немногих или признать: большинство модных драматургов просто элементарно не владеют профессией. Если вы не способны сочинить пьесу, собирающую сотни зрителей, это ваша личная проблема. Не надо объявлять пустые залы тенденцией, сваливая вину на зрителей. Зритель у нас хороший, он гораздо лучше драматургов. Но тогда что делать с «золотыми масками», которыми они обвешаны, как вожди ацтеков? Проще объявить нарушителя конвенции недоразумением и забыть. Так и поступают. Однако параолимпийские игры существуют не вместо, а параллельно с нормальной олимпиадой. Новая драма хочет быть вместо нормальной драмы. Увы, агрессивное дилетантство — болезнь нашего времени, поразившая все сферы деятельности.

6. Как боги

Наверное, самая на сегодняшний день востребованная моя пьеса — мелодрама «Как боги...» В Москве ее поставила на сцене МХАТа имени Горького Татьяна Доронина. Кстати, у этой пьесы занятная судьба. Сюжет давний. Много лет назад мы даже попытались с Владимиром Меньшовым написать сценарий по этой идее. Придумал я и название — «Зависть богов». Но сценарий не пошел. Впоследствии создатель «Ширли-мырли» использовал это название для своего фильма, поставленного по сценарию Мареевой «Последнее танго в Москве». Сценарий, кстати, хороший, но антисоветский на вегетативном уровне. Владимир Валентинович звал меня принять участие в переработке материала, но я, поблагодарив за доверие, сказал, что чужими фобиями не занимаюсь.

Этот сюжет долго хранился в запасниках моей памяти, пока вдруг не очнулся, соединяясь с китайской темой, а она пришла мне в голову, когда я на Тайване в музее разглядывал бронзовый жертвенник, отлитый тысячи лет назад, и вдруг подумал: «А ведь к такому сосуду должен быть приставлен один из многочисленных китайских божков!» И вот в квартире отставного дипломата Гаврюшина появляется жертвенник эпохи Тан с приданным к нему китайским домовым...

Критик Григорий Заславский, знаменитый своими галстуками-бабочками, прочитав пьесу «Как боги...» в журнале «Современная драматургия», говорят, раздраженно вскрикнул:

— Но ведь так сейчас никто не пишет!

Я воспринял это как похвалу...

Должен сознаться: поначалу я отдал готовую пьесу Борису Морозову, так как давно обещал ему новую вещь. Однако в Театре Армии в ту пору случилась административная смута, и было не до премьер, даже договор со мной все никак не могли заключить. Но я, как человек привычный, терпеливо ждал. Тем временем опубликованная пьеса «Как боги...» оказалась в литчасти МХАТа им. Горького. Неожиданно Татьяна

Васильевна Доронина пригласила меня на обед: «Вы наш давний автор, приходите — потолкуем...» Я с удовольствием пошел. Мы выпили вина за успех недавно поставленной на мхатовской сцене режиссером Дмитриевым театральной версии «Грибного царя», поговорили о ситуации в российском искусстве. Дело шло к десерту, но помощница принесла на подносе не кофе, а листочки бумаги, каковые и положила передо мной.

— Что это?

— Договор на вашу пьесу «Как боги...», — улыбнулась Доронина.

— Но я же...

— Подписывайте, Юрий Михайлович, подписывайте! — с непререкаемой мягкостью проговорила Татьяна Васильевна.

— Но...

— Я буду ставить сама.

После этих слов я взял ручку и подписал договор.

Мне, как драматургу, выпала большая удача — я стал любимым автором легендарного МХАТа и его художественного руководителя — недосягаемой Татьяны Дорониной. Уже в советские времена она была не просто знаменитой актрисой, чью фотографию я, школьник, с трепетом купил в газетном киоске. Она была, как сейчас принято говорить, лицом советского искусства, а на самом деле — ярчайшим выражением русского национального архетипа, о чем как раз теперь говорить не принято. «Ты меня любишь, а я хочу, чтобы ты меня уважал!» — вслед за героиней фильма «Еще раз про любовь» повторяли миллионы женщин в СССР. И вздыхали они именно так, как вздыхала, волнуясь грудью, героиня другого всенародно любимого фильма«Три тополя на Плющихе». Театралов восхищали неповторимые и не повторяющиеся сценические образы, созданные Татьяной Васильевной в БДТ, во МХАТе, в Театре имени Маяковского.

У любой нации в каждой сфере есть свой «короткий список» знаменитостей. Оказаться в нем почти невозможно, слишком многое должно совпасть и сойтись. Чтобы стало понятнее, о чем я говорю, попробуйте вспомнить имена наших космонавтов. Юрий Гагарин, Герман Титов, Валентина Терешкова... А дальше, увы, кто-то помнит, а кто-то позабыл. Доронина входила в такой «короткий список» советских актрис. Ее знали все. И любили. Зачем я упорно напоминаю об этом? Чтобы польстить? Доронина в лести не нуждается. Но ее феноменальную популярность важно учитывать, ибо в конце 80-х началась эпоха перемен, а точнее — новая смута, и от человека искусства, владеющего умами, а главное — сердцами соотечественников, снова стало зависеть больше, чем обычно. Фактически судьба страны.

Я хорошо помню те времена: казалось, вся творческая интеллигенция поднялась в едином порыве к свободе творчества против понукающего идеологического жезла, против плановых поставок на сцену и на экран положительных героев. Кто ж знал тогда, что избыток положительных героев — полбеды, настоящая беда, даже катастрофа — их отсутствие. Однако иные деятели, даже поседелые мэтры, понимали свободу творчества примитивно — как подростковое отлынивание от любой ответственности. Не важно перед кем — перед зрителем, читателем, властью, предшественниками, современниками или потомками. За сжиганием партбилетов и трибунным витийством часто скрывалось убогое желание сделаться рантье от искусства и стричь купоны, не думая о том, что культура — неотъемлемая часть народной и государственной жизни. Увы, тогда многим «творцам» казалось и кажется до сих пор, будто можно танцевать на верхней палубе, когда в борту пробоина и кочегары по горло в воде. Собственно, эта агрессивная безответственность крикливой части творческой интеллигенции и сделала возможным невозможное. Шоковые реформы. Кровавый октябрь 93-го. Очередную попытку «разроссиить» Россию, попытку, остановленную, да и то не до конца, лишь теперь, в новом веке. Мало кто из звезд, входящих в «короткий список», поднял тогда голос против эпидемии саморазрушения.

Разлом МХАТа в 87-м предзнаменовал разлом СССР. Разделение единого творческого коллектива было закономерным результатом разного понимания смысла и назначения театра. Идти в искусство только за свободой творчества — примерно то же самое, как жениться исключительно для разучивания поз «Камасутры». Если человек этого не понимает, объяснить ему невозможно. Те, для кого театр был служением не только искусству, но и народу, державе, выбрали своим лидером Доронину. Возглавив МХАТ имени Горького, она оказалась в ряду немногих, выступивших против плясок на верхней палубе тонущей страны, против попрания исторически сложившихся ценностей русской цивилизации.

Миллионы людей, замороченных эфирной болтовней и клекотом веселых беспочвенников, очнулись: если Доронина против, значит, три сестры, играющие «в бутылочку» с Соленым, это не поиски сценической новизны, а поношение здравого смысла, истребление нравственного закона внутри нас. Если театр Дорониной против того курса, который взяла страна с пробоиной в боку, значит, лукавые лоцманы ведут ее не туда. Либеральная номенклатура и рантье от искусства этого не простили. Четверть века Татьяна Васильевна жила и работала в атмосфере необъявленного бойкота, когда упорно замалчивались ее новые роли и постановки, когда старательно забывались ее круглые даты. Но что подвижнице неприязнь себялюбцев? Что человеку, который служит своему народу, суетливая месть тех, кто «живет, под собою не чуя страны»? Ничто. Я и сам натолкнулся на эту ледяную стену, выстроенную вокруг Дорониной и ее театра, когда в 2001-м со Станиславом Говорухиным работал во МХАТе над спектаклем «Контрольный выстрел». Одна из рецензий называлась «Зоологический реализм». Да и теперь иные знакомцы удивляются: «Ты опять отдал новую пьесу Дорониной?» — «Да, опять!»

Татьяна Васильевна ставила «Как боги...» долго, трудно, отрабатывая каждую сцену. Роли получили ведущие актеры театра — А. Титаренко, И. Фадина, Л. Матасова, А. Хатников... Зато спектакль вышел отменный, и зрители его очень любят. Мелодрама «Как боги...» идет и во многих других театрах в двух редакциях — «с Китайцем» и «без Китайца». Выше сказано, в пьесе есть персонаж «китайский домовой», охраняющий жертвенные сосуды, он участвует в событиях, беседует с хозяином дома... Но некоторые режиссеры, которым в целом вещь нравилась, восклицали: «А как я это поставлю? Он же привидение!» Для таких случаев и была сделана редакция, где «китайский домовой» остался лишь в разговорах персонажей. Жаль, конечно. Без домовых в доме скучно...

На премьере в Ереване произошел любопытный случай. Кстати, в тамошнем русском театре были поставлены четыре мои пьесы, столько же, сколько и во МХАТе имени Горького. Так вот, сижу я на премьере и с изумлением слушаю, как главный герой мелодрамы Артем Бударин (он родом из Старосибирска, а играет его молодой армянский актер) говорит со сцены не просто без акцента, а с той неповторимой зауральской округлостью, по которой мы сразу узнаем сибиряков. По окончании я бросился к худруку Александру Григоряну, возглавляющему Ереванский русский театр им. Чехова полвека, и выдохнул примерно следующее:

— Александр Самсонович, я всегда знал, что вы выдающийся режиссер, но такой тонкости не ожидал даже от вас! Как вы добились, что ваш актер говорит «по-сибирски»?! Никто и нигде до такого не додумался...

— Юрий Михайлович, — ответил он. — Все очень просто: наш молодой актер — чистый армянин, но родился и вырос в Сибири, а теперь вернулся на историческую родину. Я теперь его от этого выговора отучаю, хочу добиться «московской нормы». Пока еще не получается...

7. Смотрины

В разгар скандала вокруг «Золотой маски», начавшегося со статей в ЛГ, в том числе и моих, режиссер Богомолов брякнул в Интернете, что он-де ни за что не поставит пьесу Полякова. И ведь, правда, не поставит. Чтобы ставить мои вещи натужной новизны и упоения собой мало, нужны талант и профессионализм. А талант — не имплант, не вставишь туда, где не хватает...

Можно понять отчаяние моих идейно-эстетических супостатов, когда в ноябре 2015 года в Москве прошел международный театральный фестиваль «Смотрины», целиком посвященный моей драматургии. Первый фестиваль живого автора за четверть века! В течение двух недель в Москве и за ее пределами, по всей стране, на аншлагах было сыграно полсотни спектаклей, поставленных по моим пьесам и прозе. Открылись «Смотрины» в переполненном зале МХАТа имени Горького 1 ноября, а завершились 17 ноября в забитом публикой Театре Сатиры. В те дни в Москве было показано 12 спектаклей, привезенных из Кирова, Пензы, Белгорода, Еревана, Чимкента, Петербурга, венгерского города Кечкемет, Костромы и Симферополя... Сыграли четыре спектакля по пьесе «Как боги...», три — по «Однокласснице», две по «Хомо эректусу», а также «Левую грудь Афродиты», «Небо падших» и «Козленка в молоке»...На каждом представлении зал был полон, о чем с удивлением, переходящим в негодование, писала «Новая газета». Обидно же, когда на спектаклях нелюбимого автора, даже привезенных из провинции, чуть ли не в проходах стоят, а на пьесах твоих «любимцев» полупустые залы вовсе становятся безлюдными после антракта.

Приехавшие на фестиваль коллективы практически ежедневно выступали на сцене театра «Модернъ», где гостей принимала художественный руководитель Светлана Врагова. Должен заметить, тут не обошлось без того, что я называю опоясывающими рифмами судьбы. На Спартаковской площади в здании Хлебной биржи, где в конце 1980-х разместился театр «Модернъ», в советские годы был дом пионеров Первомайского района, где я перепробовал себя почти во всех видах творчества — от струнных инструментов до театрального кружка, но особенно долго продержался в изостудии, которой руководил живописец Олег Осин. Именно в Доме пионеров я впервые увидел живых писателей и даже смог с ними поговорить. В большом зале, где теперь идет мой спектакль «Он, она, они...», вместе со сверстниками, затаив дыхание, я слушал замечательную писательницу Наталью Кончаловскую, которая чи-тала им новую главу из своей стихотворной книги «Наша древняя столица». Потом она рассказала о том, как в соавторстве с мужем, поэтом-орденоносцем Сергеем Михалковым, сочинила знаменитую басню про упрямых баранов, встретившихся на узкой тропинке:

И ответил баран: «Ме-е!
Ты в своем ли бараньем уме?»

Думал ли я, ученик третьего класса, что через 30 лет буду весьма близок с Сергеем Владимировичем, который полушутя назовет меня «последним со-ветским писателем»?

Особенно мне запомнилось обсуждение только выпущенной в свет повести «Будьте готовы, ваше высочество!» с участием автора Льва Кассиля. Напомню, что действие книжки происходит в советском Крыму, в пионерском лагере «Артек», а герои — простая советская девочка Тоня и наследный принц одного из экзотических королевств, дружественных СССР. История по тем временам не такая уж фантастическая: дети и внуки руководителей стран так называемого третьего мира охотно учились и отдыхали в Советском Союзе. Лев Кассиль, внешне очень похожий на диктора Юрия Левитана, внимательно слушал выступления юных читателей, подготовленные не без помощи учителей, снисходительно кивал, подробно отвечал на вопросы. С грустной улыбкой он реагировал на нашу готовность немедленно отправиться в дале-кую экзотическую страну, чтобы бороться с проклятыми «мерихъянго», устроившими переворот и лишившими юного принца трона.

— А кто они такие, эти «мерихъянго»? — вдруг спросил прежде молчавший мальчик в очках. — Я смотрел в словаре и географическом справочнике — там таких нет.

— Конечно, нет... — удовлетворенно кивнул писатель. — Это слово я придумал сам.

— А разве можно придумывать слова?

— Писателям можно. Если постараться, то придуманное слово может даже потом остаться в языке.

— Как это?

— Ну вот ты... Как тебя зовут?

— Юра Поляков.

— Вот ты, Юра Поляков, знаешь, например, слово «промышленность».

— Знаю. У меня мама в пищевой промышленности работает.

— Очень хорошо! А ты знаешь, что раньше такого слова в русском языке не было, а придумал его писатель Карамзин? Знаешь?

— Нет. А как вы придумали слово «мерихъянго»?

— Очень просто. Они кто? Враги. А у нас кто враги?

— Фашисты! — подсказали сразу несколько голосов.

— Фашисты. Верно. Но мы их победили. А сейчас наши враги — американцы. Точнее, американская военщина. Я взял американцев, отбросил первую букву «а», чтобы в глаза не бросалась, и прибавил латиноамери-канское бранное выражение «янго»...

— А янки не от этого выражения?

— От этого. Откуда ты знаешь?

— Я читал «Янки при дворе короля Артура».

— Уже? Молодец. В общем, прибавил «янго» — и получилось...

— Мерихъянго...

— Правильно.

— А как вы думаете, Лев Абрамович, это слово останется в русском языке?

— Надеюсь, Юра. Если на это не надеяться, то и книжки писать не стоит...

На закрытии «Смотрин» Михаил Задорнов говорил о «театре Полякова», сравнивая меня чуть ли не с Островским. Что ж, друзья всегда преувеличивают наши заслуги, а враги преуменьшают или не признают вовсе. Но судьба давно уже вбила твой гвоздик в Столб Славы не выше и не ниже, чем ты заслуживаешь. На этом гвоздике и висеть. Потом.

8. «Чемоданчик»

Но вернемся в 2015 год. Как было сказано, закрывался фестиваль 17 ноября в Театре Сатиры спектаклем «Хомо эректус», на сегодняшний день сыгранным более 300 раз, о чем ни один автор «новой драмы» и мечтать не смеет. Но сначала на закрытии предполагалось сыграть мою новую эсхатологическую комедию «Чемоданчик». Однако чуть-чуть не успели, премьера состоялась в начале декабря.

История написания «Чемоданчика» стоит того, чтобы ее рассказать. Несколько сезонов в Сатире с успехом (о чем сказано выше) шла моя мистическая комедия «Женщины без границ» («Он, она, они...»), поставленная Ширвиндтом. Казалось, этот спектакль, как и «Хомо эректус», «навеки поселился» в репертуаре театра. Но вдруг умер Зиновий Высоковский (он играл «учителя-соблазнителя»), а следом серьезно заболели исполнительницы двух главных женских ролей. Найти им в труппе замену не получилось, так бывает: актеров вроде бы много, но на данную роль никого нет. А тут выбыли сразу три исполнителя. В общем, спектакль сошел на нет. И тогда Александр Ширвиндт попросил меня написать для театра новую комедию. Я пообещал и обмануть его не мог, ибо относился и отношусь к мэтру с искренним почтением, о чем и написал в дни юбилея «избранника Талии».

«...Любимый актер всегда узнаваем. Нет, не в очевидном значении этого слова, а в ином, особом, архетипическом смысле. Мало окончить «Щуку» и сняться в кино, чтобы тебя запомнили и полюбили. Много званных да мало избранных! В облике экранной или сценической «звезды» непременно должен запечатлеться некий вечный, общечеловеческий тип. Увидел — и тебя сразу охватывает чувство радостного узнавания, ощущения, что этого человека ты уже встречал. Тебе знакомы до мелочей его лицо, голос, манера говорить, его взгляд и повадки... Именно так я и подумал, впервые обретя Ширвиндта на киноэкране. На самом деле я просто встретился с талантом.

Есть и еще один верный признак дара: увидев настоящего актера в какой-нибудь роли, ты навсегда запоминаешь персонаж именно таким, именно в таком воплощении — и ни в каком другом. Для меня, например, граф Альмавива — это Александр Ширвиндт. Навек. И своего права первой ночи герой Бомарше не может добиваться иначе, а только так, с усталой неспешностью целеустремленного греховодника, что категорически не соответствует легендарной семейной устойчивости юбиляра. После фильма «Приходите завтра!» для меня тип шкодливого «мажора» тоже обрел нестираемые черты. Вот он вечный конфликт — «талант по происхождению», глумливо утесняющий простенькую Фросю Бурлакову, талантливую по рождению. Ах, как это современно сегодня, когда размножившиеся внуки лауреатов сталинских премий заморочили нас своей нафталиновой новизной!

А вот господин из общества, перемещающий с фуршетного стола в свой боковой карман черную игру. Как забыть его бархатный взгляд, седеющую шевелюру и тихий аристократизм умного прохиндея! Сколько таких «господ из общества» кормится сегодня на нефтегазовых пирах Отечества! Особо надо сказать об умении Ширвиндта ронять гомерически смешные репризы голосом засыпающего гипнотизера! Пытались многие — получилось только у него.

История театра полна мистических тайн. В самом деле, только промыслом музы комедии Талии Александр Ширвиндт, помыкавшись по иным сценам, вот уже 44 года верно служит Театру Сатиры, из них 14 лет в качестве художественного руководителя. На эту должность он заступил именно в ту пору, когда сатира, не увядавшая даже в охраняемых советских парниках, в свободной России стала сохнуть, как фикус в пустой квартире отпускников. Усмешливое провидение, словно мудрая партия, бросило Ширвиндта на гиблую постсоветскую сатиру не случайно. Он уникально, не по-актерски, а по-писательски чувствует слово, его многожальную остроту, потому-то и сочинил, попыхивая легендарной трубкой, не один десяток искрометных миниатюр, которые с успехом озвучивали в людных залах не последние наши артисты. Именно Ширвиндт со товарищи возвел театральный капустник в ранг полноценного смехового жанра, возлюбленного с помощью телевидения миллионами граждан. Нет, не случайно Талия именно на нем остановила свой веселый взгляд!

Мне довелось в качестве автора сотрудничать с Театром Сатиры, и скажу со знанием дела: за усталым добродушием и мягким острословием Ширвиндта скрыты «хищный глазомер» театрального стратега и, как сказал бы Ходасевич, «непоблажливость игумена», пасущего свое артистическое стадо «процветающим жезлом». Александр Анатольевич умеет так нежно отказать, снабдив на дорожку свежим анекдотом, что ты выходишь из его кабинета в сыновнем умилении. Ну, а если он вступает с тобой в творческий сговор с целью создания высокохудожественного спектакля, ты вскипаешь гордостью и готов к творческому самопожертвованию, которое примут с тихой отеческой улыбкой...

Ну как я мог обмануть ожидания такого человека, вступившего со мной в творческий сговор! Одна беда — никак не придумывался «сатировский» сюжет. Ожидание затянулось. И вот уже Ширвиндт в атриуме музея Пушкина на моем юбилее 12 ноября 2014 года, поздравив, прилюдно и строго спросил меня:

— Юра, когда?

— Скоро...

— Дата!

— 1 мая, — ответил я наобум.

— Какого года? — уточнил на всякий случай Ширвиндт.

— Следующего.

— Ну, смотри, юбиляр!

Когда мозг прояснился после юбилейный излишеств, я понял: у меня всего полгода, а сюжета нет как нет. Я уже начал перелицовывать для пьесы наброски нового романа, но сюжет, предназначенный для прозы, так же подходит пьесе, как хомут собаке. И вот однажды, сидя на концерте певицы Ирины Шоркиной, исполнявшей русские романсы, я вдруг «поймал» сюжет. Откуда он появился в моей голове, до сих пор не пойму. Сначала возникла мысль о краже ядерного чемоданчика президента, а дальше этот стержень стал обрастать событиями, как деревянная палочка сахарной ватой. От радости я позвонил Ширвиндту:

— Александр Анатольевич, я придумал отличный сюжет!

— А раньше ты чем занимался? — хмуро поинтересовался он.

— Раньше разрабатывал другой, но этот лучше. Бомба!

— Приезжай — понюхаем.

Я помчался. Мэтр встретил меня с трубкой в зубах.

— Рассказывай!

— В общем, так: муж уехал в командировку.

— Оригинально! — он сердито пыхнул дымом. — Дальше!

— К жене пришел любовник.

— Еще оригинальнее, — Ширвиндт посмотрел на меня с тоской. — А муж, наверное, неожиданно вернулся, да?

— Да. Откуда вы знаете?

— У меня с детства дар предвидения. Юра... — далее последовала интеллигентная композиция из матерных слов. — Что с тобой? Ты заболел?

— Нет, я здоров, а вот муж вернулся с чемоданом.

— А в чемодане бомба, которую ты мне обещал, так? — сурово спросил Ширвиндт.

— Нет, это ядерный чемоданчик, он носил его за президентом и украл...

Мне показалось, в этот момент от удивления застыло не только лицо худрука, но и голубые клубы дыма — они стали похожи на очертания школьной контурной карты.

— Неплохо. Сколько уже написал?

— Половину, — бодро соврал я. — Но к 1 мая будет готово!

— Давай к 15-му. Праздники. Я на рыбалку уеду...

Закончив комедию в срок, я испытывал радость не только от своей пунктуальности, но и от результата. Мне показалось, я написал именно то, чего не хватает современной российской сцене, — настоящую сатиру в духе Эрдмана, Катаева и Булгакова. Вскоре состоялась читка в театре, на этом настоял я, хотя Ширвиндт меня отговаривал. К моему изумлению, повторилось то же самое, что и с «Хомо эректусом». Актеры встретили комедию прохладно, а один народный артист сказал, что это какая-то поделка в духе Михалкова. Интересно, что на читке комедии Шендеровича, впоследствии с треском провалившейся, труппа хохотала как безумная. Я давно заметил, людям, обитающим в театре, нравится совсем не то, что зрителям, пришедшим с улицы. Настроение актеров передалось приглашенному режиссеру-постановщику Эдуарду Ливневу, который начал задавать мне странные вопросы: «О чем наш спектакль?» А это — признак надвигающейся катастрофы.

Прочитав окончательный вариант, мне позвонил Ширвиндт и пригласил на разговор:

— Ну, и что мы будем делать с президентом? — спросил он.

Тут надо пояснить: первоначально президент звался Валентином Валентиновичем, будучи, как вы догадались, мужчиной. В преамбуле я написал: «Действие комедии происходит после 2018 года. Все события вымышлены, все совпадения не случайны». Мне казалось, этого достаточно, чтобы снять ненужные ассоциации с реальным руководителем государства, ибо такой задачи перед собой я не ставил. Выяснилось, недостаточно...

— Понимаешь, — сказал Ширвиндт. — Если мы на роль президента возьмем актера, категорически не похожего на Путина, все скажут: «Вот, мол, испугались!»

— А если...

— А если сделаем наоборот, все скажут: «Вот только и умеют спекулировать на дешевом сходстве!» Что будем делать, Юрочка? Есть у меня одна мыслишка. Но ты же автор...

— А если... — я посмотрел в глаза мэтру и понял: мы подумали об одном и том же.

Так законно избранный Валентин Валентинович стал «непереизбираемой» Валентиной Валентиновной, матерью нации, умницей и красавицей.

Как и две предыдущие мои пьесы «Одноклассница» и «Как боги...», я хотел опубликовать «Чемоданчик» в журнале «Современная драматургия». Но главный редактор Андрей Волчанский, ранее ко мне благоволивший, на сей раз оказался непреклонен:

— Этого мы печатать не будем.

— Почему?

— А сами вы не понимаете? Нам неприятности не нужны. Мы только-только наладили отношения с Минкультом. И вообще, знаете... — Волчанский глянул на меня с естественнонаучным интересом. — Если бы не ваши характерные словечки и приемы, я бы решил, что это не вы сочинили. По всему такую вещь должен был написать, ну, например, Дмитрий Быков...

— Пишет не тот, кто должен, а тот, кто может! — ответил я и забрал рукопись.

Тем временем в Театре Сатиры актеры «встали на ноги». Ширвиндт, увидев поставленные сцены, пришел в ужас и резко взял управление на себя. Замечу, забегая вперед: то же самое случилось, когда «Чемоданчик» ставили в Ростове-на-Дону. Приглашенный из Москвы бывший худрук театра имени Гоголя Сергей Яшин по прозвищу Теннесист (за его страстную любовь к Теннеси Уильямсу), не справился с материалом, и директор Александр Пудин, увидав сделанное, твердо сказал: «Эту беременность я прерываю!» Срочно вызвали Геннадия Шапошникова, отлично поставившего «Халам-бунду» в Иркутске, он-то и спас ситуацию. Спектакль вышел отличный и для провинции настолько острый, что ошарашенные зрители подходили ко мне в антракте и восклицали:

— Какая удача, что мы попали на первый спектакль!

— ?

— Ведь завтра его обязательно закроют.

Но вернемся в Театр Сатиры. Уже назначен был день премьеры. И вдруг на прогоне стало ясно: для «сатировского» прочтения «Чемоданчика» моя концовка не годится. Финал повисает в воздухе. Премьеру, скрепя сердце, перенесли. Тогда Ширвиндт предложил использовать для финала песенку из знаменитого фильма Карена Шахназарова «Мы из джаза». Мне дали аутентичный текст куплетов, которые в картине исполняет Александр Панкратов-Черный, и я, промучившись ночь, нарифмовал прощальную песенку актеров:

А вы домой идите на диванчик
И вспомните наш скромный балаганчик!

И спектакль сразу сложился, заиграл. Сказать, что премьера прошла успешно — ничего не сказать. Зрители, совершенно отвыкшие в наше демократическое время от политической сатиры на сцене, сначала точно оцепенели от неожиданности, а потом эта настороженность вылилась в хохот, аплодисменты и овации. Особенный восторг вызвали Федор Добронравов, играющий капитана третьего ранга Стороженко, который похитил «кнопку». Полтора года «Чемоданчик» идет в Театре Сатиры на аншлагах, а в финале тысячный зал неизменно встает с криками «браво!». И народный артист, который после читки сравнил мою комедию с «поделками Михалкова», с удовольствием выходит на поклон. Это замечательно: на актеров, как и на детей, нельзя обижаться.

Поставлена моя эсхатологическая комедия и в других театрах, причем гораздо ближе к авторской редакции. Я давно привык к режиссерским сокращениям моих текстов и спорю, иду на конфликт лишь в тех случаях, когда купюры затрагивают сюжет и смысл пьесы. Не раз мне говорили: «Ты пишешь слишком густо, в твоей комедии столько сюжетных поворотов и реприз, что хватило бы на три пьесы...» Ну, во-первых, лучше пусть режиссеры прореживают, чем дописывают. А во-вторых, я не пишу густо, я-то беру пример с классиков, это «новая драматургия», рожденная гедонистической расслабухой, слишком разбавлена. Но когда глупая мода на словесную необязательность закончится, постановщики опять захотят многоуровневого сюжета, полифонии смыслов, концентрированной сценической речи, тогда, возможно, им и пригодятся «мои безделки».

И последнее, даже режиссеры, которые ставили «Чемоданчик» максимально близко к авторскому тексту, так и не решились вынести на сцену монолог дамы-президента, написанный тем же размером, что и знаменитая исповедь Бориса Годунова из знаменитой трагедии Пушкина. Этим монологом я и хочу закончить мои затянувшиеся заметки о драмах прозаика. А уж читателю решать, стоило или не стоило выносить его на сцену:

Шесть лет как я достигла высшей власти,
Простая люберецкая девчонка.
Но нет покоя ни в Кремле, ни дома.
Ни власть, ни жизнь меня не веселят!
Мечтала я народ мой осчастливить
Достатком, телевиденьем смешливым,
Дешевой продовольственной корзиной,
Безвизовым туризмом за рубеж.
Но мой электорат неблагодарен,
Живая власть народу ненавистна,
Как будто я конкретно виновата,

Что дешевеет нефть и газ,
а доллар
Растет и зеленеет вместе с евро,
Что НАТО расширяется, как сволочь,
А США, всемирный участковый,
Повсюду свой засовывает нос!
Моя ль вина, что кризис на планете,
Что прет Китай, как тесто из кастрюли,
С арабами собачатся евреи,
А в Киеве свирепствует майдан!
Не я в стране мздоимство насадила,
Не я в державе дураков плодила,
И бездорожье было до меня!
Но все ко мне в претензии, как будто
У каждого я денег заняла!
Бранятся, просят, требуют, канючат...
И мышцы от ручного управленья
Устали, словно уголь я рублю!
Мне тошно видеть, как мои бояре,
Казну разворовав, соображают,
В какой офшор засунуть нажитое
И где какую виллу прикупить.
В семье мечтала я найти отраду.
Но мой супруг, которому когда-то
Я отдала отзывчивое сердце,
Мне изменил и спутался, мерзавец,
С какой-то подтанцовщицей смазливой
Из челяди Киркорова Филиппа!
(Жив, жив, курилка! И еще поет.)
Муж оказался неблагонадежным,
Как члены госсовета, как министры,
Как лидеры лояльных думских партий,
Как олигархи, мэры, генералы,
Как байкеры, чекисты и спортсмены,
Как мастера науки и культуры,

Которых сколько ни корми, ни чествуй,
На Запад смотрят жадными очами,
Хоть всем известно, что с Востока свет!
Что делать мне? Увы, не молода я...
На сердце тяжко, голова кружится,
И рейтинги позорные в глазах...
Как дальше жить? Два выхода осталось:
От суеты в монастыре укрыться
(Святейший посоветует, где тише)
Или, собрав остатки сил душевных,
Стать ягодкой опять и, подтянувшись,
Пойти на новый срок без колебаний,
Чтобы вести соборную Россию
С народом незадачливым ее
К духовности, к достатку, к просвещенью
И геополитическим победам!
Нам многого не надо – мир и дружба
Да земли, что завещаны от Бога,
Но отняты врагами в смутный год.
А если кто с мечом придет к нам в гости,
Есть у меня заветный чемоданчик
И межконтинентальный аргумент.
Мы наши сапоги помоем в Темзе,
Воды напьемся прямо из Гудзона,
Распишемся на куполе рейхстага
И вычерпаем шапками Босфор!

2010, 2017

Как я ваял «Гипсового трубача»

1. Из какого сора...

Наверное, читателям интересно, из какого жизненного сора «растут, не ведая стыда», не только стихи, но и романы. Мне, кстати, тоже интересно. И будучи по образованию литературоведом, даже остепененным, я иногда с интересом наблюдаю за собой — писателем, пытаясь найти закономерности в том странном созидательном хаосе, который именуется творчеством. Наверное, так же и врач наблюдает себя, собственную болезнь — от первых невнятных симптомов до выздоровления или же, увы, летального итога... Собственно, это эссе, как и другие, собранные в книгу, является попыткой проникнуть по ту сторону вдохновения, разобраться в тех разных по своей природе составляющих, которые в огне вдохновения спекаются, превращаясь в уникальный сплав нового произведения искусства. Или не превращаясь...

Начну, как говорится, от яйца Леды. Давным-давно, в середине 70-х, я задумал написать рассказ или повесть (как пойдет) про пионерский лагерь, точнее, про пылкую любовь, охватившую двух юных вожатых, разумеется, разнополых: я, знаете ли, традиционалист. Мне грезились довольно смелые телесные сцены — так сказать, наш, советский ответ «Темным аллеям»

Бунина. (Впоследствии эти намерения осуществились в повести «Апофегей», и меня едва не объявили отцом новой советской эротики.) Материала для такого сочинения имелось у меня более чем достаточно. Нет, я вовсе не о плотском опыте. Все мое летнее детство прошло в простеньком пионерском лагере, принадлежавшем на паях макаронной фабрике и маргариновому заводу, где работала в майонезном цехе моя мама Лидия Ильинична. Наша ребячья здравница располагалась близ станции Востряково Павелецкой железной дороги, километрах в пяти от речки Рожайки, куда мы раз в смену отправлялись в однодневный поход — к плотине, которая тогда казалась мне чуть ниже Братской ГЭС. Уже в зрелые годы я заехал туда и с удивлением обнаружил низенькую запруду, этакую Ниагару для лилипутов.

Благословенное время! От организованного досуга и всепроникающего коллективизма я убегал на край футбольного поля к зарослям дикого шиповника, вынимал из душистых цветков золотисто-зеленых бронзовок и потом дарил их восхищенным девочкам в качестве живых брошек. Или же скрывался в библиотеке, где читал все подряд, но в основном приключения и фантастику. Переполненная прочитанным, моя голова временами казалась мне головой профессора Доуэля, живущей отдельно от тела. Впрочем, ребенком я был общественным и вскоре возвращался к друзьям, соскучившись по коллективу.

Как у всех ребят, у меня было лагерное прозвище — Шаляпин. Нет, я не пел, музыкальным слухом природа меня не одарила, но как-то во время одного из жарких споров, которые велись в палате перед сном по любому поводу, я заявил, что самый лучший певец в мире — Шаляпин. Мой оппонент отстаивал Лемешева, в ту пору еще живого и чрезвычайно популярного. Кто-то робко заступался за Козловского. Исход спора решила дуэль на подушках, когда пух летит во все стороны, и я, помнится, победил, став навсегда для друзей Шаляпиным. В тот лагерь я ездил много лет, с первого по девятый класс, и прилипшая ко мне кличка бережно передавалась из поколения в поколение.

Потом, повзрослев, я работал в пионерском лагере художником, так как учился на подготовительных курсах Архитектурного института. Но у меня не заладился рисунок: у соратников по мольбертам на ватмане выходил гипс, а у меня — чугун. Несмотря на молодость, я сообразил: пускаться в творческую профессию, для которой не хватает таланта, то же самое, что участвовать в автогонках со спущенными шинами. И оказался прав. Сколько потом я встречал «недоталантливых» поэтов, живописцев, литераторов, режиссеров, измучивших себя и своих близких «синдромом непризнанности».

Я же поступил в Московский областной пединститут на факультет русского языка и литературы и после второго курса поехал на летнюю педагогическую практику вожатым в пионерский лагерь на Оке, близ Ступина. Собственно, эти два взрослых пионерских лета, переплетясь, перепутавшись в моей памяти с детскими впечатлениями, и легли много позже в основу «Гипсового трубача». В лагере вожатые и педагоги жили особой жизнью, насыщенной дневным воспитательным героизмом и ночной безответственностью: крутились беспорядочные романы, случались хмельные грехопадения, однако бывала и верная любовь, краткая, как подмосковное лето. Я пал жертвой зрелой баянистки Таисии. Но больше об этом ни слова, ибо я женат давно, можно сказать, с детства, а жены писателей читают сочинения мужей, как следователи по особо важным делам читают чистосердечные признания преступников. Хуже, чем у литераторов, обстоят дела, думаю, только у художников, рисующих в уединении своих мастерских обнаженных натурщиц. Как они потом объясняются с женами — даже не представляю себе! Все-таки хорошо, что я не связал жизнь с изобразительным искусством...

О таком вот летнем лагерном романе я и хотел написать лирический рассказ или повесть, но в ту пору поэт во мне еще медленно остывал, а прозаик только разгорался, и все закончилось стихотворением, которое долго потом редакторы не решались включать в мои сборники. Зато на поэтических вечерах в Доме литераторов я читал эти стихи с лихой безответственностью и всегда срывал аплодисменты:

Ныряет месяц в небе мглистом.
И тишина, как звон цикад,
Плывет над гипсовым горнистом,
Дрожит над крышами палат.
Колеблет ветер занавески.
Все, как один, по-пионерски
Уставшие ребята спят.
А там, за стеночкой дощатой,
Друг друга любят, затая
Дыханье, молодой вожатый
И юная вожатая.
Всей нежностью, что есть на свете,
Июльский воздух напоен...
Ах, как же так! Ведь рядом дети...
Она сдержать не в силах стон...

Ах, как же так! Но снова тихо.
И очи клонятся к очам.
...И беспокоится врачиха,
Что дети стонут по ночам.

Возможно, я бы так и не вернулся к «пионерскому замыслу», но тут, кажется, в 86-м, ко мне прибился молодой композитор, его фамилию я давно забыл, но имя отчетливо помню: Тенгиз. Он очень хотел, чтобы я написал песню на его музыку, приглашал к себе домой, играл на рояле свои сочинения, а его мама кормила нас домашними грузинскими блюдами. Кажется, их семья специально перебралась в столицу империи, чтобы приладить к делу высокоодаренного сына. И вот на одну из его мелодий, очень красивую, я написал стихи. Да-да! Многие думают, что сначала сочиняют стихи, а потом уже к ним — музыку. Так тоже бывает, особенно с классическими текстами, но чаще случается наоборот, ведь в песне главное — привязчивый мотив, гипнотизирующий ритм, тайная гармония. А слова в песне — то же самое, что слова в любовном признании. Без чувств они ничего не стоят. Попробуйте однажды вдуматься в тексты, например, «попсового есаула» Газманова, и вы убедитесь, что напеваете вслед за ним бессмыслицу, чушь, ерунду, склеенную неумелыми рифмами. Но ведь напеваете же!

2. Звонок Абрамовича

Я жил в ту пору в Матвеевском, на Нежинской улице, в ДВК — Доме ветеранов кино, построенном на участке, примыкающем к ближней даче

Сталина. Дорогу через овраг и выезд на Минское шоссе еще не проложили, поэтому места там были почти деревенские: с огородиками, садовыми хибарками, пугалами... Правда, в тупике уже стоял новый роддом, куда все время машины «Скорой помощи», воя, везли будущих матерей. Именно ДВК (вкупе с домами творчества кинематографистов в Болшеве и писателей в Переделкине) послужил прообразом «Ипокренина». Впрочем, каскад прудов я позаимствовал у дома отдыха Гостелерадио в Софрине. Но в творчестве это обычное дело: с миру по нитке...

А в ДВК я оказался неслучайно. Патриарх советского кино Евгений Иосифович Габрилович предложил мне написать с ним в соавторстве сценарий. Некоторый опыт у меня уже был: с Петей Корякиным по заказу Сценарной студии мы уже написали экранную версию «ЧП районного масштаба». О моем соавторе следует сказать особо. Петю вырастила матьуборщица, подрабатывавшая в том числе и в кинотеатре. Мальчик был при ней и бесплатно по много раз смотрел все фильмы, какие там крутили. Сомнения в выборе профессии, как меня, его не мучили: только ВГИК! Туда после армии он и поступил на сценарный факультет. Но творчество у него как-то не задалось, и он пошел по редакторской линии, благо прекрасно знал историю кино, а его голова была просто набита просмотренными лентами, как Госфильмфонд в Белых Столбах, где к тому же располагалась известная психиатрическая лечебница. А ведь это рядом с уже упомянутой станцией Востряково. Однажды нас, пионеров, заперли в палатах, а весь взрослый персонал, вооружившись топорами, лопатами и длинными кухонными ножами, рассосредоточился вдоль лагерного забора. Оказалось, из Белых Столбов сбежал буйный помешанный и скитался по окрестным лесам. Его поймали, а нас выпустили на волю.

Но вернемся к Пете. Наблюдая Корякина, я заметил странные для меня вещи. Во-первых, понял, что сценаристы без соавтора сочинять просто не способны. Чтобы стать полноценной творческой личностью, им необходимо, как андрогину, найти свою половинку. Во-вторых, во время работы Петя даже не пытался придумать поворот сюжета или эпизод, а говорил примерно так:

— Помнишь, в «Полночном ковбое» герой идет по дороге? Здесь надо сделать так же...

Или:

— Помнишь, в «Заводном апельсине» он хочет, но не может ударить? Вот так же и наш Шумилин на заседании райкома!

Но ничего я не помнил, так как фильмы эти в прокате не шли, а во ВГИКе мне учиться не довелось. Кроме того, я не понимал, зачем надо что-то воровать у других, когда можно придумать самому. Так проще и честнее. Петя же был уверен, что все уже придумано, напрягаться не стоит, лучше позаимствовать и выпить. По этому поводу я даже сочинил эпиграмму:

У Корякина Петра
Голова болит с утра.
Но, имея крепкий дух,
Петя выдержит до двух.

Тогда началась горбачевская кампания против пьянства, и алкоголь стали продавать не с 11.00, как прежде, а с двух часов, что вызвало глухой ропот населения. Собственно, алкоголь Корякина и сгубил. Его пригласили на влиятельную должность главного редактора одного из творческих объединений «Мосфильма», и желающих ему налить стало столько, что бедный Петя спился, потеряв должность. Умер он в 2001 году, оставленный женой и собутыльниками, употребив какой-то суррогат. В гробу мой соавтор улыбался, видимо, перед смертью ему стало совсем хорошо.

А теперь снова о предложении Габриловича. Речь шла об оригинальном сценарии. Главная роль в будущей ленте предназначалась «самой обаятельной и привлекательной» Ирине Муравьевой, а снимать картину должен был ее муж Леонид Эйдлин. Дабы современный читатель осознал, что я, молодой писатель, ощутил, получив подобное предложение, прошу вообразить: вам вдруг звонит Роман Абрамович и приглашает в кругосветку на своей авианосной яхте. Напитки с девушками, естественно, за его счет...

Габрилович перебрался в ДВК после кончины своей суровой жены, державшей его в брачной строгости всю долгую жизнь, оставляя мужу лишь со стороны наблюдать головокружительные романы сверстников и соратников по кинематографу. Когда ему выпала, наконец, свобода, сил осталось разве на невинный комплимент сестричке, пришедшей с вечерним уколом. В Матвеевском его изредка навещал сын Алексей — впоследствии автор знаменитой «документалки» «Футбол моего детства». Кстати, в ДВК уход и лечение были поставлены на европейском уровне, лучше ублажали болезненную старость разве только в «кремлевке», но зато в Матвеевском все было по-домашнему, каждую неделю привозили недублированный иностранный фильм или советскую новинку, иногда положенную на полку, то есть слегка запрещенную. В ту пору на Нежинской улице доживали свой век многие титаны советского кинематографа.

Мы начали работать над сценарием. Чтобы не мотаться из Орехова-Борисова в Матвеевское, я купил путевку и тоже поселился в ДВК, который был домом престарелых и Домом творчества одновременно. А композитор звонил мне каждое утро и говорил ласково: «Здравствуй, Юра, это Тенгиз. Ну, как наши дела?» После выхода «ЧП...» я страдал в первых лучах литературной славы, сопряженной часто с неумеренным употреблением алкоголя, и был необязателен: синдром похмелья и творческое усердие — две вещи несовместные. Хотя, должен признаться, иные неожиданные идеи зарождаются именно в похмельном мозгу. Но, увы, для многих молодых талантов, не научившихся соизмерять написанное с выпитым, первые лучи славы оказались и последними. Я долго огорчал настойчивого Тенгиза, пока однажды вдруг его мелодия, которую я по вечерам прокручивал на диктофоне, не разбудила во мне воспоминания о пионерском лагере, теплых ночах у брызжущего искрами костра и хорошенькой баянистке Тае, которая была старше меня лет на десять, но все же снизошла к моему юношескому влечению. Расставались мы в конце смены душераздирающе! И сразу же получилось:

Только прощу тебя: «Не плачь!»
Только прошу тебя: «Не плачь!»
Я задержу в своих ладонях твою руку.
Ты слышишь, гипсовый трубач,
Маленький гипсовый трубач
Тихо играет нашу первую разлуку...

Тенгиз обрадовался, взял текст, сказал, что скоро нас запоет весь Советский Союз, и исчез навсегда. А лет через пять исчез и Советский Союз, странная империя, пытавшаяся, как советовал Тютчев, сплотить народы не кровью, а любовью. А там, мол, посмотрим, что сильней! Кровь, точнее, зов крови, оказалась сильней. Интересно, что поделывает теперь Тенгиз, если жив, в незалежной Грузии? Вряд ли сочиняет музыку, там за нее теперь не платят даже народным артистам.

3. Империя наоборот

Нынче нашу империю, царскую и советскую, всячески охаивают, мол, тюрьма народов, Совдепия, Сталин, произвол, репрессии, депортации... Кто ж с этим спорит, хотя и произвол, и репрессии, и депортации — это почти всегда ответ, неадекватно жесткий, на реальные вызовы и кара за реальные прегрешения в условиях осадного существования нашей страны. Но едва ли сыщется в мире другая империя, которая бы с таким бескорыстным энтузиазмом поднимала свои окраины, строила пышные национальные столицы там, где прежде верблюды жевали колючки, просвещала и образовывала на европейский лад туземную молодежь. Один английский исследователь назвал Россию «империей наоборот». Очень верно! Чтобы осознать донорский характер нашей империи, достаточно поколесить по цветущим метрополиям — Франции или Британии, а потом проездиться по малой России, или Нечерноземью, как именовались эти запущенные земли при советской власти. На обустройство коренной Руси не было денег ни у царя-батюшки, ни у коммунистов, да и у нынешней власти тоже не хватает. Так и хочется повторить за поэтом:

Эти бедные селенья,
Эта скудная природа,
Край ты мой долготерпенья,
Край ты русского народа...

А ведь речь-то идет об исконной Руси, откуда все и пошло. Имперский народ, страдающий бескорыстием, обречен на бедность и неблагодарность...

Что же касается Сталина, репрессий, депортаций... Двадцатый век был жестоким не только в России, диктаторы тогда правили во всех странах, затронутых революционным брожением и войной. У нас-то пособников и полицаев хотя бы судили, а в цивилизованной Франции коллаборационистов просто развешивали на деревьях, как гирлянды. Дам, что сожительствовали с немцами, перед смертью еще и обривали наголо. Между прочим, на оккупированных территориях СССР от насилия или связей с захватчиками, по некоторым сведениям, родилось до трех миллионов младенцев. Но суровая советская власть вошла в безвыходное положение этих женщин, в конце концов, не они отступали до самой Москвы. Сначала, правда, возникла тема «немецких овчарок», но вскоре была закрыта раз и навсегда. Даже в поздних фильмах о войне эта тема если и затрагивается, то как-то вскользь. Правильно: дети не виноваты в том, что их отцами оказались солдаты вермахта, а не Красной армии. Детям предстояло вырасти, выучиться и стать полноценными гражданами многонациональной страны. Мудро? Мудро. К слову: за сорок с лишним лет пребывания наших войск на территории Германии от советских военнослужащих немки произвели на свет, по приблизительным подсчетам, около 300 тысяч детей. Вопросы есть? Вопросов нет. Крики и вопли о миллионах изнасилованных гретхен не более, чем черный миф, стремление свалить, как говорится, с больной головы на здоровую.

А вот еще пример. В Литве советская власть за 70 лет репрессировала 32 тысячи человек. Много? Смотря с чем сравнивать. Так, в годы короткой нацистской оккупации там погибло примерно 270 тысяч человек. Однако в исторической памяти литовцев запечатлелась картина, совершенно обратная реальной. Почему? Наверное, потому, что фашисты уничтожали в основном евреев, а наши карательные органы наказывали по преимуществу литовских националистов вроде «лесных братьев». И еще, видимо, потому, что железо люди уважают, увы, искони больше, чем любовь.

В Латвии недавно разразился скандал. В последнее время считалось почти аксиомой: кадры исторической хроники, запечатлевшие буйное ликование рижан, встречающих Красную армию, это гнусная подделка, монтаж, ложь агитпропа. Но, как известно, после поражения Германии в Первой мировой войне и провозглашения независимой Латвии тысячи немцев, веками живших на этой земле, особенно в городах, куда латышей просто не пускали, были изгнаны из республики. Кому досталось имущество? Понятно: титульной нации. В этой ситуации пакт Молотова—Риббентропа был для латышей спасением, а ликование при виде красноармейцев — совершенно искренним: нас не накажут и барахло не отберут! Ведь воротись тевтоны, пришлось бы не только отдать чужую собственность, но еще и ответить за жестокости депортации немцев. Да-да, депортации...

Кстати, о депортациях. Вы не заметили, что на нашем телевидении, если речь идет о насильственном переселении народов во время войны, скажем, с Северного Кавказа, почти обходят молчанием, какие, собственно, основания имело правительство для такой суровой меры? Пришли ночью, согнали в вагоны и повезли... Ужас? Кошмар! Но если напомнить о том, что творили с нашими ранеными, пленными, партизанами, скажем мягко, не лучшие представители «наказанных» племен, то половина возмущения сразу улетучится, уж больно страшные картины предстанут перед нашими взорами. Вторая половина негодования все-таки останется, ибо так поступать с целыми народами недопустимо. Но вот что любопытно: когда мы в начале нулевых годов опубликовали в «ЛГ» небольшой, крайне обтекаемый материал о событиях, предшествовавших депортации, на газету сразу было подано заявление в прокуратуру о клевете и разжигании межнациональной розни. Мне позвонила прокурорша, я стал оправдываться, ссылаться на факты и труды историков.

— Да знаю я не хуже вашего! — ответила она. — Но вам советую решить дело миром.

— Почему?

— Потому что это политика!

— А закон?

— И закон — политика. К тому же в Москве дома взрываются. Вам надо?

Сознаюсь, я струхнул, и мы напечатали примирительное интервью с московским лидером возмутившейся общины. Но, поверьте, ни к чему хорошему не приведет такое переписывание истории, когда государство виновато во всем, а те, кого оно наказало, ни в чем. Так не бывает! В результате вырастет новое поколение, которое совершенно искренне будет считать РФ тюрьмой народов и мечтать сбежать из «этой страны» в одиночку или всем племенем, прихватив земли свои и чужие. Нам это надо?

История, знаете, дама с очень запутанной альковной жизнью, и часто грубое насилие при внимательном рассмотрении оказывается изощренной взаимностью. А после бомбежек Сербии, бойни в Ираке, Ливии, Сирии и прочих «принуждений к свободе» я бы вообще поостерегся ругать красную империю, бесконечно поминая танки на улицах Праги как высшую степень международного каннибализма. Теперь нам есть с чем сравнить. В этих моих словах те, кто читал «Гипсового трубача», конечно, узнали иные филиппики домашнего геополитика Жарынина? Да, читатель, литературные герои иногда разделяют политические взгляды своих создателей...

4. Флаг на ветру

«Пионерский» замысел снова увлек меня в конце 80-х, когда с радостным уханьем рушили все советское, а пионерские лагеря объявляли чуть ли не детскими подразделениями ГУЛАГа. Причем занимались этим в основном демократические отпрыски советской верхушки. Они провели детство в спецпитомниках Управления делами ЦК КПСС, где, наверное, и в самом деле режим был строжайший, что и запечатлел в своей бессмертной ленте «Добро пожаловать, или Посторонним вход воспрещен!» Элем Климов — сын крупного партийного босса. Кстати, удивительное дело: почти все вдохновители и прорабы перестройки происходили из семей партийного начальства или руководителей спецслужб сталинской эпохи: и Аксенов, и Гайдар, и Окуджава, и Лацис, и Дейч, и Карпинский, и Максимов, и Ахмадулина... Андрей Вознесенский в молодости не возражал, если его принимали за потомка репрессированного председателя Госплана Вознесенского, одно время считавшегося преемником Сталина. Интересно, что все эти отпрыски своих родителей считали замечательными, честными, добрыми людьми. А кто же тогда осуществлял террор на местах, да еще такой, что Сталин вынужден был одергивать? Зеленые человечки?

В ту пору «пионерский сюжет» стал обретать в моем воображении явные черты разоблачительной прозы, хлынувшей тогда на страницы журналов бурным селевым потоком. Мне грезилась жуткая история про то, как чистую, трепетную любовь героев, зародившуюся в душной оторопи цветущего шиповника, затоптали хромовыми сапожищами, испоганили перекрестными допросами и очными ставками, сгноили на мордовских нарах безжалостные гэбэшники. Стыдно признаться, но это так. Тем временем вовсю шла перестройка, смысл которой мало кто тогда понимал. Думаю, и Горбачев тоже. Сейчас этот геополитический попугай уверяет, что с самого начала, едва сев за штурвал ставропольского комбайна, собирался извести советскую власть. Ерунда, он, как все, исключая, конечно, Рейгана и Тэтчер, хотел социализма с рынком и человеческим лицом. Но птички на рыбках не женятся.

Между прочим, само слово «перестройка» — в смысле серьезных преобразований государственной системы — пришло к нам из эпохи Александра Второго Освободителя, он легализовал в стране среди прочего деятельность масонов, загнанных в России под плинтус после Великой французской революции и восстания декабристов. А ведь именно вольные каменщики любили давать своим начинаниям разные строительные прозвища. Кстати, правительство, возникшее в феврале 17-го, было сплошь масонским, начиная с премьера, князя Львова. Впрочем, об этом даже в школьных учебниках теперь пишут. А когда-то являлось страшной тайной. Ельцин, заметьте, пришел во власть тоже из строителей, но если он и принадлежал к древнему братству вольных каменщиков, то градус посвящения у него, думаю, был низкий — где-то на уровне портвейна. Но важно другое: ни один грамотный строитель не начинает капитальный ремонт здания с перепиливания несущих балок и подрыва фундамента. Увы, именно с этого начали и в 17-м, и в 91-м. Тенденция, однако...

Особенно, должен признать, поусердствовали в деле разрушения державы писатели, традиционно имевшие большое влияние на умы. Причем постарались и либералы, и почвенники. Сейчас уже подзабыли, что именно лидер деревенщиков Валентин Распутин с трибуны съезда пригрозил, мол, если Россия выйдет из состава СССР, мало никому не покажется. «Вот оно как!» — переглянулись от Ташкента до Киева сановные сепаратисты с партбилетами в карманах. Принцип интернационализма, записанный в Конституции красной империи, помог ей не больше, чем заповедь «не прелюбодействуй!» моногамной семье. А уж как этнические демократы костерили страну — даже вспомнить страшно: и «Россия-сука», и «Россия-мачеха», и «Верхняя Вольта с атомным оружием», и «Освенцим в одну шестую часть суши»... К началу 1990-х у людей сложилось ощущение, что черт угораздил их родиться в самом неподходящем государстве, которое необходимо срочно разрушить до основанья, а затем...

Какое отношение сказанное имеет к написанию «Гипсового трубача»? Самое непосредственное. Напомню, «Апофегей», вышедший в «Юности» в 1989-м, стал не только эротическим прорывом, но и политической акцией. В этой повести я весьма язвительно изобразил конфликт между Горбачевым и Ельциным (но особенно поглумился над Борисом Николаевичем), а именно этот конфликт определял всю тогдашнюю политическую ситуацию в стране. И даже в мире! Я не шучу. Судите сами: беспозвоночный Горби стремительно терял контроль над страной под названием «СССР». Власть мог перехватить человек решительный, с объединительными намерениями, готовый на все, чтобы остановить распад. Например, маршал Дмитрий Язов. И подавляющее большинство населения его бы с радостью поддержало! Но Язов оказался лампасной невнятностью, зато наизусть знал всего «Василия Теркина». Надеюсь, на Страшном суде мировой истории это ему зачтется! Других сильных фигур не оказалось. Одних волевых лидеров наподобие ленинградского Романова обезвредил еще Андропов. Других успел вытолкнуть на пенсию Горбачев.

А тем, кто жаждал распада СССР, важно было, чтобы власть у лучшего немца Горби отобрал решительный человек, но не с объединительными, а с разрушительными намерениями. И такой человек нашелся — Борис Ельцин. Но его еще надо было привести к рычагам. Это с годами кажется, что все произошло именно так, ибо иначе быть и не могло. Могло! Вспомните, как Ельцин вдруг не прошел в Верховный Совет РСФСР, и никогда бы не стать ему первым президентом России, не уступи Ельцину свое депутатское место прекраснодушный сибирский профессор Казаник. Тогда все и завертелось. А если бы профессор не уступил? Иной раз бывают такие моменты, когда история похожа на уравновешенные весы и случайный комарик, присевший на одну из чаш, способен непоправимо качнуть рок событий в ту или иную сторону.

«Апофегей» вышел именно в такие дни, в 89-м, и неслучайно вызвал шквал негодования в либеральном стане, где именно с тех пор я стал навсегда персоной нон-грата. Ельцин на митингах вынужден был объяснять, что клеветническая повестушка написана по гнусному заказу «партократов» на радость «агрессивно-послушному большинству». Так витиевато в ту пору либералы называли основную часть народа, не желавшего развала страны и безоглядного прыжка в рынок. Нет, я не страдаю манией величия и понимаю: моя сатира на будущего «царя Бориса» являлась крошечной частицей неудавшегося сопротивления силам распада. Но все-таки, черт возьми, и я повитал в высших сферах геополитики...

А теперь, отбросив иронию, зададимся вопросом: надо ли писателю участвовать в политических битвах? Убежден: надо! Ибо затворяться в замок из слоновой кости в ту пору, когда какие-то мерзавцы затевают извести твою родину, — подло и недостойно. Но есть другая сторона медали: писателя обычно захватывает эмоционально-нравственная стихия борьбы, и ему совершенно неведомы тайные союзы, сговоры, комплоты, компромиссы, которые в конечном счете определяют исход схватки. Писатель — трепещущий флаг на башне, а какие тем временем идут переговоры в этой самой башне за обильным столом, ему, бедному, развевающемуся на историческом ветру, неведомо. Потом, спустя годы, многое становится яснее, понятнее. И мы умиляемся над «Летом Господним», над сладким плачем по канувшей Росеюшке. Но почитайте, что писал тот же Иван Шмелев до революции. Что его возмущало и бесило? Да примерно то же самое, что стало умилять через двадцать лет.

А помните у Георгия Иванова, моего любимого поэта:

Эмалевый крестик в петлице.
И серой шинели сукно.
Какие прекрасные лица!
И как это было давно!
Какие прекрасные лица!
И как безнадежно бледны:
Наследник, императрица,
Четыре великих княжны...

А ведь уж какой был либерал, масон и антимонархист Георгий Иванов, фу ты, ну ты! Кстати, последние годы он жил во Франции в одиночестве, даже в остракизме — кара за симпатии к немцам во время оккупации. А куда деваться, если у него жена из прибалтийских немок?

5. Кровавый «совок»

Но вернемся в бурный 1990-й год. После скандального «Апофегея» я, молодой, полный «веселой злобы» литератор, засел, наконец, за «Гипсового трубача». Название явилось само собой из песни, которую мне все-таки удалось сочинить для композитора Тенгиза. Надеюсь, он жив и благоденствует в новой Грузии, независимой, как цветок персика. Сюжет повести под влиянием политических треволнений претерпел изменения и обрел откровенно перестроечные черты. Нет, пионерский лагерь остался. Сохранилась и беззаконная страсть, бросившая вожатого-практиканта Львова в нежно-хваткие объятья замужней воспитательницы Зои. Однако ночные отлучки парочки из спального корпуса, их упоительные бесчинства в росистых июльских травах выследил и заснял лагерный фотограф, ранее отвергнутый пылкой, но разборчивой Зоей. И вот снимки ложатся на стол директора лагеря Добина, злобного партократа, сброшенного с аппаратных высот на эту унизительную должность за какую-то жуткую провинность. Утром Зоя, еще не остывшая от своего позднего женского счастья, вызвана к начальству, ей предъявлены уличающие фотографии и ультиматум: или снимки отправляются прямиком к законному мужу — человеку ревнивому, военнослужащему и вооруженному; или она идет на компромисс. А именно: на днях в лагерь попариться в баньке приезжает большой начальник, от которого зависит, скоро ли окончится опала Добина. Если Зоя как следует поработает веничком и бонза останется доволен, в этом случае...

Кстати, такие потаенные баньки для своих имелись тогда во всех приличных учреждениях, там велись тайные беседы о политике, несовершенствах социализма и переговоры о поставках фондированных материалов. Пили там, конечно, много. Не обходилось, говорят, иногда и без добровольных дам в крахмальных простынках. Но это, в сущности, и весь компромат, который, клокоча от возмущения, перестроечная литература наскребла на «красных директоров». Метнуть баскетбольную команду проституток на своем личном самолете в Куршавель и устроить там дебош в самом дорогом отеле — такое совдеповским воротилам не могло пригрезиться даже в самых похмельных снах. Да им бы никто и не позволил.

Окончание сюжета я помню смутно, так как повесть застопорилась в самом начале. Кажется, Зоя призналась любимому, что вынуждена принять гнусное предложение. Ослепленный гневом Львов сначала мчится среди ночи к фотографу и бьет его с той смачной, умелой жестокостью, которую так любят описывать литераторы, с детства не умеющие драться. Далее путь мстителя лежит к злодею Добину, и, кажется, справедливость торжествует: от развратного директора как раз выбегает в слезах то ли поруганная пионерка, истекающая девственной кровью, то ли красногалстучный отрок испорченной ориентации. Окрыленный, Львов летит в милицию, но там сидят добинские дружки и соратники по разврату: правдоискателя сразу вяжут за избиение фотографа, и ближайшие годы он проведет не в вузе, а на зоне. Однако покалеченный папарацци все-таки успевает настучать вооруженному мужу о готовящейся афинской ночи в лагерной баньке. Тугие частые выстрелы нарушают сонный покой пионерского лагеря. Такого количества трупов старый ворчливый опер, вызванный на место преступления, не видел со времен наступления немцев на Москву...

Конечно, дорогой читатель, я что-то утрирую, потешаясь над собой тогдашним. Но в целом сюжет пересказан точно. И можно только изумляться тому, как черная плесень самоненависти поразила в те годы огромную часть общества, включая и автора этих строк. Слава богу, я все-таки почувствовал злонамеренную нелепость сюжета. Рабоче-крестьянское происхождение уберегло меня от ненависти к «совку», а ведь именно это чувство стало главным содержанием литературы времен перестройки. Так или иначе, разоблачительная пионерская повесть тихо уснула во мне, как осенний слепень за стеклянной рамой. Однако окиньте мысленным взором фильмы, которые с конца 80-х заполонили наши экраны, книги, которые бурно приветствовались критикой, и вы заметите: они сварганены примерно по той же схеме, что и моя ненаписанная повесть: все к худшему в этом худшем из миров. Но разве в таком мире я родился и вырос? Разве концентрация смердящего зла — признак художественности? Разве литература существует для того, чтобы пестовать и ласкать перепончатую нечисть?

А вокруг тем временем поносили и рушили ненавистный «совок»: кто-то мстил за дедушку, отсидевшего то ли за анекдот про Сталина, то ли за двойную бухгалтерию, кто-то возбудился, так как это стало выгодно, кто-то просто наслаждался шелестом свежих знамен. А мне вдруг захотелось написать об уходящей советской эпохе по совести, искренне, а значит, не злобно. Ведь ту жизнь, которая окружала нас до 1991-го, можно назвать скудной (хотя с чем сравнивать — с войной?), нелепой (хотя с чем сравнивать — с пьяными ельцинскими загогулинами?), несправедливой (хотя с чем сравнивать — с «прихватизацией»?), но невыносимой назвать ее никак нельзя. Вероятно, невыносимой она была для отказников, сдавших партбилеты, уволившихся с престижной работы и сидевших на чемоданах, ожидая разрешения на выезд из «этой страны». Ненавистью отъезжающих и заболела почему-то постсоветская литература. Большинство, кстати, осталось дома, а многие уехавшие потом вернулись, но осадочек, как говорится, никуда не денешь.

Нечто подобное уже бывало в нашей истории в XIX и начале XX века, когда интеллигенция смотрела на Отечество воспаленными глазами революционных эмигрантов. Чем все это закончилось — знаем. А теперь эстафету чемоданной неприязни к Отечеству приняли новые писатели, родившиеся, так сказать, «после научного коммунизма» и не знающие цензуры, идеологических накачек и стеснений в странствиях по миру. А поди ж ты! Мировоззренческие предубеждения обладают устойчивостью инфекции, передающейся мозговым путем. К тому же влиятельные премии вроде «Большой книги», «Букера», «Национального бестселлера» и других много лет с прилежным упорством увенчивают именно тех авторов, которые страдают той или иной степенью чемоданного антипатриотизма.

В результате я написал «Парижскую любовь Кости Гуманкова». Она вышла, как и прежние мои вещи, в «Юности» в трех летних номерах 1991-го. Страна рушилась, градус взаимной ненависти достиг точки кипения, по августовской Москве мыкались, лязгая, танки, словно вышедшие на какой-то бестолковый парад поражения. А тут в либеральном журнале появляется ироническая, но теплая вещица про любовь, да еще навеянная совершенно непростительной ностальгией по советской эпохе. Либеральная критика аж подпрыгнула от возмущения: мы, понимаешь, готовимся тут к последнему и решительному бою с «Красным Египтом», а этот гад Поляков затомился вдруг по проклятому «совку». Да и вообще повестушка вышла какая-то дрянная, вялая, некудышная. Где задор разоблачения, где азарт ниспровержения? Видимо, автор исписался. Почвенническая критика и вообще не заметила «Парижскую любовь...». Какие могут быть охи-вздохи, какие заграничные каникулы любви, если инородцы жмут по всем фронтам, а настоящая фамилия Ельцина – Элькин! С тех пор я так и обитаю на простреливаемой полосе отчуждения между либералами и патриотами. Впрочем, я там такой не один...

Но должен сказать ради справедливости: либеральная критика оказалась понаблюдательней почвеннической: «Парижская любовь...» в самом деле стала едва ли не первым сочинением, исполненным ностальгии по уходящей советской натуре. Удивительно, но это щемящее чувство утраты овладело мной тогда, когда еще вроде бы исторический спор не был кончен, еще ничего не было потеряно, еще по утрам меня будил бодрый нерушимый гимн, несущийся из оплошно не выключенного радио. С чего бы это? Вероятно, литераторам дана особая, как выражаются сегодня, «фьючерсная» чувствительность.

6. Разминувшиеся

Собственно, очередная моя попытка написать «Гипсового трубача» связана как раз с нараставшим чувством утраты уходящего советского мира. Наверное, кто-то расставался с этим прошлым, смеясь, ерничая и глумясь. По моим наблюдениям, так себя вели как раз люди, взявшие от советской власти больше, чем можно унести. Помню, как ликовала либеральная общественность, когда Марк Захаров сжег перед телекамерами свой партбилет. (Много позже стало известно: он сжег дубликат, сварганенный бутафорами. На всякий случай.) А с чего, спрашивается, ликовать-то? Он разве не читал устав и программу КПСС, не ведал, в какой организации состоял много лет, возглавляя театр имени младшего соратника партии – Ленинского комсомола? Знал. Ведал. Участвовал. Споспешествовал. Так в чем подвиг? Тогда и клещ, бодро переползший с мертвого донора на свежего кровоснабженца, – тоже герой.

В июле 1993-го я дал интервью «Московской правде».

«– “Демгородок” уже завершен, а завершился ли ваш растянувшийся на два года творческий кризис?

— Я сейчас тружусь над повестью, работу над которой прервал, когда “пошел” “Демгородок”. Называется она “Гипсовый трубач” и говорится в ней о нашем поколении — без злобной иронии, без отречения от своих прежних взглядов, без обличительства, а с легкой ностальгией... Задумано еще одно произведение, которое в определенной степени будет касаться оккультных наук, поэтому я сейчас читаю много книг на эту тему...»

Кстати, мистический роман, давно сложившийся в моей голове, включая роскошное название, так до сих пор не написан. Едва я принимал решение сесть за него, как во сне мне являлся странный человек и объяснял: если я вторгнусь в эту область, меня ждут неприятности, возможно, даже ранняя смерть. Я не шучу! Это повторялось несколько раз. Я спросил совета у поэта и прозаика Ларисы Васильевой, весьма осведомленной в этой сфере. Как-то мы вместе ехали в командировку, и она, узнав у меня год и дату рождения, углубилась в нумерологические вычисления, касающиеся моей личности. Через некоторое время Васильева глянула на меня с удивлением и сказал: «Ребенок, или я совсем ничего не соображаю в нумерологии, или ты родился в другой день. Полное несовпадение, а я ведь тебя немного за десять лет узнала!» И я вспомнил, что на самом деле родился не 12, а 13 ноября, но моя мама, молодой коммунист, была крайне суеверна, и за пять рублей дежурная медсестра передвинула день моего появления на свет с опасного 13-го числа на 12-е. Узнав это обстоятельство, Лариса Николаевна снова углубилась в расчеты и просветлела: «Ну вот, теперь все тютелька в тютельку!»

Когда я рассказал ей о сюжете и странном человеке, приходящем ко мне во сне, она нахмурилась:

— Значит, они не хотят, чтобы ты влезал в это.

— Кто «они»?

— Не важно. С одной стороны, это хорошо: тебя там уважают. Вон Пелевину они все разрешают, знают, ничего опасного не напишет. Штукарь. С другой стороны, это плохо. Не послушаешься — накажут.

— А что делать?

— Ждать, когда разрешат.

— А как я узнаю?

— Сам поймешь.

Но вернемся в 1993 год. После ехидного политического памфлета «Демгородок», вышедшего в журнале «Смена» в те дни, когда дымился расстрелянный парламент, мне захотелось сочинить что-то нежное, зыбкое, печальное. Тут-то и всплыл в памяти старый пионерский замысел. Я сел и написал, наверное, страниц двадцать на машинке. Начиная с «Козленка в молоке», я уже работал только на компьютере. Кстати, не верьте, если вас станут убеждать, будто проза, написанная от руки, обладает некой особой ювелирной энергетикой. Чушь! И проза, и стихи, и публицистика пишутся умом и сердцем, а с помощью какого приспособления — стила, гусиного пера, «Ундервуда» или ноутбука — зафиксировано сочиненное вами, не имеет никакого значения. Эпос о Гильгамеше, к примеру, выдавлен на глиняных табличках. И что же?

Новый «Гипсовый трубач» сильно отличался от прежнего, «перестроечного». Теперь постаревший и разочарованный в жизни Львов каждый год, таясь от жены, уезжал якобы по грибы туда, где был однажды счастлив, где случился его «солнечный удар», его безумная любовь к Лике. В ту пору вокруг Москвы таких заброшенных, разваливавшихся пионерских лагерей встречалось великое множество. Шоковые реформы и жульническая приватизация обернулись крахом и закрытием многих предприятий, прежде всего оборонных, а именно они в первую голову строили и содержали загородные детские учреждения. Новые хозяева, получившие заводы почти даром, первым делом сбрасывали «социалку». И редкий пионерский лагерь наполнялся в те годы детскими голосами, ветшая и разворовываясь.

Я написал, как Львов просыпается, едет за город, собирает грибы, а потом идет на развалины своего утраченного счастья и грезит воспоминаниями, усевшись возле гипсового трубача — там он впервые поцеловал Лику. Оставалось сочинить историю их любви и объяснить причины непоправимой разлуки. Концовку, кстати, я уже придумал — как мне тогда казалось, роскошную, экзистенциальную! Навспоминавшись, нагоревавшись над своей единственной любовью, Львов с тяжелой корзиной шел к шоссе, садился в рейсовый автобус и отбывал на станцию. А через полчаса другим автобусом на ту же остановку приезжала немолодая усталая женщина, когда-то, наверное, очень красивая. Она тоже шла через лес к развалинам пионерского лагеря и тоже долго сидела, грустя, у подножья выщербленного непогодой гипсового трубача, когда-то юного, свежепобеленного. Да, это она, Лика, которая тоже каждый год приезжает сюда, на развалины своего не случившегося счастья. Все это происходит много лет подряд, но ни разу, к несчастью, они не встречаются. А может, к счастью... Такая уж странная штука жизнь!

Но «Гипсовый трубач» в тот раз у меня снова не пошел. Не помню уж и почему. Трудно сказать. Вообще, я давно заметил, отношения автора с начатым сочинением напоминают чем-то роман с женщиной. Еще вчера тебя нежно лихорадило от назначенной встречи и ты чуть не плакал, если свидание отменялось. Еще вчера ты ложился спать со сладостной мыслью о том, что пишешь главную книгу своей жизни, что утром снова сядешь за стол и повлечешь сюжет дальше — сквозь сказочный лес творческого воображения. Потом вдруг ни с того ни с сего страсть к вожделенной особе превращается в навязчивую рутину, от которой надо как-то поскорей избавиться, а начатая повесть кажется бессмысленной, банальной затеей, не стоящей усилий. И рукопись убирается в дальний ящик стола. Чтобы закончить вещь, с ней надо вступить не в романтические, а как бы в брачные отношения, когда каждый день ты вновь и вновь видишь рядом с собой одну и ту же, давно уже не воспламеняющую подругу, да еще без макияжа. А куда деваться — жена! Только так пишутся большие книги...

7. Ирландское рагу

Итак, не вступив с «Гипсовым трубачом» в «брачные отношения», я увлекся другими сюжетами. Сочинил сначала «Козленка в молоке», потом «Небо падших», затем «Замыслил я побег...».

Одновременно, где-то в конце 1990-х, у меня возник новый небывалый замысел. Я уже рассказывал, как поехал в Матвеевское работать с Габриловичем и Эйдлиным. С самого начала меня поразила одна вещь. Я раньше думал, что сценарии пишут в одиночестве, просто садятся за стол и отстукивают на машинке: «Вечер. Квартира. Неубранная постель. Входит Михаил.

М и х а и л. Маша, ты дома?

М а ш а. Да, я дома...»

Оказалось, сценарий, как бы это точней выразиться... набалтывают. Да-да, набалтывают, наговаривают, наборматывают... Первый этап сочинения — это бесконечные разговоры обо всем на свете, не имеющем никакого отношения к сценарию. Это сооружение каких-то словесных химер, конструирование завиральных космогоний и разгадывание смыслов бытия. Это бесконечные рассказы, истории и байки, правдивые и выдуманные. Это поведанные в приливе нетрезвой откровенности тайны личной жизни, истории трагических любовей или легких побед над знаменитыми актрисами, перепившими на фуршете до буйной интимной неразборчивости. Это бесконечная игра в слова, каламбуры, это политические дебаты такой ярости, когда хочется забить супостата-соавтора комнатными тапочками. Это страстные споры о превратностях русской истории и русской судьбы, о еврейской загадке, которую тщетно пытаются разрешить — каждый со своего конца — юдофилы и антисемиты. Это анекдоты, дурацкие розыгрыши, приколы и снова сущностные метания мысли, застольная метафизика, опять — разговоры о странностях любви. Не понимаю, как из этой говорильни, из этого разнотемья, напоминающего ирландское рагу, сначала зыбко вырисовывается, а потом обретает вполне зримые формы сам сценарий, ради чего, собственно, и сошлись заинтересованные стороны. Но он является на свет. И тогда мэтр, вздохнув, говорит: «Ну, теперь надо записывать...»

Именно так с покойным Петей Карякиным сочиняли мы киноверсию «ЧП районного масштаба». То же самое повторилось с Владимиром Меньшовым: с ним мы придумывали семейную драму под условным названием «Зависть богов». Не получилось. Вся энергия ушла в споры о судьбах России, а их вести на сухую не принято. В результате мы ушли в роскошный творческий запой, настолько бурный, что наши жены посоветовались и, нагрянув, изъяли нас из Матвеевского. Тем и кончилось. К одноименному фильму, впоследствии снятому им по сценарию Мареевой, та наша история не имеет никакого отношения, за исключением, пожалуй, названия, полюбившегося режиссеру-оскароносцу. А тот нереализованный сюжет я много лет спустя использовал в мелодраме «Как боги», идущей ныне во многих театрах.

Нечто подобное происходило, когда со Станиславом Говорухиным мы трудились над «Ворошиловским стрелком», снятым, кстати, по мотивам повести Виктора Пронина «Женщина по средам». И всякий раз повторялось одно и то же: полет мысли, феерические озарения, изысканное буйство человеческого общения. Когда же текст, наконец, ложился на бумагу, головокружительное марево словопрений рассеивалось, как табачный дым в комнате уснувших картежников, и мне становилось до слез обидно, что никто и никогда не узнает, из какой восхитительной пены умнейших мыслей, тонких наблюдений, удивительных историй, острых шуток, рискованных каламбуров, отчаянных откровений рождаются скупые строчки сценария:

«М и х а и л. А я думал, ты ушла.

М а ш а. Нет, я осталась...»

И тогда я задумал повесть о том, как режиссер и литератор пишут сценарий, спорят, ссорятся, сочиняют и отметают варианты сюжета, выдумывают судьбы персонажей, распоряжаются их страстями, жизнями и смертями. Мне захотелось погрузить читателя в удивительную атмосферу словесных миров, недолговечных, как бабочки-поденки. Захваченный этой идеей, я набросал первые страниц сорок: звонок режиссера, встречу героев, их поездку в Ипокренино, первые разговоры и истории, рассказанные друг другу... И тут снова моя влюбленность в замысел угасла, не перейдя в долгосрочные брачные отношения. Я решительно не знал, что дальше... Странного режиссера в берете с петушиным пером сначала звали Стратоновым, и у меня возникло ощущение, что впоследствии он окажется чертом. Уловили отзвук ненаписанного мистического сочинения? Кто ж мог предположить, что из него выйдет Жарынин — мой любимец, один из тех буйных талантливых неудачников, которые так часто встречаются среди русских людей, запропавших в искусстве, где хватка и сцепка значат больше, чем дар. А вот писатель сразу стал Кокотовым — эту редкую фамилию я позаимствовал у одной молодой сотрудницы «Литературной газеты», куда я как раз в 2001-м пришел главным редактором. В Андрее Львовиче, кстати, есть немало от меня самого, точнее, от той части моей натуры, которая мне, честно говоря, не очень-то нравится.

Но работа, как я уже сказал, застопорилась. Сначала из-за того, что надо было вытаскивать из финансово-творческого кризиса «Литературку», а потом я с размаху взялся за «Грибного царя». История современного Фомы Гордеева, сильного русского человека, добивающегося капиталистического успеха ценой душевного краха и нравственного распада, казалась мне тогда архиважной. Кстати, сама идея огромного боровика, исполняющего желания, впервые мелькнула в голове Львова, бредущего по лесу. «Вот бы найти грибного царя, — думал он, — и вернуться в юность, в тот самый единственный июль — к Лике!» Так грибная тема перекочевала в мой новый роман, вышедший в 2004 году, почти не замеченный критикой, но зато не раз переизданный, переведенный на многие языки, инсценированный, экранизированный. Критики, на мой взгляд, вообще терпеть не могут самодостаточных писателей, предпочитая возить в колясках-рецензиях литературных инвалидов. Видимо, за этим жертвенным занятием они чувствуют себя нужней и значительней.

Потом на несколько лет я ушел с головой в драматургию, и мне было не до прозы, а затем собирался засесть за тот самый мистический. Но ко мне опять во сне явился странный человек и попросил: «Подожди еще немножко!»

Жду.

Но вот однажды я спускался в метро по эскалатору, разглядывая встречных девушек, все молодеющих год от года, и вдруг ни с того ни с сего мне пришла в голову ошеломительная мысль: Кокотов и Жарынин едут в Ипокренино писать сценарий по повести «Гипсовый трубач». Так два замысла, жившие во мне каждый сам по себе, вдруг слились, как говорится, в экстазе. И роман пошел, захватил меня, причем не романтическим порывом, а крепкими многолетними «супружескими» узами. Дальше началось то, что я условно называю насыщением текста жизнью. Большинство писателей делают литературу из литературы. Это несложно и напоминает вариации на темы известных композиторов. Делать литературу из жизни гораздо сложнее. Нужно искать вербальный эквивалент жизненному опыту, придумывать свою собственную мелодию. Это непросто.

«Насыщение текста жизнью» — сложный, многоуровневый, часто подсознательный процесс. Хотя есть в нем и вполне очевидные приемы. Ну, например: борьба писателей и жулья за Переделкино, где я живу много лет, тогда вступила в явно криминальную фазу, и в моем воображении возник рейдер Ибрагимбыков, жаждущий захватить «тихую гавань престарелых талантов». Потом я вспомнил, как после премьеры «Женщин без границ» в Театре сатиры ко мне подошла милая неюная дама и спросила: «Вы узнаете меня?» — «Нет...» — ответил я, обшаривая ту часть памяти, где у мужчин хранятся тени попробованных женщин. «Ну как же! Вы преподавали у нас в седьмом классе литературу. И я даже была в вас немножко влюблена...» — «Да что вы!» — зарделся я, как китайский фонарик. А вскоре в роман ворвалась и закрутила Кокотова феерическая Наталья Павловна.

Потом как-то в ресторане я случайно встретил мою одноклассницу, настолько молодо выглядевшую, что невольно закрадывалась мысль о дамском варианте Дориана Грея. Выяснилось, она успешно занимается бизнесом и отмечает какой-то коммерческий успех со своим молоденьким плейбойчатым мужем. Кажется, четвертым по счету... Так в романе появилась Нинка Валюшкина. Фамилию я позаимствовал у известной актрисы. Когда в молодости я был членом бюро Краснопресненского РК ВЛКСМ, она рулила комсомольской организацией одного столичного театра, и наши пути пересекались. Но Нинкину верность первой любви и манеру говорить, как «робот устаревшей модели», пришлось позаимствовать у другой знакомой.

Конечно, я упрощаю, спрямляю, конечно, превращение реальных людей и событий в литературную ткань происходит гораздо сложнее, прихотливее и под влиянием каких-нибудь озаряющих ассоциаций, но суть процесса, кажется, я передаю верно. Вообще в «Гипсовом трубаче» много деталей, взятых из моего личного опыта, из жизни моих друзей. Например, приписывать всякую чепуху забытому нобелевскому лауреату Сен-Жон Персу, сочинявшему изысканно-непонятные стихи, любил Сергей Снежкин, режиссер, поставивший «ЧП районного масштаба». История с карнавальной надписью «хиппи», которой заинтересовались бдительные органы, случилась со мной на самом деле, когда я работал художником в пионерском лагере.

Тяжелая болезнь Кокотова тоже из жизни. В 95-м мне был по недоразумению поставлен смертельный диагноз, и пока ошибка врачей не разъяснилась, я тихо прощался с жизнью на Каширке, а друзья и близкие — со мной. Первое время после «выздоровления» я даже боялся вспоминать о случившемся, хотя знал, что обязательно когда-нибудь воспользуюсь этим тяжким испытанием в литературной работе. У писателя, как у хорошего старьевщика, ничего зря не пропадает. И вот спустя десять лет я поделился этим жутким опытом с моим героем — Кокотовым.

«Онкологический» поворот сюжета мы обсуждали с Геной Игнатовым, который с конца 70-х был моим другом, главным оценщиком задумок и первым читателем еще сырых текстов. Один из создателей отечественной школы программирования, он обладал тонким художественным вкусом, и его оценки были всегда безошибочны. Неожиданный недуг Кокотова ему тоже глянулся, показался сюжетно выигрышным и «экзистенциально богатым». Но вскоре Гена сам внезапно и безнадежно заболел, он два года упорно боролся за жизнь, но кто и когда выигрывал у смерти? Я, проведывая его в онкоцентре на Каширке, невольно насыщался будничным кошмаром «ракового корпуса», с внутренним стыдом перенося все это потом в роман, третью часть которого Гена до конца так и не дочитал...

8. Тогда — шампанское!

Мне много раз задавали вопрос: почему «Гипсовый трубач» печатался частями? Первая вышла в 2008-м, вторая в 2009-м, а третья и вообще весной 2012-го. Кому пришла в голову эта идиотская идея? Конечно же, издателям. Дело в том, что впервые в своей литературной жизни я решил написать «свободный роман», пространный, воздушный, насыщенный разговорами, спорами, вставными новеллами, сюжетными ответвлениями, отступлениями. Раньше я всегда ставил себя в жесткие рамки и без жалости отсекал все лишнее. И такие мои повести, как «Апофегей» или «Небо падших», на самом деле были романами, затянутыми в корсет самоограничений. Но тут я отвязался, и текст начал разрастаться с тропическим буйством. А издатели, доложу я вам, даже самые просвещенные, относятся к авторам как к свиноматкам, вроде моей Нормы, которые в намеченные сроки должны приносить положенный приплод.

«Ну и когда вы закончите роман?» — спросил издатель, глядя на меня с ласковой неприязнью. «Года через два», — ответил я, страдая от полученного и потраченного аванса. «Это никак не возможно! Сколько вы уже написали?» — «Листов пятнадцать...» — «Так это ж целая эпопея! Будем печатать частями...» — «Никогда!» — гордо ответил я. Однако, вернувшись домой, как и положено русскому интеллигенту, я предался шершавой сладости сомнений. В самом деле, Шолохов печатал «Тихий Дон» частями? Печатал. Голсуорси печатал «Сагу о Форсайтах» частями? Печатал. Надо брать пример с великих. И я согласился, ведь написанный фрагмент представлял собой законченный сюжетный цикл — один из задуманных. Вторая, завершающая часть должна была выйти через год, что и было обещано на последней странице первого тома: «окончание следует». Однако, как я уже сказал, «Гипсовый трубач» разрастался и ветвился, напоминая дерево с затейливой кроной, да еще с пышными омелами вставных историй, вроде «Змеюрика» или «Голой прокурорши». Я поначалу пытался решительно рубить излишние побеги, но потом понял, что нарушаю некую внутреннюю вольную самоорганизацию текста, которая от меня уже не зависит. И я отдался на милость самостийного слова.

В результате мои верные читатели, купив в 2009 году якобы «последний» второй том, с удивлением обнаружили, что окончание все еще следует. Чувствуя свою вину, в газетных и телевизионных интервью я заверял, что не позднее осени 2010-го закончу историю игровода и писодея, представив ее на суд любителей современной словесности. Как я ошибался! Оказалось, чтобы свести разбежавшиеся сюжетные линии и завершить судьбы героев, понадобилось написать еще столько же страниц, сколько содержали два первых тома вместе взятые. А что делать? Постмодернистам, им легко: у них есть заветный принцип «нон-селекции», который означает примерно следующее: как получилось — так и вышло. Пропала в романе сюжетная линия, словно вклад в банке «Чара», да и хрен с ней. Это, значит, такой художественный прием, продвинутый. Исчез персонаж, словно монета в дырявом кармане, это, выходит, другой прием, еще более продвинутый. А если бедный читатель после пятой страницы начинает тосковать, точно в очереди к проктологу, это не что иное, как третий прием, даже принцип: книги пишутся не для читателей, а вообще...

Но я литератор старой школы, можно сказать, забубенный реалист. Мой принцип: занимательность — вежливость писателя. Я всегда рассказываю начатую историю до конца и не забываю героев, как увечных младенцев в роддоме. Потому работа над завершающим томом затянулась. С одной стороны, мне было стыдно за нарушенные обещания и я торопился. С другой, я вдруг столкнулся с тем, что особенно дорого каждому писателю, — с нетерпеливым интересом читателей к окончательной судьбе сочинения. С вопросом «Когда же третья часть?» ко мне обращались самые разные люди в самых разных местах. Дело в том, что человек я телевизионный, и многие помнят меня в лицо. Однажды на каком-то приеме военный комендант Кремля строго спросил: «Когда?» Я понял: дело плохо, надо поторапливаться — и наддал, закончив роман весной 2012-го. И вот мы с женой возвращались откуда-то самолетом. Подошел стюард и вежливо так поинтересовался: «Когда можно и можно ли ожидать окончание "Гипсового трубача"?» «18 апреля поступает в продажу!» — гордо ответил я. «Тогда — шампанского!» — воскликнул он. И до самого приземления мы пили «Вдову Клико» за счет авиакомпании.

Однако рано я пил шампанское. Выпуск романа частями имел и отрицательные последствия, за шесть лет работы, распавшейся на три «аврала», накопились неточности, нестыковки, оговорки. К моему стыду, кое-кто из второстепенных героев в первом томе имел одно имя, а в третьем другое. Обнаружились и стилистические погрешности — плод ответственной торопливости. Увы, поспешность, как известно, хороша при ловле блох и беглых олигархов. Да и корректоры теперь пошли какие-то невнимательные, как пьяные пешеходы. «Да не переживай ты так! — успокаивала меня Ольга Ярикова, мой давний редактор. — У Достоевского и не такие ляпы попадаются!» Но то, что можно Достоевскому, нельзя нам, смертным. Еще не просохла краска на третьем томе, а я уже сел за сводную редакцию «Трубача». Кое-что исправил, добавил, сократил, уточнил, переделал, отточил, зашкурил... Получилась, в сущности, новая версия романа, серьезно исправленная и смешно дополненная.

Надеюсь, дойдя до конца этого обширного сочинения, ты останешься доволен мной, взыскательный читатель!

Переделкино,
2012, 2017

Булгаков против Электротеатра

К 125-летию писателя и 50-летию публикации «Мастера и Маргариты»

1. Булгаковский бум

После выхода «Мастера и Маргариты» в журнале «Москва» на просторах СССР — от Бреста до Сахалина — грянул булгаковский бум. Все читали, обсуждали, разгадывали диковинную новинку, которая в монотонном потоке советской литературы выглядела как тропическая рыба в переделкинском пруду. Я был в ту пору любознательным старшеклассником, но роман долго не давался мне в руки. Дефицит! Первой прочитала, конечно, Москва — творческая, номенклатурная, торговая. А я, отстояв многочасовую очередь, сначала увидел иллюстрации к «Мастеру» на посмертной выставке гениальной девочки Нади Рушевой, и лишь потом моя незабвенная учительница литературы Ирина Анатольевна Осокина буквально на день-два выпросила у кого-то для меня потрепанные номера журнала «Москва». Это было непросто: даже педагоги-словесники записывались, чтобы прочесть знаменитый роман.

Тогда, в отрочестве, самое сильное впечатление на меня произвели сатирические эпизоды и мистическая линия Воланда с компанией. Через много лет именно страницы, посвященные нравам Массолита, вдохновляли меня при написании романа-эпиграммы «Козленок в молоке». Я и эпиграф-то взял из булгаковского письма к Сталину. Но о нем ниже. Кстати, именно тогда читатели начали смотреть на суетных и корыстных писателей глазами оскорбленного насмешника Булгакова. 1990 годы только подтвердили его правоту. Помню, в конце 1980-х я зашел в кабинет к очень крупному начальнику и отрекомендовался: «Поляков, секретарь союза писателей...» — «А-а, из Массолита... Ну, садитесь...».

Тем временем вся страна влюбилась в Кота Бегемота. И перебегавших дорогу черных кошек рассматривали (я в том числе) прежде всего с точки зрения сходства с персонажем знаменитого романа. Зато любовная линия меня почти не задела: я не понимал, как это замужняя женщина может пойти с первым встречным, пусть даже и Мастером, только потому, что этому незнакомцу не понравились ее «отвратительные, тревожные желтые цветы». Да и Мастер, который не помнил имени своей предыдущей жены, вызывал недоумение. Я в ту пору еще не понимал законов высокой условности. Впрочем, дьякон Кураев утверждает, что былую супругу, служившую вместе с Мастером в музее, арестовали, и забывчивость героя имеет репрессивное происхождение. Возможно, хотя и маловероятно.

Зато мне было жаль мужа Маргариты, молодого, трудолюбивого и порядочного человека, талантливого изобретателя. Скучного? Так не надо было выходить замуж за скучного. Кто неволил-то? Социализм освободил женщину от продажности буржуазного брака. Впрочем, то обстоятельство, что Маргарита по окончании романа о Пилате, заскучала и снова стала уходить на «прогулки», наводит на некоторые размышления. При этом мне очень нравилась Гелла. Я с острым юным эротизмом видел перед собой завязки ее ажурного фартучка, потерявшиеся в ложбинке меж ягодицами. А философско-религиозных глав я просто не понял по возрасту и недостатку образования. Ходили смутные разговоры, мол, самые острые места, язвящие «совдепию», в журнальной версии подчистили, однако когда со временем я прочитал полную версию, то понял: советская редактура вела себя вполне деликатно. Потом, став редактором «Московского литератора», я убедился: цензоры (уполномоченные Главлита) были людьми весьма начитанными, широко мыслящими, но дисциплинированными.

Вскоре знакомая девочка из торгово-распределительной семьи пригласила меня на «Таганку», где шла инсценировка «Мастера и Маргариты» в постановке Любимова. Попасть на спектакль было так же невозможно, как сегодня — на концерт Челентано, доставленного спецбортом для разового выступления в рублевском имении какого-нибудь бугра из Роснано. Вешалки, с которых начинается театр, поразили меня тесным обилием дефицитных дубленок и шуб. Гардеробщица с недоумением приняла мое потрепанное пальтецо на рыбьем меху. Девочка, обутая в долгополую и к тому же вышитую дубленку, застеснялась.

Хорошо помню актрису Шацкую, она летала над сценой на канате, изумляя строгую публику чуть приобнаженной грудью. Воланд в исполнении Смехова был похож скорее на басовитого директора комиссионки, уставшего от нудных покупателей. Он и распродажу французского тряпья устраивал в этом духе, мол, подавитесь. Когда же в зал швырнули оторванную тряпичную голову болтливого конферансье, зрители ахнули, а моя спутница испуганно прильнула ко мне. Впрочем, ничего у нас не вышло. Видимо, я не прошел, как теперь выражаются, «дресс-контроль».

В моей личной библиотеке роман «Мастер и Маргарита» появился в 1979 году. Это был изумрудный том «Избранного», выпущенный «Худлитом» и продававшийся в «Березке» за валюту и чеки Внешторга. Забавный факт, если вспомнить, с каким сарказмом Булгаковым написана знаменитая сцена в Торгсине. Я заплатил приятелю-спекулянту за книгу 60 рублей. Чтобы масштаб цен стал понятен, скажу: в ту пору моя зарплата корреспондента «Московского литератора» составляла 120 рублей. Возьмите нынешний средний месячный доход россиянина, разделите пополам, и вы поймете, на какие жертвы шел советский библиофил, чтобы иметь на полке заветный том.

2. Странное возвращение

Пожалуй, появление «Мастера и Маргариты» было одним из самых серьезных ударов по официальной версии советской литературы с ее иерархией, уходившей корнями в идейно-художественную борьбу 1920–1930 и 1950–1960 годов. А литературная борьба, нравится это кому-то или нет, в свою очередь, отражала политическую судьбу страны, тяжкую и суровую, как и всякая послереволюционная история. И если до революции писатели хотели быть политиками, то после революции они вынужденно стали политиками, чтобы выжить или пожить. В мои школьные годы в учебниках Демьян Бедный еще слыл классиком, а Николая Заболоцкого, например, как бы не существовало. Когда в фильме «Доживем до понедельника» учитель-интеллектуал (его играл Вячеслав Тихонов, загримированный как-то не по-русски) запел, аккомпанируя себе на рояле, стихи Заболоцкого про иволгу знающие люди восприняли это как тонкий вызов официальной литературной иерархии. Тогда же вошло в моду в спорах о фронтовой поэзии, упоминая Самойлова, опускать Твардовского. О Свиридове начали поговаривать: «Хоровик. Что с него возьмешь?» Следующим этапом стало оспаривание авторства Шолохова, чтобы, так сказать, «ударить по штабам».

В тогдашнем классическом советском наследии имелось немало имен, чье творчество было явлено массовому читателю лишь частично: Бунин без «Окаянных дней», Всеволод Иванов без романов «Кремль» и «У», Пастернак без «Доктора Живаго», Пильняк без «Повести непогашенной луны», Платонов без «Котлована» и «Чевенгура» (часть романа под названием «Происхождение мастера» была напечатана при Брежневе), Ахматова без «Реквиема», Гроссман без второй части эпопеи «За правое дело!», Булгаков без

«Мастера и Маргариты», «Театрального романа», «Собачьего сердца»... Все эти вещи даже не упомянуты в первом томе «Краткой литературной энциклопедии» 1962 года. К слову, словарная статья о великом писателе, крошечная, без фотографии, не превышает размером стоящий рядом текст о мемуаристе-толстовце Валентине Булгакове. Для сравнения: в том же томе статья о супостате Михаила Афанасьевича — драматурге Биль-Белоцерковском втрое больше да еще снабжена портретом мэтра и снимком из спектакля «Шторм». Каково? Однако надо признать: в профессиональном сообществе при определении значения автора «по гамбургскому счету» (выражение Виктора Шкловского, гнобившего мастера вместе со всеми) эти «потаенные» тексты негласно учитывались, хотя в литературоведческих трудах почти не фигурировали, за исключением, пожалуй, мемуаров.

В 1972 году я поступил на факультет русского языка и литературы Московского областного пединститута имени Крупской и хорошо помню: в курсе советской литературы Булгакову отводилось буквально несколько слов, в основном речь шла о пьесе «Дни Турбиных». А ведь и «Мастер и Маргарита», и «Белая гвардия», и «Записки юного врача», и «Театральный роман» были к тому времени опубликованы и возлюблены читателями. Советская филология не спешила раздвигать ряды классиков, чтобы втиснуть туда же и Булгакова. В ней еще большое влияние имели распорядители прошлой эпохи, застрельщики жестких чисток и проработок, впрочем, остепенившиеся, ставшие академиками и мэтрами, как Шкловский или Кирпотин...

К тому же бурная читательская любовь, не санкционированная званиями, премиями и наградами, всегда вызывала у литературных комиссаров в пыльных шлемах подозрение. А Михаила Афанасьевича читатель полюбил сразу и навсегда. Наш заведующий кафедрой советской литературы тучный Федор Харитонович Власов, добрый дедушка и исследователь творчества Леонида Леонова, на вопрос пытливой студентки о значении Булгакова поморщился и отмахнулся: мол, не фигура, не мыслитель в отличие от автора «Русского леса». Впрочем, это еще полбеды: поэта Евтушенко он считал почему-то женщиной и звал Евгенией Евтушенко. Скорей всего, то было старческое озорство человека, когда-то определявшего силовые линии идейно-творческих полей и сосланного теперь в заштатный пединститут.

По моим наблюдениям, Булгаков входил в наше общественное сознание как-то странно, дискретно, что ли, какими-то фрагментами, которые долго не складывались в грандиозное целое. По крайней мере, так казалось мне, а ведь я был не только студентом-филологом, но и начинающим литератором, допущенным к изустным секретам советской литературы. Например, глотая «Мастера и Маргариту», я и сам не сразу сообразил, что это тот же самый Булгаков, который написал биографию Мольера в ЖЗЛ, — ее я прочел ранее. Книга поразила меня, школьника, какой-то лихостью, не характерной для этой мемориальной серии, пропитанной пиететом, удивила свободой обращения с жизнью мирового классика, словно автор вел речь о своей литературной ровне. Да, только Михаил Афанасьевич мог вместо пролога поместить разговор с повитухой, которая держит на руках недоношенного младенца — будущего автора «Тартюфа».

А вот еще одно наблюдение. Из 60 миллионов советских зрителей, посмотревших в 1973 году комедию Гайдая «Иван Васильевич меняет профессию», немногие заметили, от души хохоча, что это экранизация булгаковской пьесы «Иван Васильевич», шедшей, кстати, в Театре киноактера. Во всяком случае, когда я обратил на это внимание своих друзей, они искренне удивились, хотя к первоисточнику отсылали крупные, во весь экран, титры. Между прочим, и в русской части 200-томной, весьма обстоятельной «Библиотеки всемирной литературы», выпускавшейся с конца 1960-х по середину 1970-х, тома Булгакова не оказалось. Помните? А ведь входившие в редколлегию Николай Тихонов и Константин Федин наверняка знали цену автору «Мастера и Маргариты». Впрочем, ревность к таланту литературного сверстника способна исказить историю словесности до неузнаваемости.

Почему же возвращение Михаила Булгакова не было столь безусловным и одномоментным, как, допустим, Бабеля или Цветаевой? Думаю, тут важны несколько моментов. Первый. Булгакова никогда не запрещали совсем, и возвращался он не как жертва политической борьбы, а просто как большой писатель, не уместившийся в своем прокрустовом времени. Напомню, в отличие от многих архисоветских авторов он умер в своей постели, а не на нарах или у расстрельной стенки. В СССР попутчикам жилось безопаснее, чем соратникам, ушедшим в уклон или оппозицию. Судьбы Бабеля, Нарбута, Кольцова, Киршона или Пильняка — тому пример. Зато потом, в «оттепель», жертвы политической борьбы шумно реабилитировались уцелевшими единомышленниками и одноплеменниками, которые в 1960–1980 годы доигрывали конспирологические партии, начатые в 1920–1930-е.

3. Русский писатель

Второй момент. Важный. Булгаков обладал чисто русским взглядом на мир и соответственно национальным художественным даром. Такой, знаете ли, бывает, например, у Шевченко или Шолом-Алейхема. Но реализовывать свой дар писатель был вынужден в литературно-театральном пространстве, где господствовали лютый интернационализм и лукавая русофобия, прикрытые «земшарными» блузами и френчами. Мастер дожил-таки до частичной реабилитации русской традиции, даже подал заявку для участия в конкурсе на новый, патриотический учебник истории, призванный заменить классовый кошмар школы Покровского. (Если учебник был написан и сохранился в архивах, хорошо бы найти, издать!) И, думаю, дело тут не только в крупной премии, обещанной правительством и сопоставимой с лотерейным выигрышем Мастера, но и в желании поквитаться за унижения своего народа в предшествовавший период, когда Бухарин всех русских объявлял «нацией обломовых». Достаточно вспомнить возмущенную запись в дневнике после посещения редакции журнала «Безбожник»:

«Сегодня специально ходил в редакцию «Безбожника». Был с М. С., и он очаровал меня с первых шагов.

— Что, вам стекла не бьют? — спросил он у первой же барышни, сидящей за столом.

— То есть как это (растерянно).

— Нет, не бьют (зловеще).

— Жаль.

Хотел поцеловать его в его еврейский нос...

Тираж, оказывается, 70 000, и весь расходится. В редакции сидит неимоверная сволочь...

— Как в синагоге, — сказал М., выходя со мной...

Когда я бегло проглядел у себя дома вечером номера «Безбожника», был потрясен... Иисуса Христа изображают в виде негодяя и мошенника. Нетрудно понять, чья это работа. Этому преступлению нет цены».

Однако к концу 1930-х, когда «националистический нэп» (выражение тех времен) набрал силу, писатель был уже безнадежно болен. Да и последний его роман не вписывался по всем своим параметрам в ту прощенную и разрешенную часть русской культуры, которую поощрял новый, национал-большевистский курс. Русскую традицию реабилитировали лишь настолько, насколько она могла быть полезна многонациональной советской империи. А когда русская самость слишком поднялась после войны, ее прихлопнули жутким «ленинградским делом», по кровавости не сопоставимым с гонениями на космополитов, тоже весьма суровыми.

И, наконец, третий момент, объясняющий «дискретное» возвращение Булгакова. Он один из немногих, кто в сверхполитизированные 1920–1930 годы писал так, как хотел, повинуясь лишь своей внутренней свободе. Помните:

«— О чем роман?

— Роман о Понтии Пилате.

Тут опять закачались и запрыгали язычки свечей, задребезжала посуда на столе, Воланд рассмеялся громовым образом, но никого не испугал и смехом этим никого не удивил. Бегемот почему-то зааплодировал.

— О чем, о чем? О ком? — заговорил Воланд, перестав смеяться. — Вот теперь? Это потрясающе! И вы не могли найти другой темы? Дайте-ка посмотреть, — Воланд протянул руку ладонью кверху...»

Несколько упрощая и осовременивая тему, можно сказать, что мастер существовал вне тогдашних «букеров», «больших книг», «золотых масок» с их идеологическими, тематическими, клановыми, мелко конъюнктурными, а то и просто меркантильными установками. Тогда, например, было выгоднее ненавидеть царскую Россию, великодержавный шовинизм, «нацию обломовых». Сегодня доходнее презирать СССР, «русский фашизм», «совков». Какая разница? Никакой. Русофобия — дама модная и всегда драпируется в идеологические тряпки из последней сезонной коллекции.

Да, репертком Булгакова не любил. А что, разве нынешний «агенпоп» (Агентство по печати) любит самостоятельных писателей, обладающих оригинальным, да еще русским даром? Нет, не любит. «Реперткомы» начинают понимать оригинальность только после того, как она запущена в серию. Этим и объясняется, что сочинения, попадающие в короткие списки нынешних премий, похожи друг на друга, как штампованные сувениры. Таковы же фильмы и спектакли. Штопор в виде возбужденного фавна — правда, занятно? А если таких фавнов целая полка?!

4. Золотая норма

И тут я хочу поделиться некоторыми своими соображениями о природе писательского дара. Почему одни авторы выпадают из нашего зрения при первом же извиве литературного процесса, как оставшиеся за кормой прибрежные избушки, другие еще некоторое время маячат за поворотом русла, точно обглоданные атеизмом колокольни, а третьи светят всегда, подобно звездам над головой? В чем дело? В авторской установке на вечность или сиюминутность? Нет. Любой нормальный писатель садится к столу, взыскуя вечности. Циничные борзописцы не в счет, они к литературе имеют такое же отношение, как бывалые девицы по вызову к тайне любви. Помните, даже графоман Рюхин ревновал к славе Пушкина, конечно, понимая ее по-своему: «...Что бы ни случилось с ним, все шло ему на пользу, все обращалось к его славе! Но что он сделал? Я не постигаю... Что-нибудь особенное есть в этих словах: «буря мглою»? Не понимаю!.. Повезло, повезло... Стрелял, стрелял в него этот белогвардеец и раздробил бедро, и обеспечил бессмертие...» Кстати, Шарику тоже «свезло» — профессор Преображенский сделал его человеком. Примерно так же в те годы из малограмотных ударников и рабкоров с помощью массового призыва в литературу пытались лепить новых властителей дум. Почти все они вскоре, как и прооперированный пес, вернулись в первобытное состояние. Иных из «призванных», уже стариками, я застал в 1970-е слоняющимися по Дому литераторов в ожидании дармовой рюмки. Интересно, вкладывал ли автор «Собачьего сердца» и эту окололитературную аллюзию в свою знаменитую повесть?

Между прочим, конец прошлого и начало нынешнего века ознаменовалось массовым призывом филологов в литературу. Логика та же: если человек знает историю литературы, читал основополагающие тексты, безошибочно отличает метонимию от литоты, то из него обязательно выйдет писатель. А вот и нет. Количество филологических знаний не переходит в качество художественного таланта, подобно тому, как от массажа дамского живота, даже весьма темпераментного, дети не зачинаются. Результат у всех перед глазами: при обилии олауреаченных сочинений найти талантливую книгу очень трудно. У меня от нынешнего литературного процесса странное впечатление: будто сотни безголосых преподавателей сольфеджио набились на сцену Большого театра и запели хором. Ужас!

Но вернемся к тайне ремесла. Почему одни книги уже через десять — двадцать лет читать невозможно, а другие продолжают нас волновать? Почему одни устаревают, а другие почти нет? И что именно устаревает в первую очередь? Тема, жизненный материал? Но ведь история «Барышни-крестьянки» невозможна без крепостного состояния, а, поди ж ты, волнует нас и через сто пятьдесят лет после отмены «рабства дикого». По моим наблюдениям, главное устаревание текста происходит на языковом уровне. Попробуйте сегодня почитать «Красное дерево» Пильняка! Прочесть-то прочтете, конечно, но это будет серьезное филологическое занятие. Затрудненное чтение, как и затрудненное дыхание, радости не приносят. Кроме того, когда устаревают приметы текущего быта, актуальные намеки, шпильки и затрещины литературно-политической борьбы, многие сочинения делаются просто скучными. Становится ясно: они были не талантливы, а лишь казались или провозглашались таковыми. Увы, в литературе много званных, меньше избранных и совсем мало одаренных тем, что необходимо для долгого читательского успеха.

Речь, прежде всего, о двух главных качествах — абсолютном языковом слухе и даре рассказчика. Они даются от рождения, выработать их в себе нельзя, можно лишь сымитировать, чем многие и занимаются, иногда не без внешнего успеха. Сизифов подвиг Солженицына тому пример. Чаще всего сами авторы не чувствуют отсутствия у себя этих базовых качеств. Так, избалованная родней дурнушка недоумевает, почему за порогом отчего дома никто не замечает ее очевидную красоту. Таким авторам кажется: чтобы ухватить живой язык, достаточно зайти в народ, побегать по цехам, пивным помойкам с блокнотиком или, как теперь принято, «погуглить». И вся недолга! Нет, далеко не вся. Так, за два десятилетия увлечения «вербатимом» та же «новая драма» не дала нам ничего годного даже для самого непритязательного репертуара. Премии? «Золотая маска»? А это теперь как нагрудный знак «Молодой гвардеец пятилетки». Не более того... Некоторое время иллюзия успеха поддерживается критикой, она замечает и выдвигает именно такую «актуальную современность» в литературе или драматургии, норовя при каждом удобном случае «ударить по пилатовщине». Иной критик напоминает мне теоретическую балерину, никогда не стоявшую на пуантах, зато знающую, как их правильно завязывать.

Многие зоилы Булгакова искренне не понимали, чем он лучше Артема Веселого или Федора Гладкова. Другие понимали и за это не любили его еще больше: чужой не может быть талантлив по определению. Не забудем, Булгаков пришел в отечественную словесность, когда из нее систематично и жестко изгонялись не только русский дух, но и буква: уже было подготовлено решение о переводе орфографии на латиницу, многие национальные языки на нее перевели. Если бы не заминка с мировой революцией и не приход к власти фашистов, отрезвивших кремлевских мечтателей, мы вполне могли бы сегодня вести речь о писателе Bulgakove и его романе «Master i Margarita». Именно в 1920-е начала складываться «двухобщинность» русской словесности, которой, в отличие от национальных литератур, почти не коснулась политика «коренизации», т.е. государственной поддержки национальных кадров во всех сферах. Наоборот, до середины 1930-х в русской литературе шел процесс «искоренизации» от слова «искоренить». Он-то и привел к расколу. Именно политика, а не эстетика сделала антиподами, скажем, Павла Васильева и Эдуарда Багрицкого. Власть, спохватившись, пыталась в 1940–1970-е бороться с этим процессом размежевания или хотя бы замедлить его, но тщетно — «двухобщинность» окончательно оформилась, победив в 1991 году. Теперь, скажем, Василий Аксенов и Василий Белов, в сущности, принадлежат почти к разным литературам. А главный вопрос нашей «двухобщинной» словесности можно свести к фразе из комедии «Иван Васильевич»: «Ты чьих будешь?»

Булгаков вызывал у собратьев по цеху не только идеологическое и клановое раздражение, но и чисто профессиональное, ибо принадлежал к тем немногим писателям, которые ощущают родной язык на уровне «золотой нормы». Именно она остается после того, как спадет вербальная пена эпохи, и она, «золотая норма», действительно добывается, как радий, из «тысячи тонн словесной руды». Прав был Маяковский, обладавший тем же даром, потому и оставшийся в поэзии едва ли не один из всего бутафорски-пошивочного цеха супругов Бриков. Неслучайно Булгаков и Маяковский общались на равных, хотя и недолюбливали друг друга. Вспомним хотя бы эпизод, когда «горлан-главарь» подсказал мастеру фамилию для злодея-ученого: Темирзяев. Гениально! Однако Михаил Афанасьевич назвал своего профессора Персиковым.

На каком-то подсознательном уровне писатели с таким даром чувствуют, в каком направлении будет развиваться язык. Именно этот «будущий» язык и ложится в основу индивидуального стиля. Особо рьяным современникам манера таких писателей часто кажется старомодной, не поспевающей за обновлением мира и общества. А речь всего лишь о продвинутом языковом консерватизме. Соратники-футуристы пошли гораздо дальше Маяковского. А толку? Проза зрелого Булгакова вообще на фоне «производственного романа» тех лет кажется приветом из классики XIX века. И что? Бежать за новизной — это как догонять по шпалам ушедший поезд. Лучше подождать в станционном буфете, пока состав тронется в обратный путь. А с новизной это случается всегда, она обязательно сдает назад.

Теперь о втором непременном качестве писателя. Он должен обладать врожденным даром рассказчика, а это примерно то же самое, что и талант мелодиста в музыке. Он или есть, или его нет. Речь не об умении закрутить сюжет, выстроить интригу, поддержать динамику. Нет! Этому можно научиться даже в Литинституте, если попадешь к хорошему руководителю семинара. Речь совсем о другом — об умении превратить в сюжет интонацию, саму манеру повествования, склад речи. Это дано немногим. Булгаков таким даром обладал. Из моих старших современников на такое был способен Владимир Солоухин, за что его терпеть не могли филологические прозаики, ушибленные Прустом. Этим же даром, без сомнения, обладал Фазиль Искандер, а также Юрий Нагибин, но лишь до того, как повредился на почве национальной самоидентификации.

5. Литературный волк и стриженые пудели

Совокупность этих двух талантов — языкового слуха и дара рассказчика — сразу неизмеримо поднимает писателя над коллегами по перу. Конечно, Булгаков, как те же Алексей Толстой и Андрей Платонов, ощущал свое превосходство над большинством современников, и это сквозит в его поведении, в быту, в манере одеваться. Знаменитый галстук-бабочка — это, как бы мы сейчас сказали, сознательный маркер избранности, как и грубый свитер Хемингуэя. Михаил Афанасьевич даже письмо Сталину в 1931 году при всей тяжести написал так, как не мог позволить себе никто другой. Я при цитировании постарался сохранить строфику и выделенные автором фрагменты. Судите сами:

«Многоуважаемый Иосиф Виссарионович!

«Чем далее, тем более усиливалось во мне желание быть писателем современным. Но я видел в то же время, что, изображая современность, нельзя находиться в том высоко настроенном и спокойном состоянии, какое необходимо было для произведения большого и стройного труда. Настоящее слишком живо, слишком шевелит, слишком раздражает; ***перо писателя нечувствительно переходит в сатиру****...*

...мне всегда казалось, что в жизни моей мне предстоит какое-то большое самопожертвование и что именно для службы моей отчизне ***я должен буду воспитываться где-то вдали от нее****.*

...я знал только, что еду не затем, чтобы наслаждаться чужими краями, но скорее, чтобы натерпеться, — точно как бы предчувствовал, что узнаю цену России только вне России и добуду любовь к ней вдали от нее».

Н. Гоголь»

Это эпиграф. Вы поняли? Письмо вождю с эпиграфом. Оригинально, согласитесь! Я вот написал не одно письмо президенту Путину о трудностях «Литературной газеты», но ни разу не догадался предпослать эпиграф. (Может, и к лучшему, ведь вождь в отличие от президента автору не ответил). И далее Булгаков без всякого перехода и мотивации этой обширной гоголевской цитаты высказывается по существу вопроса:

«Я горячо прошу Вас ходатайствовать за меня перед Правительством СССР о направлении меня в заграничный отпуск на время с 1 июля по 1 октября 1930 года.

Сообщаю, что после полутора лет молчания во мне с неудержимой силой загорелись новые замыслы, что замыслы эти широки и сильны, и я прошу Правительство дать мне возможность их выполнить.

С конца 1930 года я страдаю тяжелой формой неврастении с припадками страха и предсердечной тоски, и в настоящее время я прикончен.

Причина болезни моей мне отчетливо известна. На широком поле словесности российской в СССР я был один-единственный литературный волк. Мне советовали выкрасить шкуру. Нелепый совет. Крашеный ли, стриженый ли волк, он все равно не похож на пуделя. Со мной и поступили как с волком...»

Сам помучившись в свое время с «фобическим неврозом», могу утверждать, что более точного описания этого болезненного состояния я ни у кого не встречал — «припадки страха и предсердечной тоски». Не сердечной, а именно предсердечной. Лучше не скажешь! Кто страдал — поймет. Зачем понадобилась такая откровенность? Витали слухи, что у генсека тоже с нервишками проблемы, а общие недуги сближают. Трудно вообразить, чтобы кто-то еще мог позволить себе отправить в высшую инстанцию письмо, выстроенное против всех правил «прошений». Обширная цитата из Гоголя следует сразу за обращением к Сталину и сначала воспринимается как слова самого Булгакова. С одной стороны, это намек на то, что создателю «Ревизора» многолетние «загранкомандировки» не мешали знать и любить Отечество. С другой стороны, тут очевидна заявка на соизмеримость Михаила Афанасьевича с Николаем Васильевичем. Это подтверждают слова автора письма о том, что он, Булгаков, — «один-единственный литературный волк» в СССР. Какое слово тут ключевое — «волк» или «единственный»? Думаю, оба.

О «стриженом пуделе» стоит сказать особо. Именно к этой породе Михаил Афанасьевич явно относит почти все остальное литературное сообщество за редкими исключениями. А ведь это сообщество было жестко сформировано как раз той самой правящей партией, к лидеру которой и обращается с просьбой заявитель. В таком тоне писатели не позволяли себе говорить не то что со Сталиным, а даже с Горбачевым, всем своим видом вызывавшим желание налепить ему на голову томатную пиццу...

Именно дерзким самостояньем, помимо замечательного таланта, можно объяснить стойкий читательский и зрительский успех Булгакова. Литератор, гуляющий, как пудель, на поводке у власти или у оппозиции, а также влекомый запахом сыра в премиальной мышеловке, устаревает быстрее, чем лозунг вчерашних выборов. Именно внутренняя свобода так бесила собратьев по перу и неистовых зоилов, недоумевавших, куда же смотрит ОГПУ. Между прочим, Г.П. Ухов – один из псевдонимов Булгакова. Улавливаете? Как говорится, наш ответ Киршону. Теперешним критикам, обслуживающим современную «акустическую комиссию» и гнобящим нынешних «литературных волков», чаще надо бы заглядывать в педантично составленный памятливым Михаилом Афанасьевичем список его хулителей и очернителей: «Авербах, Алперс, Бачелис, Безыменский, Лелевич, Биль-Белоцерковский, Вишневский, Киршон, Машбиц-Веров, Орлинский, Пельше, Блюм, Пикель, Рубинштейн, Циновский» и т.д. Желаете, господа, остаться в истории отечественной словесности таким же образом? Нет? Уже остались.

6. Латунские-булгаковеды

Кстати, составитель одной из последних биографий Булгакова поостерегся включать приведенный список в свой толстый том. Неполиткорректные фамилии. Но кто же в этом виноват? Из песни слова не выкинешь. Зато Солженицын не побоялся и полностью привел список гонителей в своем двухтомном труде «Двести лет вместе». А мог ведь тоже уклониться по семейным обстоятельствам. Вообще, в сочинениях о Булгакове находишь много чепухи. Вот, к примеру, вышедшая в ЖЗЛ книга Алексея Варламова. Работа в целом вполне достойная, если не считать усердного антисоветизма, присущего обыкновенно отпрыскам номенклатурных семей. Но и в ней есть некоторые странности. Так, автор видит всех идейных противников Булгакова если не мерзавцами, то приспособленцами и двурушниками. Но это ведь далеко не так — у многих врагов писателя, если отбросить зависть, была своя правда: они верили в красную идею, прошли Гражданскую войну, рисковали жизнью, победили и ожидали увидеть на литературном поле советской республики соратников и единомышленников. А тут белогвардейскую пьесу Булгакова продвигает в репертуар МХАТа чуть ли не сам Сталин. (Во всяком случае, вопрос выносится аж на Политбюро.) Есть от чего взвиться! И далеко не все враги Булгакова оказались на поверку приспособленцами, многие, не согласившись с отходом от мировой революции, сгинули в ГУЛАГе, который сами же и построили для врагов социализма. Кто же знал, что социализм отчасти обрусеет и станет великодержавным! Не стоит на то сложное, противоречивое время смотреть глазами советского диссидента, подрабатывающего в колхозных клубах чтением лекций об образе Ленина в кино.

Впрочем, высказывание еще одного булгаковеда меня просто озадачило. Сообщая о браке Булгакова с Еленой Сергеевной, автор не смог удержаться от ветхозаветного восторга: «И слились две великие крови!» Как, каким образом? Общих детей-то у них не было. Странно слышать такое решительное утверждение о верховенстве крови из уст автора, который обычно в таких политкорректных вопросах боязлив, как дачный заяц. Если это аллегория и речь идет о преодолении через женитьбу тех черт булгаковской прозы, которым посвящена книжка Михаила Золотоносова «"Мастер и Маргарита" как путеводитель по бытовому русскому антисемитизму» (1995), то вряд ли брак повлиял на писателя в этом смысле. Он был, по-моему, в сфере семейного строительства скорее прагматиком. Во всяком случае, история его предыдущего брака с Белозерской, наводит на подобные размышления. Следует также напомнить, Елена Нюренберг была дочерью рижского еврея-выкреста и поповны, но в семье от прежнего отцовского иудейства ничего не осталось, кроме, полагаю, родственных связей. К тому же инородцы окраин империи явно не разделяли крайностей русофобии 1920 годов. Они быстро поняли: латышский или украинский национализм не идет ни в какое сравнение с великорусским, так толком и не оформившимся под тяжестью державной ноши.

Нисколько не умаляя страстного сердечного влечения мастера, осмелюсь предположить: для него это был еще и оборонительный союз, заключенный с женщиной, имевшей родственные, деловые и дружеские связи в новой советско-космополитической элите, в мире сросшихся карательных и культурных органов, где Булгаков, в отличие от того же Бабеля, был чужаком. Еще один яркий пример такой «кентавризации» — Всеволод Мейерхольд, получивший немало ядовитых стрел от Михаила Афанасьевича. Вспомним хотя бы трапецию с голыми боярами, рухнувшую и задавившую реформатора сцены. Третья женитьба Булгакова чем-то напоминает мне брак Чехова с Ольгой Книппер. Кстати, родная сестра Елены Сергеевны Ольга Бокшанская служила в Художественном театре все при том же Немировиче-Данченко. А возможно, и приглядывала за титаном. Любопытная параллель, не правда ли...

В юбилейный год, читая материалы о Булгакове, наблюдаешь глупые попытки нынешней «акустической комиссии» вогнать его в антисоветский дискурс. Я далек от того, чтобы представлять автора «Багрового острова» адептом или хотя бы «яростным попутчиком» большевиков, но он, как и другие думающие современники, понимал: сложившийся после революции режим — это возмездие за накликанную революцию, это если и зло, то вынужденное делать добро хотя бы ради самосохранения. Но попробуйте сегодня объяснить это продолжателям дела незабвенного профессора Покровского в отечественной гуманитарной науке! В ответ они затянут песню про ГУЛАГ, столь же популярную среди нынешней мемориальной интеллигенции, как фокстрот «Аллилуйя» в 1920 годы. Кстати, именно эта общественная тусовка имеет нынче гораздо большее влияние на политику СМИ, включая ТВ, нежели профильное подразделение Администрации президента. Уж, поверьте мне, израненному ветерану эфирно-строчечного фронта...

И хотя со времен посещения Воландом Москвы жизнь в стране сильно переменилась, принципы воздействия на умы сограждан остались те же. Все-таки язвительный мастер неслучайно придумал для контрольно-указующих органов (и тусовок) кличку «акустическая комиссия», ибо замалчивание очевидного и ретрансляция нелепого – основные приемы введения в заблуждение. А глушение – тоже вид запрета. «Акустика», точнее, сиюминутный, целенаправленно усиленный резонанс фальшивого звука – это именно то, что сейчас мы зовем манипуляцией общественным сознанием.

Но искусственная акустика недолговечна, ее результат рассасывается порой еще до того, как очередной «любитель домашних птиц» Семплеяров вылетит из чиновного кресла. Записные акустики, сидевшие не столько в ЦК, Главлите и ОГПУ, сколько в Союзе писателей, замалчивали мастера почти полвека. Прежде всего, потому, что у него был дар и, как следствие, самостоятельность. Замалчивали. И что? Все кончилось булгаковским бумом, когда, как справедливо тосковал Рюхин: «...Что бы ни случилось с ним, все шло ему на пользу, все обращалось к его славе!» И это воистину так! Именно Булгаков стал одним из символов русской литературы XX века, хотя критики сначала «гнали его по правилам литературной садки в огороженном дворе», а потом просто не замечали – как умер. И где теперь они, званные, избранные, обласканные? Вы давно были на премьере Вишневского или Биль-Белоцерковского? Давно читали на ночь Бедного или Безыменского? Давно клали под подушку «Электроцентраль» Шагинян? А ведь все они любимцы «акустической комиссии», лауреаты всех степеней, кавалеры всего, что висит. Они классики той, булгаковской эпохи, где самому Михаилу Афанасьевичу отводилась роль маргинала, сочиняющего на смерть глядя, какой-то вздорный роман о чертях и Понтии Пилате. Где они теперь, эти классики? Зато латунские поголовно стали булгаковедами и пишут биографии мастера, используя его авторитет в сиюминутных окололитературных склоках, призывая ударить по «шариковщине». Ей-богу, когда я впервые увидел Смелянского, то ахнул: ну, вылитый Латунский!

7. Электротеатр

Шел я недавно по Тверской улице мимо «электротеатра “Станиславский”» и вспомнил вдруг, что когда-то здесь, в Московском драматическом театре имени Станиславского, впервые увидел «Дни Турбиных» в постановке Михаила Яншина с Евгением Леоновым в роли Лариосика. Кстати, вы когда-нибудь задумывались, почему автор так назвал или согласился с таким названием сценической версии «Белой гвардии»? Ну да, вроде бы понятно: литературная перекличка — «Труды и дни», «Дни нашей жизни»... Но мне кажется, тут затаен более глубокий смысл. Действительно, то были их дни, дни Турбиных, небольшой период, когда исход революции и Гражданской войны зависел от того, на чью сторону станут Турбины, не только конкретная семья, описанная в романе, а шире — тот образованный, работящий и патриотичный слой русского общества, чей выбор, в конечном счете, и определил победителя. Как потом подсчитали, даже офицерский корпус, главная надежда сил реставрации, поделился примерно пополам между белыми и красными... «Так за Совет народных комиссаров мы грянем громкое "ура-ура-ура!"»

Ах, что за чудо был тот давний яншинский спектакль! И такая мрачная сегодняшняя символика: «электротеатр». Прямо какая-то помесь варьете Степы Лиходеева с нехорошей квартирой. Напомню, именно наступлению «электротеатра» насмерть противостоял драматург и режиссер Михаил Булгаков. Нет, я не о синематографе, боже меня упаси! Братья Люмьеры и Васильевы тут ни при чем. Я о той выдуманной сценической новизне, что горит не живым одухотворенным светом, а лишь рябит да прыгает в глазах, точно голые бояре на трапеции. Эта новизна словно бы подключена к тарахтящей динамо-машине, которая с одобрения «акустической комиссии» снабжает дурной энергией очередной окончательный эксперимент над искусством и здравым смыслом.

Не огорчайтесь, Михаил Афанасьевич, и этот «электротеатр» ненадолго.

Про чукчу

В самом начале 90-х мы с приятелем (назову-ка я его Володей) затеяли издательство «Библиотека для чтения». Название позаимствовали из XIX века у Осипа Сенковского. (Не путать с телевизионным путешественником Сенкевичем, другом Тура Хейердала.) Мы с воодушевлением узнали, что кто-то заработал чуть не миллионы на книжке Фрейда — руководстве по толкованию фаллических сновидений. Брошюрка, напечатанная на серой газетной бумаге шрифтом мелким, как лобковая вошь, разлетелась вмиг. Видимо, всем тогда снилось одно и то же. Да и гонорар старику Зигмунду можно было уже не платить, а налогов тогда еще как-то не завели. Свобода и дикий капитализм в одном флаконе: обогащайтесь!

Однако, чтобы начать бизнес, требовался стартовый капитал, и Володя предложил мне взять кредит в банке, который вроде бы еще принадлежал государству, но управляющий уже разъезжал в черном броневике с золоченым бампером, а его часы, по слухам, стоили столько же, сколько пионерский лагерь «Артек». За три года до гибели КПСС его из инструкторов ЦК разжаловали в банковское ничтожество, застав в кабинете пьяным, да еще с полуголой секретаршей, лежащей на полированном двухтумбовом столе. А я в ту пору после выхода моих повестей «Сто дней до приказа», «ЧП районного масштаба» и «Апофегей» был широко известен, читаем, даже узнаваем, и Володя сказал: под Полякова деньги найдут. Я, наивный советский чукча, не без самодовольства согласился, тут же подписав кипу каких-то бумаг, и мы выпили за удачу бутылку «Наполеона», отдававшего школьной химией.

Вскоре компаньон приехал ко мне в квартиру на Хорошевке и радостно объявил: бабки перечислены на счет «Библиотеки для чтения». Любитель голых секретарш взял за благорасположение немного — пятнадцать процентов. Я предложил немедленно издать знаменитый роман Михаила Арцыбашева «У последней черты», при советской власти запрещенный за лишнюю эротику и ницшеанство. Но Вова выставил на стол бутылку «Абсолюта», который разил все той же химией. Мы выпили, и он стал убеждать меня, что сумму, полученную в банке, можно сразу удесятерить, вернуть кредит, пока не набежали большие проценты, отметить негоцию в «Метрополе», взять себе новые иномарки (и не с правым, с левым рулем!) и купить, наконец, по вилле в Крыму. А уж потом, будучи обеспеченными людьми, посвятить себя вдумчивому несуетному книгоизданию. С каждой выпитой рюмкой его аргументы становились весомее. «Но как это сделать?!» — недоумевала моя простая душа. «Элементарно! Покупаем за деревянные рубли валюту, доллары, а на них затариваемся дешевым ширпотребом в Южной Корее. У нас здесь, в разутом, раздетом и немытом Отечестве, этот хлам оторвут с руками!» — «Но как?...» — все еще не мог понять я. «Просто! Наш торгпред в Сеуле — мой друг, у него все схвачено. Товар пойдет морем до Мурманска в контейнерах. Там в потребкооперации у меня есть приятель, кристальный мужик. Возьмет оптом по хорошей цене. Ну что, свисток — вбрасывание?» — «А если?..» — «Кто не рискует, тот не пьет "Вдову Клико"!»

И я, глупый советский чукча, подписав еще какие-то бумаги, стал ждать богатства. Иногда, подойдя к окну, я видел внизу свою будущую глянцевую иномарку. Регулярно на связь выходил мой возбужденный компаньон и докладывал, что удалось добыть партию кроссовок по доллару за пару или женские «дольчики» по десять баксов за тюк. Я снова смотрел в окно, и на пустынном Ходынском поле, еще не застроенном домами, мне мерещилась белая крымская вилла, причем теплые бирюзовые волны бились прямо о ее порог.

Вдруг среди ночи позвонил Володя и мертвым голосом сообщил: баржа с нашим товаром попала в Баренцевом море в жестокий шторм и тонет. Если произойдет худшее, придется, чтобы вернуть кредит, продать дачу и даже квартиру с библиотекой. «Чью квартиру с библиотекой?» — похолодел я до костного мозга. «Твою. Не хватит — добавлю!» — успокоил он. «Но почему мою? Это же твоя идея!» — «Идея моя, а кредит на твое имя оформлен. Но ты не волнуйся, я тебя в беде не брошу! — великодушно пообещал мой компаньон. — Что-нибудь придумаем. Еще один кредит возьмем. Народ тебя любит!» Кстати, такой суровый оборот был прописан в договоре, но я же, безмозглый советский чукча, конечно, его не читал. Somewhat ко ночей я не спал и воспаленной тенью бродил по квартире, прощаясь с родными стенами, гладил корешки любимых собраний сочинений, нежно прислушиваясь к журчанию неисправного туалетного бачка, прежде меня бесившего. Встревоженной жене врал, будто режется зуб мудрости. «Наверное, это очень больно?» — «Это просто кошмар, милая!»

Но вот снова вышел на связь Вова и свежим, как рыночная баранина, голосом объявил: баржа удержалась на плаву и дотянула до Мурманска. Это хорошая весть. Теперь — плохая: основная часть товара в контейнерах испорчена морской водой. «Дольчики», оказывается, не были рассчитаны на стирку, а кроссовки — на дождь, потому и стоили так дешево. Оставшееся тряпье по дружбе оптом взял кристальный мужик, он сдержал слово, хотя лежал под капельницей после перестрелки в порту. В общем, объяснил мой верный компаньон, мы едва-едва вышли в ноль, но на погашение кредита хватает. «И квартиру продавать не надо?!» — задохнулся я от робкого счастья. «Нет! Живи спокойно! Даже осталось чуть-чуть на издание какой-нибудь книжонки...»

Крылья удачи сами понесли меня к ближайшей палатке. Я купил водки себе, а для жены модный ликер «Амаретто», напоминавший леденцы, разведенные в валокордине. Мы душевно отпраздновали какую-то подвернувшуюся круглую семейную дату, в честь которой я починил бачок в туалете. Тайну бездны, куда мне довелось заглянуть и едва не рухнуть, она не узнала никогда. В тот день я дал себе клятву — впредь ни за что не влезать ни в какой бизнес, даже если мне посулят златые горы, фонтанирующие «Вдовой Клико».

Вскоре мы с Володей издали самый скандальный русский роман начала XX века «У последней черты», но его никто не покупал, все хватали, как ненормальные, «Дневник космической проститутки». «Библиотека для чтения» прогорела и закрылась. Лишь спустя много лет, проезжая по Хорошевке мимо своего старого дома, совсем сникшего на фоне новых небоскребов, я вдруг подумал: а ведь и про шторм, и про баржу, и про все остальное я узнавал только от Вовы, который вскоре стал крутым бизнесменом. Проверить, что там на самом деле случилось с корейским ширпотребом, мне даже не пришло в голову. И был ли шторм? Не знаю. Да и знать не хочу. Увы, капитализм тогда разделил всех нас, советских людей, на плотоядных и жвачных. Я оказался из жвачных. Может быть, потому и остался писателем.

2016

Содержание

Литературно-художественное издание

ЛЮБОВЬ В ЭПОХУ ПЕРЕМЕН

Поляков Юрий Михайлович

ПО ТУ СТОРОНУ ВДОХНОВЕНИЯ

Сборник

Редакционно-издательская группа
«Жанровая литература»

Зав. группой *М. Сергеева*
Руководитель направления *Л. Захарова*
Выпускающий редактор *М. Герцева*
Корректоры *А. Будаева, Н. Лин*
Компьютерная верстка *С. Клещёв*

ООО «Издательство АСТ»
129085, г. Москва, Звездный бульвар,
д. 21, строение 3, комната 5
Наш электронный адрес: www.ast.ru
E-mail: zhanry@ast.ru

Подписано в печать 23.03.2017 г. Формат 84×108 $^{1}/_{32}$.
Усл. печ. л. 25,20. Тираж 12 000 экз. Заказ № 2579.

«Баспа Аста» деген ООО
129085 г. Мәскеу, жұлдызды гүлзар, д. 21, 3 құрылым, 5 бөлме
Біздің электрондық мекенжайымыз: www.ast.ru
E-mail: zhanry@ast.ru

Отпечатано в ООО «Тульская типография».
300026, г. Тула, пр. Ленина, 109.

Қазақстан Республикасында дистрибьютор және өнім бойынша
арыз-талаптарды қабылдаушының өкілі «РДЦ-Алматы» ЖШС, Алматы қ.,
Домбровский көш., 3«а», литер Б, офис 1.
Тел.: 8(727) 2 51 59 89,90,91,92, факс: 8 (727) 251 58 12 вн. 107;
E-mail: RDC-Almaty@eksmo.kz
Өнімнің жарамдылық мерзімі шектелмеген.

Өндірген мемлекет: Ресей
Сертификация қарастырылмаған

Любовь в эпоху перемен

Новый роман Юрия Полякова «Любовь в эпоху перемен» — первая в отечественной литературе попытка разобраться в эпохе «перестройки», рассеять мифы, понять ее тайные пружины, светлые и темные стороны. Как всегда читателей ждут острый сюжет, яркие характеры, язвительная сатира, острые словечки, неожиданные сравнения и метафоры. Но главное – это трогательная история любви, где томление сердца, тонкие переживания соседствуют со смелой и красивой эротикой.

Апофегей

Этот роман стал символом целого поколения, а его название вошло в словари как неологизм автора. Любовь, охватившая героев книги, принадлежит к тем редким чувствам, которые приходят один раз в жизни и то не ко всем. Почему же люди, созданные друг для друга, расстаются, почему наркотик власти оказывается сильнее любви? Об этом написан роман, поразивший читателей 90-х своей эротической смелостью и разящей иронией. Критика с тех пор стиль Полякова называет «гротескным реализмом».

Небо падших

Неслучайно этот роман постоянно переиздают, снимают по нему фильмы и ставят спектакли. Он посвящен вечной теме. Наверное, каждому мужчине хоть раз в жизни встречается роковая женщина, но не каждый принимает вызов, брошенный ему судьбой. «Любовь на уничтожение», навек связавшая героя и героиню романа, заканчивается поединком… в небе на высоте нескольких тысяч метров. Исход предрешен: один теряет жизнь, другой – любовь…